ORGANIBAC

PÉRIPHÉRIQUES

Collection dirigée par Pierre KARDAS et Etienne CALAIS

PRECIS DE LITTERATURE
PAR SIECLE
PAR GENRE

Etienne CALAIS et René DOUCET
Ancien élève de l'ENS-St-Cloud
Agrégés des Lettres

EDITIONS MAGNARD

Le professeur ne doit pas apprendre des pensées... mais à penser. Il ne doit pas porter l'élève mais le guider si l'on veut qu'à l'avenir il soit capable de marcher de lui-même.

Annonce de M. **Emmanuel Kant** *sur le programme de ses leçons pour le semestre d'hiver 1765-1766.*

Les auteurs remercient :

François MARCHAND pour la réalisation,

Françoise NARTI et Christian LIMOUZY pour la documentation,

Chantale MOURGUES pour la relecture,

Jean-Pierre MAGNIER et Pierre LANSELLE pour les dessins,

DIGI-FRANCE pour la composition et la photogravure.

Sommaire

1re PARTIE : LES SIÈCLES

2e PARTIE : LES GENRES

3e PARTIE : CLÉS ET OUVERTURES

Pré

• De l'HISTOIRE avant toute chose...

Que la connaissance de l'histoire soit une base incontournable de la culture générale, nul n'en a jamais disconvenu ; que la connaissance de l'histoire de notre littérature, dans toutes ses dimensions, périodes, mouvements, genres, soit une nécessité **vitale** pour l'**honnête homme** et surtout l'**honnête étudiant** de cette fin de siècle, est une idée désormais largement acceptée.

Certes, il y a quelques années, l'histoire littéraire, assimilée à un panthéon de gloires à encenser et révérer, a pu être contestée par les critiques de la nouvelle vague. Néanmoins lorsque 50 % des élèves du second cycle situent le romantisme au 17e siècle et le classicisme au 19e, force est de constater qu'il y a problème et de reconnaître que la dimension chronologique est indispensable à l'approche pédagogique des textes littéraires.

• Reconstituer la planète éclatée

Qu'on nous permette une analogie. La fameuse ceinture d'astéroïdes de notre système solaire résulterait, dit-on, de l'éclatement d'une planète aujourd'hui disparue. Or pour beaucoup de potaches, les mouvements, les auteurs, les œuvres sont autant d'astéroïdes hantant le ciel de la littérature.

Il faut donc donner une **cohérence** à ces savoirs disparates et parcellaires. Cette cohérence, souhaitée par les Instructions Officielles, nécessaire pour affronter les examens et concours dans de bonnes conditions, est notre objectif principal.

• Ce qui se conçoit bien s'énonce clairement...

Cet objectif, simple et ambitieux à la fois, est aussi celui de nombreux ouvrages : des histoires savantes de la littérature en trois ou dix volumes, des manuels traditionnels de la littérature en usage dans le second cycle, de petits opuscules souvent judicieux en vente même dans les supermarchés.

Si bien faits soient-ils, ils présentent souvent, pour le lycéen moyen, deux inconvénients majeurs, ou un volume conséquent qui décourage l'appétit de lecture, ou un langage souvent réservé aux initiés de la chose littéraire.

• Tout en un, un en tout...

De ce qui précède on conclura que notre ambition est une gageure : donner en quelques pages les **repères indispensables et essentiels** qui permettent de mieux saisir les **auteurs** et leurs **œuvres** sans tomber dans une simplification abusive, sans rien face

négliger des inévitables difficultés de définition et de terminologie est en effet un pari que nous entendons tenir grâce :

- à une présentation claire et aérée mettant en lumière les points-clés ;
- à un découpage rationnel, et classique, de l'histoire littéraire par siècle et par période ;
- à une **approche nouvelle et originale** des genres littéraires traditionnels (roman, théâtre, poésie...)
- à des annexes : index, questionnaires, bibliographie à usages multiples.

• Un ouvrage ludique et interactif...

Parcourir ces domaines à marche forcée est rarement assimilé à une partie de plaisir. Le genre du précis est propice à d'austères exposés didactiques* et pontifiants. Il ne sollicite guère la participation du lecteur sommé de retenir l'intégralité du discours. Rien de la convivialité* d'Apostrophes ! Notre propos est autre. Nous ouvrons la voie à un dialogue interactif.

Et ce, par le biais des questionnaires liminaires, des indications bibliographiques, des index.

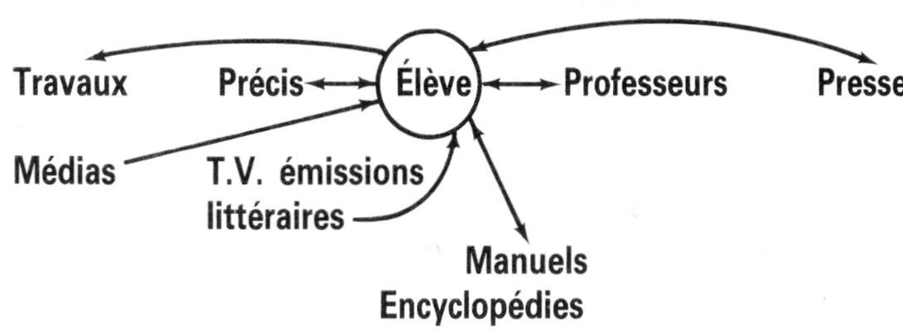

• Un ouvrage conforme aux Instructions Officielles...

Pour ceux qui en douteraient, nos visées sont bien conformes aux Instructions Officielles de 81 et 83 concernant l'enseignement des lettres dans le second cycle, et celles de 87 concernant plus spécialement l'enseignement du français en seconde.

• Un ouvrage tout public, un ouvrage grand public...

Ce précis, qu'on ne saurait apprécier qu'après l'avoir lu et travaillé, s'adresse bien évidemment aux **Lycéens** qui préparent les Épreuves de français de fin de Première et du Baccalauréat, aux **étudiants** du 1er cycle de l'enseignement supérieur, aux **élèves des classes préparatoires,** pas seulement littéraires... enfin à tout individu désireux de rafraîchir ses connaissances ou d'en acquérir de nouvelles....

ORGANIBAC, une famille qui s'agrandit...
Ce précis est le premier d'une série d'ouvrages intitulés **PERIPHERIQUES ORGANIBAC,** série qui comprendra bientôt, pour chacune des épreuves écrites de français du baccalauréat, **un cahier de T.P.** si nécessaire dans bien des classes.
Mais **ORGANIBAC** c'est déjà un couple célèbre d'ouvrages existants que nous nous permettons de vous recommander.
ORGANIBAC FRANÇAIS I MÉTHODES
ORGANIBAC FRANÇAIS II THÈMES D'ÉTUDE
C'est aussi pour les collègues de lettres un **livret pédagogique** disponible gracieusement.

Les Auteurs

Ce précis d'HISTOIRE LITTÉRAIRE est un ouvrage à USAGES MULTIPLES que chacun pourra utiliser à son gré en fonction de ses besoins et de son tempérament. Que vous ayez une discussion à traiter sur le roman, que vous désiriez tout savoir, ou presque, sur le théâtre, que les thèmes retenus pour l'oral vous incitent à découvrir l'histoire littéraire du 18e siècle ou du 20e, n'ayez crainte, vous trouverez ici votre bonheur.

A cet effet nous avons dressé un petit guide des parcours possibles et des profils lycéens correspondants. Si vous ne vous reconnaissez pas, peu ou prou dans l'un d'entre eux, signalez-nous-le vite !

• Parcours épisodique pour travailleur moyen...

Vous êtes de ceux que la tâche ne rebute pas mais qui ont besoin de l'impulsion donnée par un sujet pour vous mettre à l'œuvre. En fonction du problème soulevé, grâce aux Index, repérez les pages utiles.

> Exemple :
> Écrivain italien récemment disparu, Italo Calvino tentait de dire ce qu'on entend exactement par les termes d'« œuvre classique » et proposait cette définition :
> *« Un classique est un livre qui n'a jamais fini de dire ce qu'il a à dire ».*
> En vous référant à votre propre expérience de lecteur, vous commenterez et discuterez cette opinion.
> Épreuve anticipée Amiens 1986.
> Dans ce cas consultez l'INDEX NOTIONS p. 187
> Vous êtes renvoyé au Chapitre 17e siècle p. 29-30
> Consultez aussi à l'occasion ORGANIBAC II
> Du théâtre classique p. 265

• Parcours buissonnier pour travailleur velléitaire...

Franchement, vous détestez la contrainte et l'on ne saurait vous donner tort... Vous préférez les auteurs marginaux et choisissez les sentiers écartés...

> Exemple :
> Pourquoi ne pas découvrir la Littérature baroque p. 24.25
> Le Théâtre grec p. 157-8
> Le Nouveau Roman p. 132-4

> *Si vous rencontrez ces symboles :*
>
> ➤ : remarque ou citation.
>
> ◄ : renvoi externe.
>
> ➤ : renvoi interne.
>
> * : vérifier que vous connaissez la signification de ce terme.

d'emploi

Il se peut même, qu'entraîné par votre élan de curiosité, vous lisiez tout un chapitre...

• Parcours régulier pour travailleur organisé

Non, vraiment non, vous ne vous reconnaissez pas dans les portraits précédents qui conviennent tout à fait à D... ou à M... Sans être un « bosseur de première », vous savez vous organiser et travailler de façon optimale.

> Exemple :
> Dans ce cas, programmer chaque semaine la lecture approfondie d'un chapitre et une semaine de révision peu de temps avant l'examen, l'écrit en particulier.
> - Janvier le 16e siècle + le roman
> - Février + vacances d'hiver le 17e siècle
> - Mars le 18e siècle + théâtre
> - Avril + vacances de Pâques le 19e siècle
> - Mai le 20e siècle + la poésie
> - Juin révisions

• Parcours marathonien pour travailleur pressé

Certes, vous êtes du genre à ne jamais remettre au lendemain ce que vous pouvez faire un mois avant l'examen. Vous êtes du genre « coule » (cool en franglais) mais une bonne surdose (overdose pour les branchés) ne vous fait pas peur.

> Exemple :
> Avant la date fatidique du concours ou de l'examen,
> - enfermez-vous deux à trois jours dans une chambre, muni d'un dictionnaire et de quelques manuels, éventuellement d'un balladeur (walkman) pour la musique d'accompagnement...
> - entreprenez l'étude systématique de chaque partie et vérifiez que votre mémoire ne ressemble pas à une passoire.

A bon travailleur, salut

Toute la mémoire du monde
d'Alain RESNAIS.

1re PARTIE L'HISTOIRE LITTÉRAIRE

A propos de l'histoire littéraire

L'histoire littéraire est un genre particulier et délicat. Vouloir, qui plus est, la présenter, en quelques pages (ce qui est la loi du genre dans le précis) relève de la gageure, mais d'une gageure indispensable. Car ce dont vous avez besoin de disposer, vous lycéen, vous étudiant, tout au long de l'année scolaire ou universitaire, ou à la veille des examens, c'est de panoramas clairs et suffisamment complets qui fixent bien les cadres de la production littéraire.

Ajoutons que cette perspective est celle des nouvelles instructions officielles de février 87 applicables à la rentrée 87.

Notre stratégie étant nette, un mot sur nos perspectives :

- Nous avons fort délibérément insisté dans nos chapitres sur les facteurs historiques et culturels qui éclairent les œuvres et leur genèse.
- Nous avons opté pour la classique division en siècles même si cette division chronologique ne recoupe pas toujours la chronologie littéraire.
- Nous avons choisi de ne pas parler du Moyen Age sachant que celui-ci est évoqué, assez longuement dans notre seconde partie et que les œuvres de cette période sont rarement présentées sur les listes établies pour l'épreuve orale.
- Nous avons fort sciemment mis l'accent sur les 18e, 19e et 20e siècles car ceux-ci sont plus fréquemment étudiés en 1re, Terminale et plus facilement abordables pour un jeune public.
- Nous avons ainsi retenu pour chaque siècle un parti différent :
  – limité à un bref rappel de l'essentiel pour le 16e ;
  – définissant les notions littéraires majeures sans s'attacher à l'analyse des grandes œuvres classiques pour le 17e ;
  – privilégiant les relations entre les écrivains et leur temps pour le 18e, l'analyse de l'évolution des mouvements et des genres littéraires pour le 19e et le 20e siècle.

La réflexion critique des élèves ne saurait s'exercer efficacement si l'on ne développe pas simultanément leur conscience historique. Une mise en perspective historique donne une assise plus ferme à leurs connaissances, une cohérence plus forte à leur culture et leur permet de mieux se situer dans le monde d'aujourd'hui...

I.O. Février 87.

Outre les repères historiques précis, il convient d'évoquer l'environnement humain et culturel, voire la vie quotidienne, autant que les circonstances économiques et politiques, sans négliger les codes et les conventions littéraires de l'époque.

I.O. Février 87.

L'obligation d'apprendre ne dispensant pas du plaisir de lire vous trouverez aussi :

- Des illustrations significatives.
- Des questionnaires... à ne pas manquer.

Si la vie est un roman, notre histoire littéraire l'est aussi. Alors laissez-vous tenter par notre premier épisode!

Que sais-je... de la Renaissance ?

IGNORANCE EST MÈRE DE TOUS LES MAUX... POINT N'IGNOREZ DONC...

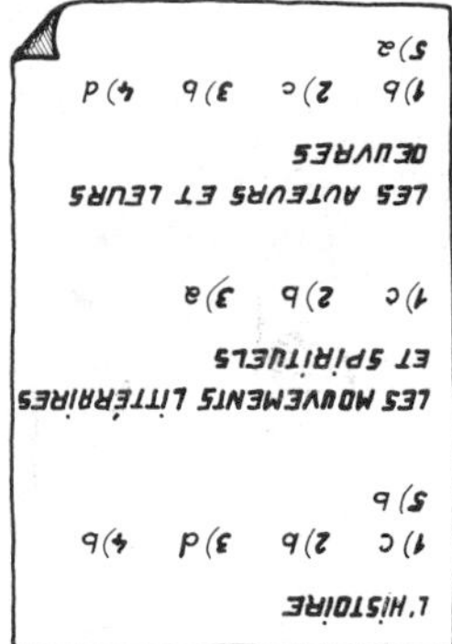

□ L'histoire

1) La découverte de l'Amérique :	a 1453 b 1515	c 1492 d 1592
2) L'avènement de François Ier :	a 1547 b 1515	c 1593 d 1559
3) Le massacre de la Saint-Barthélemy :	a 1539 b 1598	c 1534 d 1572
4) L'affaire des Placards :	a 1492 b 1534	c 1525 d 1572
5) L'Edit de Nantes	a 1559 b 1598	c 1593 d 1610

□ Les mouvements littéraires ou spirituels

1) Le père de l'humanisme :	a Pic de la Mirandole b Ronsard	c Erasme d Montaigne
2) L'initiateur français de la Réforme :	a Luther b Calvin	c Marot d Michel de l'Hôpital
3) Le père spirituel de la Pléiade :	a Dorat b Ronsard	c Du Bellay d Rabelais

□ Les auteurs et leurs œuvres

1) L'auteur de Pantagruel est :	a Du Bellay b Rabelais	c D'Aubigné d Marot
2) L'auteur des Essais est :	a Monluc b Ronsard	c Montaigne d Rabelais
3) L'auteur des Regrets est :	a Marot b Du Bellay	c Louise Labé d Ronsard.
4) L'auteur des Tragiques est :	a Rémi Belleau b Rabelais	c Dorat d D'Aubigné
5) L'auteur des Amours de Cassandre est :	a Ronsard b Etienne Jodelle	c Du Bellay d Maurice Scève

16e siècle

Ou le début des temps modernes

Le Moyen Age ne cède pas brusquement la place à la Renaissance au début du 16e siècle. Depuis les romantiques, il n'est plus considéré comme une longue période de barbarie et d'obscurantisme : des renaissances successives ont alterné avec des périodes de relatif sommeil de l'esprit et des arts.*

Une rupture lente se dessine dès le 12e siècle, s'affirme au 15e siècle et va permettre, surtout à partir du règne de François Ier (1515-1547) l'essor de la renaissance des lettres et des arts, de l'humanisme comme de la Réforme. Mais cette rupture n'est pas totale, les humanistes restent des « clercs » et l'héritage des tendances et des goûts médiévaux demeure sensible à l'aube des temps modernes (voir l'influence des Grands Rhétoriqueurs sur la poésie de Marot ; le gigantisme dans l'œuvre de Rabelais).

LES CAUSES DE LA RENAISSANCE

Sans prétendre être exhaustif, on peut discerner :

1. LES PROGRÈS TECHNIQUES ET SCIENTIFIQUES

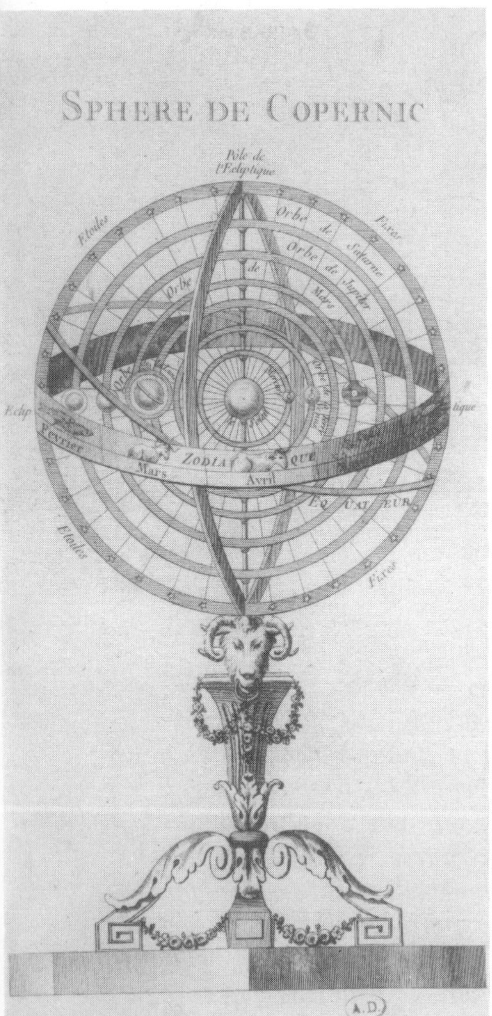

On ne saurait expliquer la Renaissance sans tenir compte de **la véritable explosion technique et scientifique** qui la prépare :

- amélioration des techniques de navigation qui rendront possibles les grands voyages de découverte ;
- invention de l'imprimerie qui modifie les comportements, élargit la diffusion des idées et des œuvres littéraires ;
- progrès de la médecine : l'anatomie, par la pratique des dissections, et la chirurgie avec Ambroise Paré se développent (cf. l'œuvre du médecin Rabelais);
- en astronomie, après les travaux de COPERNIC, l'héliocentrisme* s'impose lentement, ainsi l'homme ne peut plus être considéré comme le centre du monde.

2. LA DÉCOUVERTE DU NOUVEAU MONDE

A la vision médiévale d'un monde étroitement limité, un disque plat ceinturé d'eau, les grands voyages maritimes substituent en quelques décennies celle d'un univers rond au sein duquel la civilisation européenne n'est qu'une civilisation parmi d'autres :

- les découvertes de Christophe Colomb ouvrent l'Amérique à la conquête espagnole (Cortès au Mexique, Pizarre au Pérou) ;
- Vasco de Gama explore les côtes du Brésil et prépare l'empire colonial portugais ;
- Magellan effectue, le premier, le tour d'un monde désormais offert à la curiosité des hommes.

➤ *« Notre monde vient d'en trouver un autre... non moins grand, plein et membru que lui, toutefois si nouveau et si enfant qu'on lui apprend encore son a, b, c...*
Bien crains-je que nous aurons bien fort hâté sa déclinaison et sa ruine par notre contagion, et que nous lui aurons bien cher vendu nos opinions et nos arts. »

MONTAIGNE
Essais (1588)

3. L'EXEMPLE DE L'ITALIE

Le début des **guerres d'Italie** met les gentilhommes français au contact :

- d'un pays qui vient de connaître un siècle de brillante renaissance ;
- de la culture antique, latine bien sûr mais aussi grecque (afflux d'érudits en Italie après la chute de Constantinople) ;

- d'une vie de culture et de raffinement : l'influence italienne sera grande en peinture et en architecture (cf. le rôle des artistes italiens, tels Léonard de Vinci, Benvenuto Cellini, Le Titien, à la cour de François Ier) ; la philosophie néoplatonicienne, la préciosité de la poésie pétrarquiste* influenceront la renaissance des lettres françaises.

4. ESSOR ÉCONOMIQUE ET RENOUVELLEMENT SOCIAL

Après les terribles pestes du 14e siècle et les ravages de la guerre de Cent Ans, l'Europe et notamment le royaume de France connaissent **une ère de prospérité grandissante** mais source de **crise sociale** :

- expansion démographique, développement du commerce et du rôle des banques ;
- modification des équilibres économiques en faveur des façades maritimes tournées vers le nouveau monde (péninsule ibérique, Flandres) ;
- affirmation du rôle de la bourgeoisie marchande avec l'agrandissement des villes, l'ascension sociale plus facile ;
- déclin relatif de la petite aristocratie (inflation due à l'afflux de l'or des Amériques mais stagnation des revenus féodaux).

5. CRISE RELIGIEUSE ET CULTURELLE

Les conditions favorables à **une mutation intellectuelle** amènent à **une remise en cause de l'Eglise** comme des universités médiévales :

- les contradictions entre le message évangélique et la puissance temporelle de l'Eglise, entre la morale religieuse et les mœurs d'un clergé parfois dépravé, entre le désir de formes de piété* plus personnelles et la prépondérance du rituel aboutissent, après les critiques de Luther (1483-1546), à une scission entre catholiques et réformés ;
- fondé sur la méthode d'autorité, pratiquant la philosophie scolastique* et cultivant une logique formelle, l'enseignement des universités s'était figé. En réaction, les premiers humanistes affirment la nécessité d'un retour aux textes originaux de l'Antiquité et du développement de l'esprit critique opposé au culte stérilisant de la mémoire ;
- vivant sur un répertoire traditionnel clos, la littérature ne parvient plus à se renouveler. Avec les Grands Rhétoriqueurs, l'héritage de la poésie médiévale se perd en jeux de plus en plus formels.

« L'œil, qu'on appelle fenêtre de l'âme, est la principale voie par où le sens commun peut considérer largement et dans leur splendeur, les œuvres infinies de la nature. »
Léonard DE VINCI
Traité de la peinture.

« En ces derniers temps qui furent les pires de tous, on a si bien détourné de leur but les biens spirituels afin d'extorquer et de conquérir les biens temporels que tout ce qui est Dieu même a été mis au service de la cupidité... »
Martin LUTHER
A la noblesse chrétienne de la nation allemande
(1520)

LA RENAISSANCE : HUMANISME ET RÉFORME

Besoin d'idées nouvelles, immense appétit de savoir, volonté de réagir contre les abus donnent naissance à *l'humanisme* comme à la *réforme* : issus des mêmes préoccupations, ils conduisent à des conceptions différentes de l'homme.

1. L'HUMANISME : ESSAI DE DÉFINITION

Pour réagir contre la sclérose de l'enseignement des universités, un certain nombre de maîtres et érudits s'efforcent de retrouver un contact direct avec les chefs-d'œuvre de la littérature antique. Le mot latin « *humanitas* » désignant la culture acquise par les lettres, on parle de « *lettres d'humanité* » d'où l'emploi du terme moderne ***humanisme*** pour désigner ce mouvement d'idées caractérisé par :

- la volonté de découvrir **les textes de l'antiquité grecque et latine par une étude intégrale et dans leur langue originale :** les premiers humanistes furent donc des érudits, de savants philologues* comme Lefèvre d'Etaples ou Guillaume Budé, s'attachant à l'élaboration des dictionnaires et grammaires indispensables ;
- **l'imitation des auteurs anciens,** considérés comme inégalables, d'où l'influence prépondérante de la philosophie platonicienne (Marsile Ficin donne la première traduction intégrale de Platon), une vision de la nature caractérisée par l'abondance des références mythologiques, l'abandon des genres poétiques médiévaux pour la copie des genres antiques (hymnes*, odes*...) ;
- **la recherche d'une sagesse,** d'une morale mise au service d'un **complet épanouissement de l'homme :** confiant dans les capacités de la nature humaine, l'humaniste recherche l'équilibre, le sens de la mesure par le développement harmonieux du corps et de l'âme. Philosophie naturaliste qu'illustreront Rabelais comme Montaigne.

➤ *« Maintenant toutes disciplines sont restituées, les langues instaurées : grecque, sans laquelle c'est honte qu'une personne se dise savante, hébraïque, chaldaïque, latine. Les impressions tant élégantes et correctes en usance, qui ont été inventées de mon âge par inspiration divine, comme, à contre-fil, l'artillerie par suggestion diabolique. Tout le monde est plein de gens savants, de précepteurs très doctes, de librairies très amples... »*

Rabelais
Pantagruel ch. VIII (lettre de Gargantua à son fils Pantagruel).

2. LA RÉFORME ET SES CONSÉQUENCES

A l'origine, humanisme et Réforme sont liés, comme l'atteste l'œuvre d'Erasme (1467-1536), mais les conflits religieux conduisent à des affrontements en totale opposition à l'esprit de tolérance que semblait impliquer l'humanisme.

- **Martin LUTHER** (1483-1546), moine allemand, critique les abus au sein de l'église, souhaite réformer le christianisme pour retrouver la pureté de la chrétienté primitive. Mais la condamnation de ses thèses par le Pape, sa mise au ban de l'Empire en 1521 entraînent une scission, toute l'Allemagne du Nord adopte la religion réformée.

Martin LUTHER.

- ***L'évangélisme,*** très influent en France, représente un esprit de réforme plus modéré : ce mouvement tire son nom d'une volonté de retour à l'Évangile, considéré comme seul vrai fondement des croyances chrétiennes (d'où la traduction de la Bible en français par Lefèvre d'Etaples, 1530). Mais l'intransigeance de l'église catholique et de la Sorbonne, attachées à la tradition des pères de l'église, aboutissent aussi à la répression envers les milieux évangéliques.

- **Jean CALVIN** (1509-1564), d'abord influencé par les évangélistes, s'écarte du courant humaniste. Chassé de France par les poursuites du Parlement, il s'établit en Suisse où il publie l'*Institution de la religion chrétienne* (1536). De Genève, CALVIN diffuse sa doctrine fondée sur une très grande austérité morale, c'est à ses idées que se rattache le protestantisme français.

- **Les guerres de religion :** d'abord favorable à la liberté de croyance, le pouvoir royal, inquiet des conséquences politiques possibles de la Réforme, adopte une attitude répressive après *l'affaire des Placards* (1534). Le conflit doctrinal conduit à la guerre civile que la monarchie, tombée en de faibles mains après la mort du roi Henri II, ne peut empêcher. Les règnes de François II, Charles IX et Henri III connaissent une suite de guerres, et de trêves éphémères. Intolérance et fanatisme conduisent aux massacres les plus sanglants (Saint-Barthélemy). Ce n'est qu'après l'accession au trône d'Henri IV et la promulgation de l'Edit de Nantes en 1598 (le culte protestant est toléré dans certaines limites) que la France retrouve la paix civile.

- **Les conséquences littéraires :** la littérature française est profondément marquée par la Réforme (influence de l'évangélisme dans l'œuvre de Rabelais ; nombreuses références bibliques suscitées par l'étude de la Bible en français). Les guerres de religion amènent les écrivains à prendre parti et donnent naissance à une littérature politique (pamphlets*, discours, satires). L'œuvre du catholique RONSARD et celle du protestant Agrippa d'AUBIGNÉ illustrent cet engagement. En réaction contre les fanatismes, les *Essais* de MONTAIGNE traduisent à la fin du siècle la recherche d'un nouvel équilibre.

Massacre de la Saint-Barthélémy (24 août 1572).

ÉVOLUTION LITTÉRAIRE

➤ *« Les Utopiens... définissent la vertu : vivre selon la nature. Dieu en créant l'homme, ne lui donna pas d'autre destinée.*
L'homme qui suit l'impulsion de la nature est celui qui obéit à la voix de la raison, dans ses haines et dans ses appétits. Or, la raison inspire d'abord à tous les mortels l'amour et l'adoration de la majesté divine, à laquelle nous devons et l'être et le bien-être. En second lieu, elle nous enseigne et nous excite à vivre gaiement et sans chagrin, et à procurer les mêmes avantages à nos semblables, qui sont nos frères... »

Thomas MORE
L'Utopie (1516)

La littérature française de la Renaissance reflète l'enthousiasme des humanistes, leur curiosité universelle et leur soif de savoir. Riche et variée, elle rend difficile toute classification. Trois âges de la Renaissance peuvent être distingués :

1. LA JEUNE RENAISSANCE (1515-1534)

- **Le rôle de François Ier :** la Renaissance française ne s'affirme vraiment que sous son règne. Accueillant de nombreux artistes italiens à sa cour, il se fait le protecteur des arts et des lettres. Marguerite de NAVARRE, sœur du roi, auteur d'un recueil de nouvelles imitées de l'Italien BOCCACE *l'Heptaméron,* joue aussi un rôle important dans la protection des humanistes. La fondation, en 1530, du *Collège des lecteurs royaux,* devenu le **Collège de France**, permit un libre enseignement des langues anciennes (latin, grec, hébreu) échappant à la tutelle pesante de la Sorbonne.

- **Les auteurs représentatifs :**

– **Clément MAROT (1496-1544) :** encore largement influencé par l'héritage médiéval (son père faisait partie de l'école des Grands Rhétoriqueurs), Marot répond aux attentes de la cour en intégrant les influences italiennes. Les rondeaux*, élégies* et épigrammes*, mais surtout les épîtres* liées à divers épisodes de sa vie témoignent de cette inspiration nouvelle. Ses sympathies pour la Réforme obligent Marot à s'exiler après l'affaire des Placards. Son goût des textes sacrés l'amène à donner une traduction française des *Psaumes** que les réformés adoptent pour leurs chants religieux.

– **François RABELAIS (1494 ?-1553 ?) :** l'œuvre de Rabelais est très caractéristique de l'enthousiasme de la première Renaissance. Moine sans vocation, influencé par les milieux évangélistes, médecin érudit et novateur, Rabelais utilise des procédés littéraires médiévaux (forme populaire du conte, grossissement farcesque, parodies savantes, etc.) au service d'un optimisme triomphant : *Pantagruel, Gargantua. Le Tiers* et *Le Quart Livre (Le Cinquième Livre,* posthume, n'est sans doute pas de Rabelais) développent l'ensemble des thèmes politiques et moraux de la Renaissance.

2. LA RENAISSANCE ÉPANOUIE (1536-1560)

L'humanisme érudit a déjà largement pénétré les milieux intellectuels ; l'enthousiasme débordant cède la place à un plus grand souci de l'art ; à l'universalisme des premiers humanistes succède, en réaction contre la vogue de la littérature néolatine,

le souci de doter la France d'une littérature nationale. Deux groupes de poètes incarnent cet idéal nouveau qui coïncide avec l'apogée de la Renaissance :

- **L'école lyonnaise :** alors que Mellin de SAINT-GELAIS, poète de cour, prolonge l'inspiration dite marotique, Lyon voit s'épanouir des cercles poétiques influencés par le pétrarquisme* italien. La *Délie* de Maurice SCÈVE (1501 ?-1560 ?) représente bien cette poésie raffinée, parfois d'une obscure subtilité. Louise LABÉ (1524-1566) exprime plus simplement, dans le cadre nouveau du sonnet, la passion amoureuse.

- **Les poètes de la *Pléiade* :** appelée d'abord « Brigade », la Pléiade regroupe de jeunes gentilhommes poètes, élèves des collèges parisiens de Boncourt et de Coqueret (où enseignait l'helléniste Dorat). Plus marqués par la littérature antique que l'école lyonnaise, RONSARD, du BELLAY, BAÏF, BELLEAU, JODELLE, PONTUS DE TYARD, malgré la tentation d'une érudition excessive, devaient apporter un profond renouvellement à la poésie française. Du BELLAY mit en forme leurs idées communes dans la *Défense et Illustration de la langue française* (1549) :

– **imitation** (préférée à la traduction) **des auteurs anciens :** en s'imprégnant de leurs œuvres (« *innutrition* ») le poète les recrée avec sa sensibilité personnelle ;

– **illustration de la langue nationale** par des œuvres enrichies d'emprunts aux langues anciennes et de mots inventés ;

– **exaltation de la haute mission du poète :** inspiré des dieux, il se distingue de l'humanité commune mais la versification est un métier qu'on ne peut maîtriser qu'au terme d'un labeur persévérant. Alliant l'inspiration au travail, le poète accédera par ses vers à l'immortalité ;

– **rejet des genres médiévaux** et préférence accordée aux grands genres antiques (ode*, épopée*...).

Les plus grands poètes de cette école sont :

– **Joachim du BELLAY (1522-1560) :** après avoir sacrifié à la mode du pétrarquisme* avec *l'Olive* (1549), du BELLAY évolua, sous l'effet des désillusions de son séjour à Rome, vers une poésie plus sincère et plus naturelle. Si *Les Antiquités de Rome* ouvrent le thème de la poésie des ruines, *Les Regrets* par leurs confidences contenues, leurs vers mélancoliques et railleurs ont des accents très modernes.

– **Pierre de RONSARD (1524-1585)** s'imposa très vite comme le chef de la jeune école. Après ses premiers livres d'*Odes* (1550), imitées du Grec Pindare et non exemptes de pédantisme*, il évolua lui aussi vers un lyrisme plus simple. Le recueil des *Amours* et ses *Continuations* lui valurent une grande faveur. Les *Hymnes* (1555), vastes poèmes didactiques*, montrent cependant qu'il n'abandonne jamais l'ambition d'une haute poésie. Poète en titre de la cour, comblé de biens et d'honneurs, Ronsard prit le parti des catholiques dans

« Ainsi puis-je dire de notre langue, qui commence encore à fleurir sans fructifier, ou plutôt, comme une plante et vergette n'a point encore fleuri, tant se faut qu'elle ait apporté tout le fruit qu'elle pourrait bien produire. Cela certainement non pour le défaut de la nature d'elle, aussi apte à engendrer que les autres : mais pour la coulpe de ceux qui l'ont eue en garde et ne l'ont cultivée à suffisance, ainsi comme une plante sauvage, en celui même désert où elle avait commencé à naître, sans jamais l'arroser, la tailler, ni défendre des ronces et épines qui lui faisaient ombre, l'ont laissée envieillir et quasi mourir... »

Du BELLAY
Défense et illustration de la langue française
(I3) 1549.

les guerres de religion. Les *Discours des misères de ce temps* regroupent l'ensemble de ses pièces politiques. La fin de sa vie le voit revenir à une poésie plus intime avec les *Sonnets pour Hélène* et les émouvants *Sonnets sur la Mort de Marie* (1578).

Pierre de Ronsard, Prince des Poetes François, mort l'An 1585.

➤ « *Je veux peindre la France une mère affligée,*
Qui est, entre ses bras, de deux enfants chargée,
Le plus fort, orgueilleux, empoigne les deux bouts
Des tétins nourriciers, puis, à force, de coups
D'ongles, de poings, de pieds, il brise le partage
Dont nature donnait à son besson l'usage... »

Agrippa d'AUBIGNÉ
Les Tragiques (Livre I : *Misères*).

3. LA RENAISSANCE MURIE (1560-1610)

L'évolution littéraire du dernier tiers du siècle est plus complexe. L'optimisme de l'humanisme est atteint par les drames des guerres de religion ; certains poètes, après RONSARD, s'éloignent de ses leçons et s'orientent vers un mélange de styles contradictoires que l'on qualifie de *baroque*. Les œuvres engagées font craindre que la littérature ne soit plus que propagande. En réaction, MONTAIGNE offre dans une œuvre inclassable une synthèse des apports de l'humanisme.

- **Les témoins engagés :** marquée par un esprit polémique, alourdie d'allusions déroutant le lecteur moderne, la littérature politique supporte mal les atteintes du temps. Dans chaque camp, les affrontements idéologiques et religieux nous ont cependant laissé d'authentiques chefs-d'œuvre :

– **Les protestants :** s'inspirant de l'exaltation de l'idéal républicain, présent dans la littérature latine, Etienne de LA BOÉTIE (1530-1563) avait écrit un *Discours de la Servitude Volontaire,* mettant l'accent sur la liberté naturelle de l'homme. Publié, en 1574, par les protestants, il constitue un brillant pamphlet* contre le pouvoir royal. Mais c'est surtout l'œuvre d'Agrippa d'AUBIGNÉ (1552-1630) qui témoigne d'un humanisme entièrement placé au service de la cause huguenote. *Les Tragiques,* vaste poème divisé en sept chants, est inspiré au combattant d'AUBIGNÉ par son expérience des guerres civiles. Véritable épopée satirique, l'œuvre ne paraîtra qu'en 1616.

– **Les catholiques :** nous avons déjà cité l'importante contribution de RONSARD à la défense de la cause catholique. Blaise de MONLUC (1499-1577), militaire de carrière, livre avec ses *Commentaires,* les mémoires d'un chef catholique. Par l'art du récit, les *Commentaires* constituent cependant un remarquable et précieux témoignage sur les réalités de la guerre.

– **Les modérés ou politiques :** catholiques ou protestants, « les politiques » veulent avant tout préserver l'indépendance et l'unité du royaume ; s'opposant aux excès des deux bords, ils verront le succès de leurs idées avec l'avènement d'Henri IV que leurs écrits ont parfois préparé :

- avec ses *Six livres de la République,* Jean BODIN (1530-1596) jette les bases de la science politique, que l'on retrouve dans les œuvres de François de LA NOUE et Guillaume du VAIR.
- œuvre collective de bourgeois et magistrats parisiens nourris d'humanités, *la Satire Ménippée* (c'est-à-dire à la manière du philosophe grec Ménippe) dénonce avec verve les excès de la Ligue et lance un éloquent appel au « sauveur » Henri IV.

- **MONTAIGNE, une synthèse de l'humanisme :** si le scepticisme* dont il fait preuve témoigne de la perte de bon nombre des illusions de la Renaissance, les *Essais* de MONTAIGNE (1533-1592) maintiennent l'essentiel des ambitions et de la démarche humanistes. Seul auteur de son temps à utiliser la littérature comme instrument d'investigation du moi, MONTAIGNE en assume lucidement les aspects contradictoires. Exprimant un art de vivre fait de mesure et d'équilibre, quête patiente d'une vérité dont le caractère relatif est sans cesse rappelé, les *Essais* annoncent déjà l'idéal classique de *l'honnête homme*.

MONTAIGNE dans sa librairie.

Ai-je bien lu ce chapitre ?

☐ **L'histoire ?**

1) Les dates de la vie de Luther sont :
   a 1520-1559
   b 1483-1546
   c 1522-1594
   d 1494-1553
2) Les guerres de religion durent de :
   a 1562 à 1593
   b 1494 à 1516
   c 1483 à 1546
   d 1574 à 1610
3) Le successeur de Charles IX est :
   a Henri II
   b François II
   c Louis XII
   d Henri III
4) Le fondateur du Collège des lecteurs royaux est :
   a Henri II
   b Henri IV
   c Catherine de Médicis
   d François Ier

☐ **Les mouvements littéraires ou spirituels**

1) L'évangélisme est :
   a le courant représenté par les disciples de Luther
   b un mouvement de contre-réforme
   c un mouvement de réforme modéré
   d le courant dont le fondateur est Calvin
2) Cochez parmi les auteurs suivants ceux qui appartiennent à l'école lyonnaise :
   a Maurice Scève
   b Mellin de Saint-Gelais
   c Du Bellay
   d Louise Labé
3) Cochez parmi les auteurs suivants ceux qui appartiennent à la Pléiade :
   a Du Bellay
   b Baïf
   c Erasme
   d Louise Labé
   e Rémi Belleau
   f Marot
   g Ronsard
   h Jodelle

☐ **Les auteurs et leurs œuvres**

1) Ronsard publie les Sonnets pour Hélène en :
   a 1552
   b 1555
   c 1545
   d 1578
2) L'auteur de la Défense et Illustration de la Langue française est :
   a Guillaume Budé
   b Ronsard
   c Du Bellay
   d Lefèvre d'Etaple
3) Les Hymnes sont une œuvre de :
   a Marot
   b Agrippa d'Aubigné
   c Du Bellay
   d Ronsard
4) Parmi ces différents recueils de Du Bellay lequel est antérieur à son séjour romain :
   a Les Antiquités de Rome
   b L'Olive
   c Les Regrets
5) Indiquez les auteurs des œuvres suivantes :
   a Les Amours de Marie
   b Gargantua
   c Commentaires
   d L'Heptaméron
   e Les Tragiques
   f Le Tiers Livre

L'HISTOIRE
1)b 2)a 3)d 4)d

LES MOUVEMENTS LITTÉRAIRES OU SPIRITUELS
1) c 2)a,d 3)a,b,e,g,h

LES AUTEURS ET LEURS ŒUVRES
1)d 2)c 3)d 4)b
5)ⓐ Ronsard ⓑ Rabelais ⓒ Monluc ⓓ Marguerite de Navarre ⓔ A d'Aubigné ⓕ Rabelais

LES GENS DE QUALITÉ SAVENT TOUT SANS AVOIR JAMAIS RIEN APPRIS. AUSSI VOUS CONNAISSEZ SANS NUL DOUTE...

L'HISTOIRE
1)b 2)d 3)a 4)c 5)b

LES MOUVEMENTS LITTÉRAIRES ET SPIRITUELS
1)c 2)b 3)a 4)d 5)b

LES AUTEURS ET LEURS OEUVRES
1)c 2)a 3)d 4)c 5)b

Que sais-je du 17e siècle ?

☐ **L'Histoire**

1) La mort de Louis XIII :
   a 1661 — b 1643 — c 1610 — d 1648
2) La Fronde :
   a 1618-1648 — b 1643-1661 — c 1633-1641 — d 1648-1652
3) Début du règne personnel de Louis XIV :
   a 1661 — b 1642 — c 1685 — d 1715
4) La fondation de l'Académie française :
   a 1642 — b 1666 — c 1635 — d 1652
5) La révocation de l'édit de Nantes :
   a 1701 — b 1685 — c 1627 — d 1659

☐ **Les mouvements littéraires ou spirituels**

1) L'initiateur du classicisme :
   a La Bruyère — b Boileau — c Malherbe — d Bossuet
2) Un des principaux salons précieux fut celui de :
   a Mme de Sévigné — b Mlle de Scudéry — c Mme du Deffand — d Mme de Montespan
3) La grande querelle religieuse du siècle fut celle :
   a du jansénisme — b de la réforme — c des Anciens et des Modernes — d de l'ultramontanisme
4) Il codifia les règles de l'art classique :
   a Corneille — b Fénelon — c Racine — d Boileau
5) Il fut l'initiateur de la querelle des Anciens et des Modernes :
   a La Bruyère — b Perrault — c Racine — d Boileau

☐ **Les auteurs et leurs œuvres**

1) L'auteur du Misanthrope est :
   a Corneille — b Racine — c Molière — d La Bruyère
2) L'auteur d'Andromaque est :
   a Racine — b Pascal — c Corneille — d Pradon
3) L'auteur des Caractères est :
   a La Rochefoucauld — b Boileau — c Bossuet — d La Bruyère
4) L'auteur de la Princesse de Clèves est :
   a Mme de Sévigné — b Paul Scarron — c Mme de Lafayette — d Théophile de Viau
5) L'unique comédie écrite par Racine est :
   a L'Ecole des Femmes — b Les Plaideurs — c Britannicus — d L'illusion comique

XVIIe SIÈCLE

Siècle de l'ordre et de la grandeur monarchique, siècle du classicisme... les clichés ne manquent pas, concernant le 17e siècle et conduisent paradoxalement à appauvrir l'une des périodes les plus fécondes de notre histoire littéraire, à figer en une fausse immobilité un siècle riche de contradictions et de remises en cause.

Depuis un demi-siècle, les efforts de la critique littéraire ont profondément renouvelé l'image des lettres et des arts au siècle de Louis XIV, comme d'ailleurs des historiens ont éclairé cette période d'un nouveau jour (voir Pierre GOUBERT, **Louis XIV et 20 millions de Français***).*

L'analyse de son évolution laisse, en fait, apparaître des dominantes successives. S'il est clair que, d'un point de vue historique comme littéraire, le 17e siècle s'étend, en bousculant les rigueurs de la chronologie, de la mort d'Henri IV (1610) à celle de Louis XIV (1715), trois grandes périodes peuvent être distinguées.

GENÈSE DU CLASSICISME ET CONTRADICTIONS DU BAROQUE (1610-1660)

1. LE CONTEXTE HISTORIQUE

Après les troubles des guerres de religion, l'aspiration à un ordre politique stable domine assurément la première moitié du siècle même si elle se heurte à de vives résistances. L'influence de ce contexte sur une littérature aux aspects contrastés, mais dont naîtra le classicisme, est particulièrement frappante.

- **La consécration de la monarchie absolue :** reprenant une œuvre séculaire, deux grands ministres, le cardinal de Richelieu sous le règne de Louis XIII, le cardinal Mazarin sous la régence d'Anne d'Autriche, mettent leurs talents politiques au service du renforcement de l'autorité royale.
  - **Richelieu** s'emploie à réduire par la force les protestants (réduction des places fortes et garnisons accordées par l'Edit de Nantes) comme les nobles (abaissement des « grands » et lutte contre les survivances de l'esprit féodal).
  - **Mazarin,** pendant la minorité de Louis XIV, parvient à triompher de la Fronde parlementaire puis de la Fronde des princes.
  - **Louis XIV** hérite ainsi d'un système politique achevé, la monarchie de droit divin, qu'il saura parfaitement incarner après 1661.

- **Les succès extérieurs et la prépondérance française** contribuent à affermir encore l'autorité royale et nombre de poètes exalteront la gloire des armes de France. Après la victoire de Rocroi, les traités de Westphalie (1648) mettent fin à la guerre de 30 ans. Le royaume s'agrandit de l'Alsace.

  La paix des Pyrénées (1659) donne à Louis XIV le Roussillon et consacre, par son mariage avec l'infante Marie-Thérèse, la prépondérance française.

- **La résistance de la noblesse :** cette évolution ne se fait pas sans luttes, l'opposition entre l'exigence d'un ordre et le goût profond de la noblesse pour l'indépendance est une caractéristique majeure de cette période (que reflète le *baroque*).
  - La régence de Marie de Médicis, plus encore celle d'Anne d'Autriche voient les nobles relever la tête, conspirer et intriguer. Les six ans de guerre civile de la Fronde en témoignent.
  - Mais l'échec de la réaction nobiliaire marque la fin du rôle politique de l'aristocratie, qui se laissera progressivement enfermer dans les vanités de la Cour.

- **La renaissance catholique :** la restauration du crédit de l'église catholique, compromis par les guerres de religion, s'affirme.

- La poursuite du mouvement de **contre-réforme** s'effectue notamment par l'action des **jésuites** : s'appuyant sur une doctrine théologique, le *molinisme* (du jésuite espagnol Molina 1535-1600), fondé sur la confiance en la liberté de l'homme, ils pénètrent les milieux mondains en présentant la religion de façon aimable. Il en résulte une abondante littérature religieuse dont *L'Imitation de Jésus-Christ,* œuvre mystique du XVe siècle, traduite en vers par Corneille.
- L'effort d'évangélisation et d'éducation développé par certains ordres (oratoriens, sulpiciens) s'accompagne d'exemples de charité qu'illustre l'action de saint Vincent de Paul.

2. L'ÉLABORATION DE LA DOCTRINE CLASSIQUE

Dès le début du siècle, une réaction se dessine contre les traditions littéraires de *la Pléiade* – MALHERBE incarne cette exigence accrue d'ordre et de discipline que son œuvre va consacrer.

- **L'initiateur : MALHERBE (1555-1628).** Après des débuts difficiles, François de MALHERBE fut, de 1605 à sa mort, le poète officiel de la cour. S'opposant aux influences italianisantes qui marquèrent pourtant ses premières œuvres, il impose une réforme de la langue et établit les fondements du classicisme à venir. Sa doctrine, exprimée dans son *Commentaire sur Desportes* se définit, pour l'essentiel, en trois principes :

- **pratiquer une langue pure :** débarrassée des mots étrangers, des archaïsmes, de tous les emprunts et néologismes dont *la Pléiade* avait voulu enrichir le français. Malherbe veut s'en tenir à « l'usage » courant. Recommandant un style simple et clair, il condamne la recherche excessive des images.
- **soumettre le vers à une technique impeccable :** Malherbe bannit toute licence poétique (proscription du hiatus*, de l'enjambement) et est très exigeant pour la qualité de la rime.
- **faire du poète un bon ouvrier du vers :** le poète n'est investi d'aucune mission, il n'est ni un mage, ni un prophète mais doit se consacrer à son métier d'*arrangeur de syllabes* : c'est la pureté de ses vers qui lui assurera l'immortalité.

François de MALHERBE.

- **L'influence de MALHERBE :** il a joué un rôle majeur dans l'évolution de la poésie française. Même si on peut regretter certaines entraves apportées à l'inspiration, son enseignement conduit à une féconde discipline de l'expression qui inspirera les grands classiques. Ses *petites conférences* marquent directement deux poètes :

- **François MAYNARD** (1582-1646) disciple non dépourvu d'indépendance et à l'inspiration très variée mais aux vers d'une impeccable facture. On lui doit de nombreuses *odes**, *stances** et *sonnets**.

– **Racan** (1589-1670) n'atteint peut-être pas à la même rigueur mais exprime en ses vers une grande sensibilité à la nature (*Bergeries,* 1618).

• **La fondation de l'Académie Française** par Richelieu, en 1635, traduit aussi la volonté de discipliner l'art littéraire pour mieux consacrer son rôle officiel.

– L'un de ses membres, Vaugelas (1585-1650), contribue, après Malherbe, à fixer « *le bel usage* » (en fait celui de la Cour et de la bourgeoisie parisienne) par ses *Remarques sur la langue française* (1647).

– En son sein, les « doctes » s'attachent à définir les règles de l'art dramatique (cf. en 1638 les *Sentiments de l'Académie sur le Cid* de Corneille).

3. UNE LITTÉRATURE LIBRE : LE BAROQUE

Malgré les règles auxquelles l'art tend à être soumis, des auteurs défendent le droit à une très libre inspiration. Longtemps réduits par la critique littéraire au statut d'*attardés* ou d'*irréguliers*, ces écrivains, étrangers au classicisme naissant, illustrent le **courant baroque** (du portugais *barocco* = perle irrégulière).

Même si son importance est moindre en France que dans l'ensemble de l'Europe et s'il est plus difficile à définir en littérature que pour l'architecture ou la peinture, le ***baroque*** influence profondément l'ensemble du siècle : tendances baroques et classiques coexistent dans les œuvres des plus grands auteurs (Corneille bien sûr, mais aussi Molière).

• **L'esthétique baroque :** multiforme, le goût baroque ne se laisse pas enfermer dans une définition. On peut cependant le caractériser par :

– **le refus des règles strictes :** volontiers exubérant, le baroque cultive un lyrisme libre ; en poésie comme au théâtre (Corneille, *L'Illusion comique*) les écrivains prennent des libertés avec les règles.

– **le mélange des genres :** le style baroque mêle les tons, du trivial* au précieux*, recherche les effets de contraste violent.

– **un très libre usage de l'imagination :** les auteurs baroques accumulent les images les plus déroutantes, enfreignent les lois de la logique. L'imagination s'exprime en un style chatoyant, le rêve se mêle à la réalité en un jeu infini de miroirs.

Cultivant l'excès, le baroque, à l'opposé du goût classique défini par la sobriété et la mesure, offre un visage original qui s'exprime en des genres divers.

L'illusion comique, Odéon 84.

- **La littérature baroque** inspire la poésie comme le théâtre ou le roman. Au-delà des genres, plusieurs courants peuvent être distingués :

– **le réalisme grotesque* :** en réaction contre la volonté de codification et d'épuration de la langue et des mœurs, se situent des œuvres satiriques bousculant les bienséances. Ce courant donne naissance à des œuvres parodiques, notamment le burlesque*, caricature des grands genres à la mode. Les auteurs sont généralement liés aux milieux libertins ; citons :

- **Mathurin Régnier** (1573-1613) et ses *Satires* (première publication, 1608).
- **Charles Sorel** (1599-1674) dont *L'Histoire comique de Francion* (1622) peint avec la plus grande bouffonnerie des milieux marginaux de débauchés et de voleurs.
- **Paul Scarron** (1610-1660), véritable prince du burlesque*, à qui l'on doit comédies et farces* (*Jodelet*, 1645), *le Virgile travesti,* parodie burlesque de l'épopée antique et surtout le *Roman comique* (1651-1657), pittoresque récit des aventures d'une troupe de comédiens ambulants.
- **Cyrano de Bergerac** (1620-1655), auteur de poèmes burlesques* et d'œuvres libertines, dont *l'Histoire comique ou voyage à la Lune* et *l'Histoire comique des Etats et Empires du Soleil* (publiés en 1656 et 1662) témoignent de la fantaisie la plus féconde (nombre de ses idées annoncent la philosophie du 18e siècle !).

L'arrivée des comédiens au Mans, Le Roman comique.

– **le courant héroïque et pastoral** influence le théâtre (*Sylvie,* pastorale de Mairet, 1628) mais surtout le roman dont les intrigues compliquées prolongent l'héroïsme des romans chevaleresques. Ces romans fleuves font évoluer princes et bergers dans un univers parfaitement conventionnel : *L'Astrée* d'Honoré d'Urfé (1610-1625) ; *Cléopâtre* de La Calprenède (1647-1656).

– **le lyrisme sensible** illustré par Théophile de Viau (1590-1626) qui exprime aussi en ses vers un naturalisme* – au sens philosophique du terme – matérialiste qui lui attirera les foudres du Parlement, et ses amis Saint-Amant (1594-1667) et Tristan l'Hermite (1601-1655).

Enfin, on peut rattacher au baroque la préciosité qui prolonge certains de ses aspects.

4. LA PRÉCIOSITÉ

Certaines des œuvres mentionnées dans notre partie précédente (notamment *L'Astrée*) sont souvent citées comme illustrant la ***préciosité***. Au sens strict, ce terme doit cependant être réservé au phénomène social et littéraire qui se développe à partir des salons féminins entre 1650 et 1660 et se caractérise par une volonté d'épuration des mœurs, de la vie amoureuse et du langage.

- **un phénomène européen :** si la préciosité peut, en France, trouver ses sources dans la littérature courtoise* ou les recherches pétrarquistes* des poètes de la *Pléiade*, elle est, au début du 17e siècle, un phénomène européen que l'on retrouve notamment en Angleterre (*euphuïsme*, du nom de l'œuvre de John LILY, *Euphues*) en Italie (*marinisme* du nom du Cavalier MARIN et en Espagne (*gongorisme* du nom du poète GONGORA).

- **un phénomène social :** avant d'être un courant littéraire, la préciosité est d'abord un phénomène de société avec le développement, en réaction contre la grossièreté des manières de la cour sous Henri IV, des salons réunis, dans leurs hôtels parisiens, par quelques grandes dames de l'aristocratie. Citons essentiellement l'hôtel de la marquise DE RAMBOUILLET et le salon de Mademoiselle de SCUDÉRY.

Jeux de société et divertissements littéraires y animent les réunions d'une société choisie de beaux esprits et gens de lettres. On y pratique surtout l'art de la conversation, les questions littéraires sont privilégiées et les écrivains y donnent parfois lecture de leurs œuvres nouvelles.

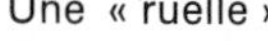
Une « ruelle »

- **l'esprit précieux :** né de l'effort d'une élite pour se distinguer du « commun », l'esprit précieux reflète une conception idéaliste du monde ; il se manifeste par :

– **la préciosité des manières :** recherche de l'élégance dans le costume et d'usages raffinés. Extrême politesse et pratique du *bel esprit* favorisent le développement de la vie mondaine mais ne vont pas toujours sans extravagance.

– **la préciosité des sentiments :** on raffine à l'excès sur la délicatesse des sentiments ; l'amour précieux, platonique et courtois*, donne lieu à de subtils débats qu'illustre la célèbre *Carte du Tendre* (extraite de la *Clélie*).

– **la préciosité du goût :** cultivant la littérature, précieux et précieuses s'attachent moins aux idées qu'à la recherche d'une forme singulière.

- **le langage précieux :** méprisant la langue commune, la préciosité invente des expressions nouvelles. Cette *langue des ruelles* se caractérise par :

– **les exagérations,** notamment dans les comparaisons galantes, ainsi le poète VOITURE dans son sonnet *La belle matineuse* écrit-il :

Quand la nymphe divine, à mon repos fatale,
Apparut, et brilla de tant d'attraits divers,
Qu'il semblait qu'elle seule éclairait l'univers...

- **le recours aux périphrases et aux métaphores...** volontiers filées ; la chandelle devient *le supplément du soleil*, les joues *le trône de la pudeur* et les yeux *le miroir de l'âme.*
- **la recherche de la pointe :** antithèse ou métaphore inattendue destinée à piquer l'attention, telle la chute du sonnet d'ORONTE dans *Le Misanthrope* de MOLIÈRE :
Belle Philis on désespère,
Alors qu'on espère toujours.

« Les précieuses sont fortement persuadées qu'une pensée ne vaut rien lorsqu'elle est entendue de tout le monde, et c'est une de leurs maximes de dire qu'il faut nécessairement qu'une précieuse parle autrement que le peuple, afin que ses pensées ne soient entendues que de ceux qui ont des clartés au-dessus du vulgaire. »

SOMAIZE

Malgré des excès incontestables, l'influence des précieux sur la langue a été très largement positive : ils ont contribué à donner au classicisme la langue pure et précise qui permettra de développer toutes les finesses de l'analyse psychologique.

- **Les genres précieux** ont pour points communs l'analyse psychologique et l'idéalisme.
- **le roman,** influencé par *l'Astrée* d'Honoré d'URFÉ, prend la forme du roman d'aventures aux multiples épisodes (*Le Grand Cyrus* ou la *Clélie* de Mademoiselle de SCUDÉRY).
- **la lettre,** dont les précieux font un véritable genre est illustrée par GUEZ de BALZAC (1597-1654) et VOITURE (1593-1648).
- **la poésie galante :** les poètes précieux (VOITURE, BENSERADE) pratiquent les genres mineurs (rondeaux* et ballades*, stances* et madrigaux*) propres à la galanterie mondaine (cf. notre section *Poésie*).

L'AGE CLASSIQUE (1660-1685)

1. LE CONTEXTE HISTORIQUE

Elaboré progressivement dès 1630, le classicisme atteint son apogée dans la première partie du règne personnel de Louis XIV : une vingtaine d'années qui correspondent à la période heureuse du règne.

- **l'apogée de la monarchie absolue :** après 1661 (mort de Mazarin), Louis XIV exerce personnellement le pouvoir :
- la condamnation du surintendant Fouquet souligne la **réduction du rôle des ministres au rang d'exécutants** de la politique du monarque : issus de la bourgeoisie (Colbert, Le Tellier, Louvois), ils sont choisis sur leur seul mérite personnel et sont exposés à une disgrâce brutale.
- **les privilèges du clergé comme ceux du parlement sont restreints,** Louis XIV ne se considère comme responsable que devant Dieu (cf. sa formule « *L'Etat, c'est moi* »).

- **la noblesse est domestiquée à la cour :** celle-ci célèbre en permanence le culte de la personne royale ;
Etre présenté à la cour devient la première ambition et aucun noble de haut rang ne saurait en rester éloigné durablement (cf. La Bruyère, *Les Caractères,* ch. 8, *De la cour*). La mode, le goût, le bel usage se définissent à la cour ; là se font et se défont les réputations, s'établissent les succès littéraires et s'ourdissent les cabales*.
- **à l'absolutisme royal correspond une stricte orthodoxie* religieuse.** Le catholicisme, religion d'état, ne peut s'accompagner d'aucune déviation ; le Roi fortifie l'église gallicane* mais fait cause commune avec le pape dans la répression du jansénisme*. De persécutions en conversions forcées, la lutte contre les protestants aboutit à la suppression de l'Edit de Nantes (1685). Quant aux libertins, ils sont contraints à la réserve la plus prudente.

Les plaisirs de l'Ile enchantée
Versailles 1664.

- **une politique de prestige :** le faste royal trouve son expression dans l'épanouissement des beaux-arts :
- une architecture grandiose illustre la majesté du règne (agrandissements de Versailles de 1665 à 1695).
- peintres et sculpteurs multiplient les images du monarque.
- pour tout écrivain, la louange des qualités royales s'impose. Indépendance ou libertinage* risquent de fermer les portes de l'Académie Française ou d'entraîner la radiation de la liste des pensions (tenue par le « docte » Chapelain).

L'autoritarisme de Louis XIV s'accompagne heureusement d'un goût sûr, il sait reconnaître les talents sans leur imposer une étroite servilité :

- il protège MOLIÈRE dans les querelles de l'*Ecole des Femmes* et du *Tartuffe*.
- les comédies et divertissements moliéresques (*Mélicerte, Les Amants Magnifiques*) embellissent les fêtes de Versailles ou de Chambord.
- il consacre la gloire de BOSSUET comme de RACINE ou de BOILEAU qui seront ses historiographes.

- **la France, arbitre de l'Europe :** les victoires militaires se succèdent et agrandissent les frontières du royaume :

- guerre de Dévolution et annexion de la Flandre par le traité d'Aix-la-Chapelle (1668).
- guerre de Hollande et annexion de la Franche-Comté (1672).
- paix de Nimègue qui consacre la victoire définitive sur l'Espagne (1678).

Le classicisme coïncide avec l'apogée de la puissance française en Europe et les auteurs célèbrent les grands capitaines (Condé, Turenne) de Louis XIV (cf. Bossuet, La Bruyère).

2. L'IDÉAL CLASSIQUE

L'effort des théoriciens (CHAPELAIN, BOILEAU dont *L'Art poétique* paraît en 1674), conduit au nom de la raison, achève la codification des règles et des bienséances comme celle du langage.

- **L'esthétique classique** se définit essentiellement par :
- *l'imitation des Anciens,* modèles inégalables dont s'inspirent auteurs dramatiques et moralistes.
- *la croyance en l'existence d'une nature humaine* indépendante des lieux et des temps : la psychologie classique est une psychologie de la fixité, d'où le recul de l'exaltation baroque du moi et l'impersonnalité croissante des œuvres.
- *la soumission à des normes établies :* la beauté classique, faite d'équilibre et de clarté, se définit par des règles de portée générale, on définit le « naturel » beaucoup plus qu'on n'imite la nature.
- *un souci prédominant de l'harmonie :* le « sublime » sera atteint par la parfaite adéquation du mot à la pensée.
- *une finalité moralisante* évidente chez le fabuliste ou l'auteur de maximes et portraits mais que partagent poètes et auteurs dramatiques.

Mais les règles classiques portent en elles leurs propres limites : *on ne peut instruire qu'à la condition de plaire* (cf. Molière, *Critique de l'Ecole des Femmes*) et l'auteur se doit aussi d'être en harmonie avec son public. Aussi la littérature classique est-elle fondamentalement sociale (voir le rôle du théâtre) : les libertés envers les règles sont possibles si l'auteur rencontre le soutien des « honnêtes gens ».

- **Un type social : *l'honnête homme* :** l'ambiance de la cour et des salons parisiens comme le contenu des œuvres littéraires définissent un idéal humain dont l'influence sur notre culture sera considérable. *L'honnête homme est* :
- **un mondain qui cultive l'art de la conversation.** S'il a, le plus souvent, des liens avec la cour, il n'est pas nécessairement noble. Qu'il soit gentilhomme ou bourgeois compte moins que son mérite personnel (cf. La Bruyère).

Portrait de MOLIÈRE par COYPEL.

« Les hommes la plupart sont étrangement faits !
Dans la juste nature on ne les voit jamais,...
En chaque caractère, ils passent les limites,
et la plus noble chose ils la gâtent souvent
pour la vouloir outrer et pousser trop avant. »

MOLIÈRE
Tartuffe (I.6)

- **un être de raison** qui évite tout excès, recherche le juste milieu et maîtrise lucidement ses passions (cf. Molière). Sans illusions sur l'homme (cf. La Rochefoucauld *Maximes*), il sait s'adapter aux usages de son temps sans abdiquer sa liberté de jugement.
- **un homme de culture,** instruit, écrivant peu ou prou, il est grand amateur de théâtre ; homme de goût, il recherche en toute œuvre simplicité et vraisemblance.
- **l'incarnation,** aux yeux de ses contemporains, de l'élégance des manières comme de celle de l'esprit.

Vivant en parfaite harmonie avec son milieu social, il n'est donc pas l'homme des remises en cause sur le plan religieux ou sur le plan politique : **homme d'ordre**, il critique parfois les défauts de l'état social mais croit au progrès individuel par l'amélioration morale des consciences et non par la transformation des institutions.

3. LES ŒUVRES

Notre propos n'est pas d'évoquer de manière détaillée l'œuvre des grands auteurs de cette période, les dimensions de ces rapides panoramas de l'évolution de notre littérature ne le permettent pas, ni de définir les genres classiques, ce que nous faisons par ailleurs (cf. p. 141). Nous nous contenterons de citer brièvement les **formes littéraires privilégiées par le classicisme** et les noms des prestigieux écrivains qui en sont inséparables.

Ecartant ou réduisant à un rôle secondaire, les formes recourant à une grande abondance verbale (épopée*, romans héroïques*), le classicisme a assuré le succès des genres permettant, de manière condensée, l'analyse de la nature humaine. Poèmes mondains et lettres ne touchent que des milieux limités (par leur naturel, *Les Lettres* de Madame de SÉVIGNÉ (1626-1696) méritent cependant d'êtres rangées parmi nos grandes œuvres classiques).

- **la poésie narrative, la fable :** publiés de 1668 à 1694, les livres de fables de LA FONTAINE (1621-1695) connurent tout de suite le plus grand succès. Bien qu'il se présente comme le modeste continuateur des fabulistes de l'Antiquité (le Grec Esope et le Latin Phèdre), La Fontaine a profondément renouvelé l'art de la fable : l'art du récit y importe beaucoup plus que la moralité finale, la fable devient délicieuse petite comédie, un conte savoureux (*Une ample*

L'OURS ET L'AMATEUR DES JARDINS . Fable CLII

comédie aux cent actes divers). Expression d'une véritable sagesse humaine, elle s'ouvre même, avec le *Second Recueil* (1678-1679) à des questions politiques et sociales.

- **le roman psychologique :** les romans précieux et leurs intrigues conventionnelles sont loin de la *vraisemblance classique*. Madame de LAFAYETTE (1634-1693) donne toutefois avec *La Princesse de Clèves* un véritable roman d'analyse, se déroulant dans un cadre historique mais surtout remarquable par la vérité humaine apportée à l'étude de la passion amoureuse.

- **la littérature religieuse :** souvent cultivée comme un genre littéraire parmi d'autres, l'éloquence religieuse, contaminée par les excès de la préciosité, se perdait avant 1660 dans un académisme* décadent. Influencé par saint Vincent de Paul, BOSSUET (1627-1704) se détourne des subtilités inutiles ; subordonnée à l'expression de la vérité religieuse, l'éloquence de ses *Sermons,* des *Oraisons Funèbres* de grands personnages (Henriette d'Angleterre en 1670, le prince de Condé en 1687) atteint un parfait équilibre.

- **la réflexion morale, maximes et pensées :** divertissement mondain, le genre de la maxime (présentation lapidaire* d'une opinion d'ordre psychologique) convenait au goût classique. Les *Maximes* de LA ROCHEFOUCAULD (1665) illustrent avec rigueur une vision très pessimiste de l'homme.

L'œuvre de Blaise PASCAL (1623-1662), tout entière liée à la question du jansénisme*, occupe une place à part. Les *Pensées* (ensemble de fragments laissés à l'état de manuscrits et publiés partiellement en 1670) se proposaient de ramener les mondains à la foi chrétienne : exprimant de saisissante manière le pessimisme janséniste, elles reflètent par leur forme le goût de « l'honnête homme ».

- **le théâtre** est la forme d'expression qui connaît son apogée avec l'âge classique. Son succès est considérable, débordant le monde de la cour et les cercles lettrés, il touche plus largement, à Paris comme en province, un public bourgeois. Les querelles littéraires les plus retentissantes le concernent (querelles de *L'Ecole des Femmes* (1663), de TARTUFFE (1664-1669), cabale de *Phèdre* (1677)). Les rivalités entre troupes théâtrales (cf. p. 160) comme entre auteurs (voir l'affrontement Corneille, Racine) sont souvent des plus vives.

Sermon de BOSSUET.

En vous renvoyant à notre historique du théâtre pour caractériser le théâtre classique (p. 162) et aux biographies détaillées d'auteurs que votre scolarité vous a rendus familiers, nous soulignerons simplement que :

- dans le domaine de la **tragédie**, la période 1667-1674 voit progressivement le théâtre de CORNEILLE, qui avait dominé

> *« Lorsque vous peignez des héros, vous faites ce que vous voulez. Ce sont des portraits à plaisir, où l'on ne cherche point de ressemblance ; et vous n'avez qu'à suivre les traits d'une imagination qui se donne l'essor et qui souvent laisse le vrai pour attraper le merveilleux. Mais lorsque vous peignez les hommes, il faut peindre d'après nature. On veut que ces portraits ressemblent ; et vous n'avez rien fait, si vous n'y faites reconnaître les gens de votre siècle. »*
> MOLIÈRE
> *Critique de l'Ecole des Femmes* (Scène 6)

le second tiers du siècle, délaissé au profit de celui de RACINE sans doute plus proche de l'harmonie classique : son succès s'arrêtera cependant avec l'injuste échec de *Phèdre* (1677).

- MOLIÈRE donne à la **comédie** ses lettres de noblesse, imposant de 1662 à 1673 un théâtre voué à la vérité de la peinture des mœurs comme de celle des caractères et qui ne connaîtra, pour longtemps, que des imitateurs.
- les caractères du **théâtre baroque*** se prolongent néanmoins dans les divertissements royaux, comédies ballets, comédies galantes ou opéras (Molière, *Les Amants Magnifiques* 1670 ; Molière et Corneille, *Psyché* 1671), dont la cour est friande.

L'ÉVEIL DE L'ESPRIT PHILOSOPHIQUE (1685-1715)

1. LE CONTEXTE HISTORIQUE

Après 1685, des mutations européennes de grande ampleur remettent en question les bases politiques et culturelles du classicisme (cf. Paul HAZARD, *La Crise de la conscience européenne*). En France, les difficultés s'accumulent jusqu'à la fin du règne de Louis XIV.

- **le déclin extérieur :** si la guerre de la Ligue d'Augsbourg voit encore des succès français (Fleurus, Steinkerque) qui permettent la paix de Ryswick (1697), la guerre de la Succession d'Espagne (1701-1714) est très éprouvante pour les finances du royaume et entraîne des revers importants. La France est en partie envahie et la misère paysanne est parfois extrême. La victoire de Denain (1712) écarte le désastre, mais après les traités d'Utrecht et Rastadt, la suprématie en Europe n'est plus française et l'Angleterre affirme sa puissance.

> *« Cette gloire, qui endurait votre cœur, vous est plus chère que la justice, que votre propre repos, que la conservation de vos peuples, qui périssent tous les jours de maladies causées par la famine. »*
> FÉNELON
> *Lettre à Louis XIV* (1694)

- **la crise intérieure :** les échecs de la guerre de Succession d'Espagne diminuent le prestige de Louis XIV mais l'absolutisme royal se trouve aussi remis en question par de graves difficultés intérieures :
  - **crise économique et sociale :** les problèmes financiers de la monarchie se trouvent aggravés par les crises économiques de la fin du siècle. La France connaît plusieurs périodes de disette. La misère des plus pauvres est accablante, rendant plus scandaleuse l'édification rapide des fortunes des grands bourgeois enrichis par la ferme* (système par lequel un financier reçoit par contrat le droit de collecter les impôts) de l'impôt : d'où une sensibilité nouvelle aux inégalités sociales.

- **crise religieuse :** en France l'église catholique se trouve divisée par plusieurs querelles alors que l'apparition à l'étranger de nouveaux systèmes philosophiques ouvre la voie à des bouleversements idéologiques :

• conflit du ***quiétisme*** (selon les quiétistes, la foi serait incompatible avec les nécessités de la vie quotidienne dont il faudrait s'évader) qui verra BOSSUET s'opposer à FÉNELON.

• conflit entre *gallicans** et *ultramontains** au sujet des pouvoirs respectifs du roi et du Pape.

• conflit entre le pouvoir royal et les jansénistes qui aboutit à la fermeture et à la destruction du monastère de Port-Royal.

• révocation de l'Edit de Nantes (1685) et persécutions (« dragonnades ») contre les protestants qui entraînent de vives polémiques religieuses.

• naissance en Europe de systèmes philosophiques constituant autant de ruptures avec la théologie chrétienne (panthéisme* de LEIBNIZ et de SPINOZA, empirisme* de LOCKE), fournissant des bases idéologiques au libertinage.

2. ÉVOLUTIONS LITTÉRAIRES

Alors même que le français devient, au début du 18e siècle, la langue de l'ensemble des élites européennes et que notre littérature atteint son plus grand rayonnement, la création, moins féconde, cède le pas aux réflexions et aux remises en question.

• **la querelle des Anciens et des Modernes :** elle voit s'affronter les partisans du respect absolu des règles et des modèles parfaits légués par les Anciens (BOILEAU) à ceux qui croient en la possibilité d'un progrès des arts et des lettres et donc en la supériorité des auteurs modernes (PERRAULT, *Parallèles des Anciens et des Modernes,* 1688-1697). Commencée dès 1670, la querelle atteindra sa plus grande intensité vers 1690 pour rebondir encore en 1713-1715.

• **une littérature plus engagée :** l'écrivain, confronté aux faiblesses de l'absolutisme et aux inégalités criantes, ne peut plus accepter sans restrictions l'ordre politique et social. Des préoccupations nouvelles se font jour :

- dans l'œuvre de LA BRUYÈRE (1645-1696) dont les *Caractères* sont maintes fois réédités et enrichis de 1688 à sa mort : évocation poignante de la misère paysanne ; critique de la cour et des grands comme des bourgeois enrichis ; essai de définition de l'exercice idéal du pouvoir royal.
- dans l'œuvre de FÉNELON : le *Télémaque* (1695), écrit pour l'instruction du duc de Bourgogne (futur roi possible), condamne l'absolutisme et la guerre, sa publication fait scandale ; *L'Examen de conscience d'un roi* (1710) expose hardiment la misère de la France et la nécessité de réformes.

« Il y a une espèce de honte d'être heureux à la vue de certaines misères. »

LA BRUYÈRE
Les Caractères

Scène de famine à la fin du règne de Louis XIV.

- **Les libertins*** : le courant libertin n'avait jamais totalement disparu, mais étroitement surveillé par le pouvoir et l'église, le libertinage érudit du milieu du siècle s'était réduit à une quasi-clandestinité. Le relâchement de l'autorité royale, après 1680, lui permet de réapparaître au grand jour ; il profite aussi de la lassitude engendrée dans l'opinion par une cour de plus en plus austère et dévote.

– **SAINT-EVREMOND** (1610-1703) : exilé en Angleterre depuis 1661, assure par ses écrits un lien avec le libertinage du début du siècle. Epicurien*, il annonce par ses traités d'histoire et de littérature le relativisme du 18e siècle.

– **Pierre BAYLE** (1647-1706) incarne avec talent un scepticisme* radical. Ses *Pensées diverses sur la Comète* (1682) tournent en dérision providence* et superstition. Par son *Dictionnaire historique et critique* (1697, publié en Hollande) il dissimule, par un habile système de renvois, la hardiesse de sa thèse : la philosophie exclut la croyance religieuse ! Sa méthode annonce l'*Encyclopédie* et son influence sera considérable au siècle suivant.

– **FONTENELLE** (1657-1757) : affirmant sa croyance au progrès dans les *Dialogues des morts* (1683), il sera un vulgarisateur de l'esprit scientifique moderne avec les *Entretiens sur la pluralité des mondes* (1686). Son *Histoire des Oracles* (1687) dénonce les superstitions et souligne le recul de l'esprit religieux.

Secrétaire perpétuel de l'Académie des Sciences après 1699, FONTENELLE, véritable esprit universel, annonce un nouveau type d'homme de lettres qui, élargissant son horizon, s'attachera à répandre les idées philosophiques et scientifiques.

➤ *« Toute la philosophie... n'est fondée que sur deux choses, sur ce qu'on a l'esprit curieux et les yeux mauvais. »*

FONTENELLE
Entretiens sur la pluralité des mondes.

ESQUISSE DE CONCLUSION

Le bassin d'Apollon à Versailles.

Ayant le souci de la perfection de la forme, le 17e siècle a porté à leur degré de plus complet achèvement des genres hérités d'une Antiquité qu'il révérait. Mais l'ambition de ses écrivains était plus encore morale qu'artistique : Molière comme Racine, Pascal comme Bossuet, La Rochefoucauld comme La Bruyère se sont attachés à analyser, au-delà des individus particuliers, les tendances permanentes de la nature humaine.

De là, sans doute, le rayonnement universel de la littérature du siècle de Louis XIV dont les chefs-d'œuvre consacrent pour longtemps des formes littéraires qu'épargneront les remises en cause du siècle suivant.

Ai-je bien lu ce chapitre ?

☐ **L'Histoire**

1) Les dates de la guerre de Trente Ans sont :
   a 1612-1642 b 1661-1691 c 1618-1648 d 1685-1715

2) Le ministère de Richelieu dure de :
   a 1624-1642 b 1618-1648 c 1643-1661 d 1613-1643

3) Le règne personnel de Louis XIV s'étend de :
   a 1613-1643 b 1643-1685 c 1661-1715 d 1685-1714

4) La guerre de succession d'Espagne s'achève par :
   a les traités de Westphalie
   b la paix des Pyrénées
   c la paix d'Utrecht

5) Sous le règne de Louis XIV la France annexe :
   a la Champagne et le Languedoc
   b Le Palatinat
   c le Roussillon, l'Artois, l'Alsace et la Franche-Comté
   d Nice et la Savoie

☐ **Les mouvements littéraires ou spirituels**

1) Le monastère de Port-Royal est le centre du :
   a baroque b quiétisme c protestantisme d jansénisme

2) Quels sont, parmi les auteurs suivants ceux qui peuvent être qualifiés de baroque :
   a Malherbe b Voiture c Honoré d'Urfé d Cyrano de Bergerac e Bossuet f Paul Scarron

3) Les principaux genres précieux sont :
   a la comédie b le roman c la lettre d la poésie galante e la fable f la tragédie

4) La « génération de 1661 » comprend :
   a Molière b Fénelon c Racine d La Fontaine e Corneille f Pascal g La Bruyère h Boileau

☐ **Les auteurs et leurs œuvres**

1) L'art poétique de Boileau paraît en :
   a 1659 b 1688 c 1674 d 1712

2) Le succès de Racine cesse après l'échec de :
   a Athalie b Bérénice c Phèdre d Iphigénie

3) Les Remarques sur la langue française sont une œuvre de :
   a Boileau b Vaugelas c Chapelain d Fénelon

4) Indiquez les auteurs des œuvres suivantes :
   L'Ecole des Femmes
   Rodogune
   Les Provinciales
   Les Aventures de Télémaque
   Le Roman comique
   Esther

5) Les Fables de La Fontaine ont été publiées de :
   a 1621 à 1666 b 1668 à 1694 c 1622 à 1659 d 1685 à 1711

L'HISTOIRE
1)c 2)a 3)c 4)c 5)c

LES MOUVEMENTS LITTÉRAIRES OU SPIRITUELS
1)d 2)d,f 3)b,c,d
4)a c d h

LES AUTEURS ET LEURS OEUVRES
1)c 2)c 3)b
4) ⓐ Molière ⓑ Corneille
ⓒ Pascal ⓓ Fénelon
ⓔ Scarron ⓕ Racine
5)b.

Que sais-je... du 18e siècle ?

☐ **L'histoire**

1) La Régence :	a 1726-1743 b 1715-1723	c 1709-1715 d 1745-1748
2) Le règne de Louis XV :	a 1745-1764 b 1715-1764	c 1723-1774 d 1762-1796
3) La guerre coloniale entre la France et l'Angleterre :	a 1701-1723 b 1744-1763	c 1740-1748 d 1776-1783
4) La réunion des Etats Généraux :	a 1788 b 1791	c 1789 d 1783
5) L'exécution de Louis XVI	a 1789 b 1793	c 1790 d 1792

☐ **Les mouvements littéraires ou spirituels**

1) Un des principaux salons philosophiques fut celui de :	a Mme de Deffand b Mme de Staël	c Mme du Barry d Julie d'Etange
2) Le 18e siècle se caractérise surtout par l'affirmation du :	a lyrisme b rationalisme	c romantisme d matérialisme
3) L'animateur de L'Encyclopédie fut :	a Voltaire b Montesquieu	c Diderot d Rousseau
4) Les idées religieuses de la plupart des philosophes se définissent par le :	a matérialisme b athéisme	c jansénisme d déisme
5) Un genre théâtral fait son apparition dans notre littérature :	a la farce b la tragédie	c le drame d la parodie

☐ **Les auteurs et leurs œuvres**

1) L'auteur de Candide est :	a Rousseau b Montesquieu	c Voltaire d Marivaux
2) L'auteur du Neveu de Rameau est :	a Diderot b Marivaux	c Sedaine d Rousseau
3) La Nouvelle Héloïse est un roman de :	a Lesage b Voltaire	c Rousseau d L'abbé Prévost
4) Marivaux est l'auteur de :	a Turcaret b Le Mariage de Figaro	c Le Légataire univers d Le Jeu de l'amour et du hasard
5) Parmi ces œuvres laquelle n'est pas de Voltaire ?	a Le Siècle de Louis XIV b Micromégas	c Zadig d Jacques le Fataliste

La rue Quincampoix

XVIIIe siècle

Le « Siècle des lumières » est souvent schématiquement opposé au 17e siècle : celui-ci serait stable, religieux, monarchique et classique ; celui-là dominé par le mouvement,libertin, révolutionnaire et préromantique. Mais nous avons vu combien certains clichés pouvaient être trompeurs pour le siècle de Louis XIV, il en est de même pour le 18e siècle : si l'esprit philosophique le caractérise effectivement, il ne va pas sans contradictions et les modèles littéraires classiques restent prédominants, l'affirmation d'une littérature militante coexistant avec la permanence des goûts esthétiques du siècle précédent.

La chronologie du siècle est aisée à établir dans ses grandes lignes : favorisé par de profondes évolutions politiques et sociales, l'esprit philosophique (dont nous avons suivi l'éveil dans les dernières décennies du siècle de Louis XIV) s'affirme progressivement jusqu'en 1750 ; il triomphe dans la seconde moitié du siècle où les œuvres, plus originales dans leur forme, laissent aussi place à une sensibilité nouvelle. La Révolution interrompt cette évolution, la gravité des événements suscitant, après 1789, la création d'une littérature politique abondante mais de valeur très inégale.

LES PROGRÈS DE L'ESPRIT PHILOSOPHIQUE (1715-1750)

1. L'ÉVOLUTION POLITIQUE ET ÉCONOMIQUE

Cf. *L'Allée du Roi* de F. CHANDERNAGOR

Les dernières années du règne de Louis XIV sont particulièrement sombres : aux malheurs de la guerre s'ajoutent la misère qui accable les paysans, voire les ravages de la famine (1709) tandis que le pouvoir s'enferme dans un conformisme dévot. Ainsi qu'en témoigne SAINT-SIMON, la mort du roi fut ressentie comme une libération : « *les provinces, au désespoir de leur ruine et de leur anéantissement, respirèrent et tressaillirent de joie... le peuble, ruiné, accablé, désespéré rendit grâce à Dieu...* » ; par bien des côtés la **Régence** allait être une véritable réaction contre cette longue et étouffante fin de règne.

- **La Régence** : le nouveau roi étant mineur (il n'a que cinq ans à la mort du Roi Soleil), le pouvoir passe au neveu de Louis XIV, **Philippe d'Orléans** qui l'exerce jusqu'en 1723. Intelligent et artiste, le Régent est aussi un **libertin*,** il donne lui-même (avec ses compagnons de débauche « les roués ») l'exemple d'une extrême licence de mœurs qui, en opposition avec l'austérité de la période précédente, se développe largement dans les milieux favorisés. Les changements politiques ne sont pas moins évidents :

- en politique extérieure, le maintien de la paix devient le souci dominant et l'Angleterre l'allié privilégié ;
- la grande noblesse, écrasée par l'absolutisme royal, retrouve momentanément une partie de ses droits avec le régime des Conseils (1715-1718) qui l'associe à l'exercice du pouvoir ;
- pour remplir les caisses de l'Etat, **Law,** surintendant des finances, lance une monnaie papier dont la valeur est garantie par les actifs des grandes compagnies commerciales (Compagnie des Indes). Après avoir connu le succès, le « système de Law » s'écroule en 1720 : ayant entraîné des fortunes rapides pour certains et la ruine pour d'autres (dont Marivaux), il a contribué à semer la confusion dans l'état social et les idées morales.

- **Louis XV « Le Bien Aimé »** est ainsi appelé car le début de son règne est une période heureuse dont la littérature reflétera l'optimisme (Cf. VOLTAIRE, *Le Mondain,* 1736) :

- à l'extérieur, les premiers ministres successifs : le duc de Bourbon (1723-1726) et le cardinal de Fleury (1726-1743) maintiennent la paix en se contentant du statu quo existant en Europe. La guerre de succession d'Autriche qui oppose la France et la Prusse à l'Autriche alliée à l'Angleterre se passe pour l'essentiel loin du territoire national et n'émeut guère les esprits. La paix d'Aix-la-Chapelle, décevante pour la France, est pourtant le premier signe de l'affaiblissement de sa puissance en Europe.

- sur le plan économique, le pays connaît une croissance durable. Favorisé par la paix, le commerce maritime se développe rapidement et les villes commerçantes de la façade atlantique (Bordeaux, Nantes...) en sont les principales bénéficiaires.

2. L'ÉVOLUTION DE LA SOCIÉTÉ ET DES MŒURS

A l'apogée de la monarchie, la cour était le centre de la mode et du goût. Avec la montée en puissance de la bourgeoisie et l'affaiblissement du pouvoir, son rôle s'amoindrit au profit de nouveaux centres de la vie intellectuelle et sociale dont le rôle ira croissant :

- **les salons,** fréquentés par les gens du monde et les écrivains, sont, au début du siècle, surtout littéraires et mondains. On y cultive l'art de la conversation et du bel esprit : les dialogues du théâtre de MARIVAUX ne seraient, du moins l'auteur l'affirme-t-il, que la fidèle reproduction des propos qu'il y entendait tous les jours ! Mais ils deviennent progressivement plus philosophiques jusqu'à jouer un rôle important dans la diffusion des idées nouvelles. Parmi les principaux salons, on peut citer ceux de :
- la duchesse du Maine, au château de Sceaux (1700-1753), qui protégera quelque temps VOLTAIRE ;
- Madame de Lambert, fréquenté par FONTENELLE et MARIVAUX (1710-1733) ;
- Madame de Tencin, dont le spirituel ascendant s'exercera sur de nombreux écrivains (1726-1749) ;
- Madame du Deffand, que fréquentèrent aussi FONTENELLE, MARIVAUX et MONTESQUIEU et qui soutint plus tard les encyclopédistes (1740-1780).

Une soirée chez Madame GEOFFRIN.

Un café à la fin de l'Ancien Régime.

- **les cafés et les clubs :** de simples lieux de dégustation de boissons nouvelles (le « moka »), les cafés – très fréquentés – devinrent le cadre de débats littéraires et d'une grande effervescence intellectuelle. Les plus célèbres furent le café Procope, fréquenté par Voltaire et Diderot et, selon MARMONTEL, « *tribunal de la critique et école des jeunes poètes* », le café de la Régence et ses célèbres joueurs d'échecs (cf. DIDEROT, *Le Neveu de Rameau*), le café Gradot et le café Laurent. Les clubs, imités de l'Angleterre, accueillent des cercles beaucoup plus restreints ; on y débat de sujets politiques et économiques. Le plus célèbre est le Club de l'Entresol (1720-1731).
- **les académies provinciales :** assemblées savantes principalement orientées vers les questions scientifiques et techniques (voir les mémoires présentés par MONTESQUIEU à l'Académie de Bordeaux sur les glandes rénales ou sur la transparence des corps), elles sont en province des centres privilégiés de la vie intellectuelle et de la diffusion des idées. Elles contribuent aussi, par les concours qu'elles organisent, à révéler de jeunes écrivains (voir en 1750 le *Discours sur les Sciences et les Arts* de Jean-Jacques ROUSSEAU qui reçut le prix de l'Académie de Dijon). Ces académies se multiplieront au fil du siècle, elles sont au nombre de 9 en 1710, 24 en 1750.
- **le luxe de la vie sociale :** la paix et la prospérité commerciale font, de cette période, le temps du luxe et des divertissements. Les milieux les plus privilégiés (noblesse de cour, financiers enrichis) consacrent leurs revenus à donner de grandes fêtes et à construire ou embellir leurs châteaux ou hôtels parisiens. Les intérieurs sont raffinés, décorés de boiseries et meubles précieux ; ils sont le cadre des conversations les plus brillantes mais aussi de tous les plaisirs : spectacles mondains, jeux, soupers parfois fort libertins.

De nombreuses œuvres littéraires reflètent l'atmosphère de cette vie sociale parisienne où la corruption se mêle souvent au luxe (voir notamment *Manon Lescaut* de l'Abbé PRÉVOST, *Le Neveu de Rameau*, ou le chapitre XXII du *Candide* de VOLTAIRE).

3. LA SITUATION DES ÉCRIVAINS

Littérature et vie sociale sont très liées au 18e siècle, les gens du monde sont volontiers *gens de lettres* et la fréquentation des écrivains est recherchée. Auteurs et publics parlent à cette époque un même langage ; poètes, romanciers ou philosophes partagent avec leurs lecteurs une même culture mais leur recherche d'une plus grande liberté de pensée et le développement de l'esprit critique créent de fréquentes tensions avec le pouvoir.

- **Le public littéraire** est encore limité, au début du siècle, à quelques dizaines de milliers de personnes (sur une population de vingt millions d'habitants) et ne s'élargira que très progressivement. La littérature des « grands auteurs » cités par nos modernes recueils de textes n'a qu'une audience restreinte. A côté d'elle existe une littérature dite « de colportage » (en raison de son mode de diffusion), qui touche des milieux beaucoup plus larges et dont les formes sont variées (almanachs, livres de piété, facéties* et romans d'aventure) mais les contenus pauvres.

- **Les milieux cultivés,** comme les auteurs eux-mêmes, tiennent leur formation des collèges (jésuites surtout ou oratoriens) et y ont contracté, dans la tradition de « l'honnêteté » du siècle précédent, le goût des vers et du théâtre, une pratique vivante du latin et une maîtrise accomplie de la rhétorique* héritée de l'Antiquité.

- **La condition des écrivains :** leurs origines sociales sont très diverses mais fort peu vivent de leur plume. Les « libraires » (éditeurs) n'accordent alors aux auteurs que de modestes forfaits, versés une fois pour toutes, contre la propriété des œuvres. Certains écrivains tirent leur indépendance de leur fortune familiale (Montesquieu) parfois accrue par de prospères affaires commerciales (Voltaire) mais ce sont des exceptions. Beaucoup connaissent d'abord la vie de bohème (Lesage, Diderot), doivent exercer de petits métiers (précepteur ou copiste tel Jean-Jacques Rousseau) s'ils ne trouvent la sécurité grâce à la protection des Grands, de riches fermiers généraux ou par une place à la cour. Restent encore, comme nouvelles ressources possibles, la traduction ou le journalisme au risque de n'être qu'un « *pauvre diable à la feuille* » (DIDEROT – *Le Neveu de Rameau*).

- **Les journaux et les périodiques** se multiplient en effet au 18e siècle. Au *Journal des Savants*, fondé en 1665, s'ajoute le *Journal de Trévoux* créé par les jésuites en 1702 qui, d'abord ouvert aux idées nouvelles, deviendra l'ennemi déclaré des philosophes. *Le Mercure de France* est le journal littéraire du temps, écho des querelles et des polémiques qui opposent souvent les auteurs.

- **Les écrivains et le pouvoir :** la publication de tout ouvrage reste soumise à l'obtention d'un « privilège » royal et celui-ci n'est délivré qu'après examen du manuscrit par un censeur. L'existence de cette censure préalable explique le recours à l'impression clandestine ou plus aisément, à l'impression à l'étranger (Ex : 1721, Les *Lettres Persanes,* imprimées à Amsterdam).

MERCURE
DE FRANCE,
DÉDIÉ AU ROI.
OCTOBRE. 1750.

A PARIS,

Chez
ANDRE' CAILLEAU, rue Saint Jacques, à S André.
La Veuve PISSOT, Quai de Conty, à la descente du Pont-Neuf.
JEAN DE NULLY, au Palais.
JACQUES BARROIS, Quai des Augustins, à la ville de Nevers.

M. DCC. L.
Avec Approbation & Privilege du Roi.

Toute édition non autorisée expose l'auteur à l'emprisonnement s'il ne s'y soustrait par un prompt exil tel VOLTAIRE après la publication des *Lettres anglaises* (1734). Risque semblable si le livre, même légalement publié, est ensuite condamné à être brûlé par le Parlement (cf. Les *Lettres anglaises* déjà citées ;

Organibac II p. 319 ➤

Les *Pensées philosophiques* de DIDEROT 1746, plus tard l'*Emile* de Jean-Jacques ROUSSEAU 1762). L'Église dénonce aussi les livres « impies » et la Sorbonne (faculté de théologie) peut exiger des modifications.

Mais la répression n'est jamais systématique et, confronté à la montée des idées philosophiques, le pouvoir ne parvient pas à définir une attitude cohérente : tantôt il réprime, tantôt il laisse faire. Participant, eux aussi, au système aristocratique, les auteurs peuvent se ménager protections ou complicités et les mesures qui les frappent sont rarement durables.

4. UNE NOUVELLE DÉFINITION DU PHILOSOPHE

Si le 18e siècle est ***philosophe***, il ne l'est pas au sens traditionnel, c'est-à-dire celui de spécialiste tourné vers la réflexion et avant tout préoccupé de bâtir des théories. A la différence de ses prédécesseurs, le ***philosophe*** n'est pas exclusivement homme de principes et de concepts ; la philosophie est un état d'esprit, un ensemble d'attitudes liées à la vie quotidienne et dominées par :

- **Le souci de l'utilité sociale :** « *J'appelle grands hommes tous ceux qui ont excellé dans l'utile et l'agréable* » écrit VOLTAIRE (Lettre à Thiériot du 15 juillet 1735) et, à son exemple, on associe volontiers la philosophie aux activités utiles au maintien ou au progrès de la civilisation. Le philosophe se veut un homme pratique, s'intéressant aux techniques comme aux arts, à l'agriculture comme au commerce.
- **La sociabilité :** DUMARSAIS affirmera du philosophe que « *la raison exige de lui qu'il travaille à acquérir les qualités sociables* » et « *qu'il ne soit pas en exil dans ce monde* » (*Encyclopédie* – Article *Philosophe*) d'où l'influence décisive de tous les lieux de réunion (salons, clubs, cafés) et l'importance accordée à la vie mondaine comme à la conversation.
- **Le cosmopolitisme :** la vérité humaine ne saurait être enfermée dans les frontières du royaume de France et les philosophes portent leur regard loin au-delà de celles-ci.

La primauté de la culture et de la langue française en Europe rend aisée cette couverture qui se traduit par :

- de **multiples correspondances à travers l'Europe** (cf. lettres de VOLTAIRE) et la fréquentation des salons parisiens par les beaux esprits de l'Europe entière.
- de **nombreux voyages et séjours à l'étranger,** tous les grands écrivains du siècle ont été aussi de grands voyageurs (voyages de Montesquieu en Allemagne, Autriche, Italie,

Un persan à Paris (ill. des *Lettres Persanes*).

Hollande, Angleterre de 1728 à 1731 ; séjours de Voltaire en Angleterre (1726-1729) ou en Prusse (1750-1759) ; randonnées de jeunesse de Jean-Jacques Rousseau sur les routes de Savoie et de France (1728-1732)) ; traduction d'une authentique curiosité, le voyage devient une source privilégiée de connaissances ;

– des **enquêtes sur les différents systèmes politiques et sociaux** des pays européens à l'image des *Lettres Anglaises* de VOLTAIRE ou de l'analyse comparée qu'en donne l'*Esprit des Lois* de MONTESQUIEU (1748).

Mais, depuis la fin du 17e siècle, on s'intéresse aussi aux récits de voyages lointains ; récits de TAVERNIER ou CHARDIN pour la Perse ; *Voyages et Mémoires* du baron de LAHONTAN pour l'Amérique, etc. Autant de sources possibles pour l'utilisation du procédé du « regard étranger » qui libère l'esprit critique et enseigne la relativité (MONTESQUIEU, *Lettres Persanes*, VOLTAIRE, *L'Ingénu*).

« Dans l'ensemble, la philosophie et la littérature classiques suppriment le temps et l'espace. Or le XVIIIe siècle a tout fait pour les retrouver. Il est d'abord le siècle des voyages...
Les œuvres des grands écrivains, sérieuses ou badines, reflètent ce goût des promenades à travers le vaste monde. Les romans, les contes, les tragédies, drames, comédies, opéras-comiques sont constamment orientaux, chinois, péruviens, indiens, ou prétendent l'être. Sans doute l'exotisme n'y est très souvent qu'un costume ou un déguisement. On demande au lecteur de réfléchir sur la diversité des mœurs, sur l'infinie variété des usages et des croyances. »
Daniel MORNET *La pensée française au 18e siècle*

5. RATIONALISME ET LIBRE EXAMEN

Curieux du vaste monde, soucieux d'être utiles et tournés vers leurs semblables, les philosophes affirment cependant l'unité de leur démarche en la plaçant sous l'égide de la raison : héritiers du ***rationalisme*** cartésien (cf. le *Discours de la Méthode* de DESCARTES, 1637) et des libertins* du 17e siècle, ils étendent l'esprit de libre examen à l'ensemble des connaissances. Le but du philosophe est partout d'« éclairer » (cf. l'idéologie des lumières) la vérité par la patiente mise au point des méthodes qui permettent de l'atteindre :

17e siècle, p. 34

- **en sciences :** la méthode expérimentale est retenue comme seule source de la connaissance ainsi que l'affirme BUFFON : « *C'est par des expériences fines, raisonnées et suivies que l'on force la nature à découvrir son secret ; toutes les autres méthodes n'ont jamais réussi et les vrais physiciens ne peuvent s'empêcher de regarder les anciens systèmes comme d'anciennes rêveries* » (1735) ; MONTESQUIEU s'appuie sur elle dans *L'Esprit des Lois* (voir sa démonstration de la « *théorie des climats* » Livre XIV, ch. 2).

Écrivains et grands seigneurs ont des laboratoires de physique, de chimie ou de sciences naturelles et tandis que ces sciences prennent leur essor, la littérature contribue à les vulgariser (Voltaire fait ainsi connaître la physique de Newton : *Épître sur Newton* en 1736, *Éléments de la philosophie de Newton* 1738).

Lavoisier dans son laboratoire.

- **en psychologie :** renonçant aux interrogations métaphysiques* sur la nature éternelle de l'homme, les philosophes s'efforcent d'en donner une explication relative dans les contextes historiques et géographiques qui sont les siens (voir la « *théorie des climats* », déjà citée, de MONTESQUIEU. En rupture avec les écrivains du 17e siècle en quête d'une nature humaine universelle, ils dépeignent un homme en devenir en recherchant les voies d'un progrès de l'humanité (VOLTAIRE, *Essai sur les mœurs,* 1756).

- **en politique :** ils recherchent une analyse rationnelle* des différents régimes existant, ce qui les conduit à refuser la monarchie de droit divin, laquelle exclut toute tentative d'explication de la nature de l'autorité. Cette désacralisation du pouvoir, présente dès les *Lettres Persanes*, conduit MONTESQUIEU comme VOLTAIRE à souhaiter substituer aux abus de l'absolutisme, un régime équilibré, « tempéré », dont l'Angleterre, avec sa monarchie parlementaire, semble pouvoir être le modèle.

➤ *« Ce n'est pas la fortune qui domine le monde... Il y a des causes générales, soit morales, soit physiques, qui agissant dans chaque monarchie, l'élèvent, la maintiennent ou la précipitent ; tous les accidents sont soumis à des causes. »*

Considérations XVIII
MONTESQUIEU

- **en histoire :** rejetant la conception ***providentialiste**** de l'histoire qu'exprimait BOSSUET au 17e siècle – selon laquelle l'enchaînement des faits historiques traduit la réalisation des desseins de Dieu – les philosophes s'efforcent d'analyser les causes de l'évolution historique. La démarche cartésienne de MONTESQUIEU dans ses *Considérations sur les causes de la grandeur des Romains et de leur décadence* (1734) est caractéristique de cette volonté.

La méthode de l'historien doit reposer sur la recherche documentaire et la critique du témoignage. Prolongeant les exigences critiques déjà formulées par BAYLE et FONTENELLE (cf. p.), VOLTAIRE se constitue une nouvelle méthode d'investigation historique qui fait la valeur de son *Histoire de Charles XII* (1731) et du *Siècle de Louis XIV* (1751) : il élargit ainsi le champ de l'histoire qui n'est plus seulement celle des grands hommes mais celle d'une époque.

- **en religion :** comme il ébranle les fondements traditionnels du pouvoir politique, le rationalisme* critique n'épargne pas non plus la religion. Reprenant, là encore, les idées de BAYLE et de FONTENELLE, les philosophes mettent en évidence les contradictions entre les positions de l'Église et les fondements même du catholicisme, dénoncent une religion souvent hypocrite et toujours intolérante (cf. Les *Lettres persanes*).

Sans être « antireligieux », ils refusent d'exclure la religion du domaine de la raison, ce qui les conduit souvent à s'opposer à la religion révélée. Leurs attitudes personnelles sont cependant diverses : chez la plupart, la remise en cause des dogmes ne s'étend pas à celles de l'existence de Dieu ; ainsi le déisme de VOLTAIRE accepte, comme une évidence raisonnable et utile, l'existence de l'Être Suprême. Certains, tel DIDEROT, iront cependant jusqu'au matérialisme (*Lettre sur les aveugles,* 1749).

➤ *« Si Dieu n'existait pas, il faudrait l'inventer. »*

VOLTAIRE

6. UN IDÉAL DE TOLÉRANCE

Étendre, à tous les domaines, la critique philosophique ne conduit pas à de vaines spéculations théoriques ou à un scepticisme* généralisé et stérile ; « *ami du genre humain* », le philosophe met sa raison au service d'un combat :

- **pour le respect de la personne humaine :** en tout être et en tout lieu, quelles que soient les différences de race, de mœurs, de religions qui masquent l'unité du genre humain, ce qui conduit :

– à **dénoncer l'esclavage** pratiqué par les Européens dans leurs colonies sucrières (MONTESQUIEU, l'*Esprit des lois* ; VOLTAIRE, *Candide*) ;

– à se prononcer en faveur de **la liberté d'expression des idées**, contre la censure, cette « inquisition littéraire » qui pèse sur les écrivains (VOLTAIRE, *Lettre à un premier commis* 1733) ;

– à réclamer **la tolérance en matière de religion :** dès les *Lettres persanes*, MONTESQUIEU s'élève contre l'abolition de l'Édit de Nantes et esquisse une apologie de la tolérance développée dans l'*Esprit des Lois*. La dénonciation voltairienne des persécutions dont sont victimes les protestants et les libertins l'amplifiera avec vigueur (cf. l'article « *Tolérance* » du *Dictionnaire philosophique* et le *Traité sur la tolérance,* 1763).

- **contre les violences** qui déshonorent la civilisation et constituent un véritable défi à la raison :

– **la guerre,** que flétrira souvent VOLTAIRE (cf. *Micromégas – Candide*) et que dénonce JAUCOURT dans *L'Encyclopédie :* « *la guerre étouffe la voix de la nature, de la justice, de la religion et de l'humanité. Elle n'enfante que des brigandages et des crimes...* » (article *Guerre,* 1757).

– **la torture,** utilisée par la justice du temps comme moyen d'investigation et comme supplice, et dont VOLTAIRE souligne la cruelle inhumanité (voir notamment l'article *Torture* du *Dictionnaire philosophique,* 1764).

- **contre les fanatiques,** ennemis de tout « esprit philosophique » car, non seulement ils ont une foi aveugle en leurs idées et ne tolèrent d'autres convictions que les leurs, mais ils usent de la violence : « *Le fanatisme est à la superstition ce que le transport est à la fièvre, ce que la rage est à la colère. Celui qui a des extases, qui prend des songes pour des réalités, et ses imaginations pour des prophéties, est un enthousiaste ; celui qui soutient sa folie par le meurtre, est un fanatique* » (article *Fanatisme* du *Dictionnaire philosophique*).

La lutte contre celui que VOLTAIRE appellera « l'infâme » résume ainsi l'essentiel du combat des philosophes rassemblés par des objectifs communs qui ne doivent pas conduire à négliger ni les différences existant entre les auteurs, ni la grande diversité des œuvres.

Le nègre de Surinam, Candide ch. 19.

« Je ne suis pas d'accord avec ce que vous dites, mais je me battrai jusqu'au bout pour que vous puissiez le dire. »

VOLTAIRE

7. LA LITTÉRATURE PHILOSOPHIQUE

Ainsi que nous venons de l'examiner, la première moitié du siècle voit s'affirmer progressivement un nouvel idéal intellectuel et moral. Le *philosophe* se substitue à *l'honnête homme* du siècle précédent. Les œuvres de MONTESQUIEU et de VOLTAIRE contribuent, pour une part essentielle, à cette évolution.

➤ *« J'ai d'abord examiné les hommes et j'ai cru que, dans cette infinie diversité de lois et de mœurs, ils n'étaient pas uniquement conduits par leurs fantaisies.*
J'ai posé les principes, et j'ai vu les cas particuliers s'y plier comme d'eux-mêmes, les histoires de toutes les nations n'en être que les suites, et chaque loi particulière liée avec une autre loi, ou dépendre d'une autre plus générale. »
MONTESQUIEU
préface de *L'esprit des Lois*

- **MONTESQUIEU** (1689-1755) s'est intéressé, dès sa jeunesse, aux sciences comme aux questions sociales et participa aux réunions du Club de l'Entresol. Gagnant avec les *Lettres Persanes* (publiées en 1721 à Amsterdam sans nom d'auteur) une renommée de « *bel esprit* », il utilise le regard oriental comme révélateur des défauts de la société française et instrument d'une critique tant politique que religieuse.

Sous l'aspect volontiers libertin des *Lettres*, marquées par « l'esprit Régence », se cache la hardiesse de la pensée et une rigueur d'analyse qu'illustre l'*Esprit des Lois* (Genève 1748). Labeur gigantesque, préparé par un « travail de vingt années », l'ouvrage fonde la **science politique.** Définissant méthodiquement la **nature** et les **principes** des différents gouvernements (républicain, monarchique, despotique) MONTESQUIEU ne prétend pas juger mais en exposer les fondements comme les conséquences nécessaires. Il fait cependant l'éloge de la constitution anglaise qui lui semble garantir la liberté par **la séparation des pouvoirs** (exécutif, législatif, judiciaire).

VOLTAIRE par LARGILLIÈRE.

L'Église ne manquera pas de mettre à l'index cette œuvre qui, dénonçant l'esclavage comme contraire au christianisme et prônant la tolérance, ramène la religion à une simple utilité sociale.

- **VOLTAIRE** (1694-1778), par l'exemple de sa vie comme par son œuvre, est très représentatif de l'évolution du temps. Ce jeune bourgeois, favorisé par l'intelligence et la fortune, aurait pu n'être qu'un poète mondain fêté par l'aristocratie. Mais son esprit frondeur, après deux séjours à la Bastille (en 1717 et 1726), le conduisit à l'exil en Angleterre (1726-1729). Il idéalisera cette société plus moderne et plus libre.

La publication de ses *Lettres anglaises* à Londres (1733) puis, sans autorisation à Rouen, sous le titre *Lettres philosophiques* (1734) entraîne une condamnation du Parlement : le livre est brûlé comme « propre à inspirer le libertinage le plus dangereux pour la religion et pour l'ordre de la société civile ». Ces lettres sont, en effet, sous couvert d'un exposé des différents aspects de l'Angleterre, une critique de la société française. VOLTAIRE célèbre les vertus de la tolérance religieuse, fruit de la liberté politique permise par une constitution qui limite le pouvoir des rois, dans une société qui accorde aux négociants la considération due à leur utilité et favorise le progrès de la médecine comme des sciences.

Réfugié en Lorraine, auprès de Madame du Châtelet, il connaît une période heureuse : le poème *Le Mondain* (1735) exprime alors son optimisme et célèbre les vertus économiques du luxe. Rappelé à la cour en 1743, après le succès de ses tragédies, il est nommé historiographe du Roi et élu à l'Académie française. Mais son insolente liberté d'esprit lui vaut une nouvelle disgrâce en 1747 : *Zadig ou la Destinée*, son premier « conte philosophique », transpose ses déconvenues de courtisan et le montre prêt à remettre en question la Providence.

« Le paradis terrestre est où je suis. »
Le Mondain,
VOLTAIRE

Il crée ainsi un nouveau genre littéraire dans lequel il excellera mais qu'il considère initialement comme mineur.

8. L'ÉVOLUTION DES GENRES LITTÉRAIRES

Sur le plan de l'esthétique littéraire, la première moitié du siècle reste en effet fidèle aux canons* classiques, le théâtre cultive les grands genres dans les structures héritées du siècle de Louis XIV et la poésie les formes consacrées ; le roman s'affirme cependant et rencontre un intérêt croissant.

- **Le théâtre :** il est fort prisé au 18e siècle, un public de connaisseurs se presse dans les salles et le divertissement théâtral est un élément majeur de la vie sociale (cf. VOLTAIRE, *Candide* ch. 22). La production d'œuvres dramatiques est très abondante mais une très faible partie d'entre elles sont lues et encore moins jouées de nos jours. Car tragédies et comédies ne sont souvent que des imitations des chefs-d'œuvre antérieurs :

- **la tragédie :** les auteurs écrivent, à la manière de Racine, des pièces en cinq actes et en alexandrins sur des sujets empruntés à l'Antiquité ou à l'histoire. Ainsi, *Œdipe* (1718) de VOLTAIRE, son premier et très grand succès, *Pyrrhus* (1726) de CRÉBILLON (1674-1762). La recherche d'une évolution se limite à quelques allusions critiques et à une ouverture vers des sujets plus variés empruntés à l'Orient (VOLTAIRE, *Zaïre,* 1732 ; *Mahomet,* 1742) ou au Moyen-Age (La MOTTE, *Ines de Castro,* 1723).

« La véritable tragédie est l'école de la vertu. »
Dissertation sur la tragédie ancienne et moderne.
VOLTAIRE

- **la comédie :** la tradition de MOLIÈRE, favorisée par le monopole de la Comédie française, s'était maintenue avec notamment les œuvres de REGNARD (1655-1709) telles que *Le Légataire universel* (1707). Le *Turcaret* (1709) de LESAGE (1688-1747), féroce satire de la cupidité* des fermiers généraux ou « traitants » enrichis par les embarras financiers de la monarchie, est cependant d'une originale et vivante actualité.

- Le goût du public se tourne ensuite vers la *comédie sérieuse* aux intentions très moralisantes : DESTOUCHES, *Le Glorieux* (1732) ou NIVELLE de LA CHAUSSÉE, théoricien de la « *comédie larmoyante* », *Le Préjugé à la Mode* (1735).

➤ Le Théâtre p. 163 – p. 169.

• **L'œuvre de Marivaux** (1688-1763) occupe une place particulière. Refusant de suivre l'exemple de Molière, Marivaux écrit ses pièces pour les comédiens italiens (revenus en France en 1716) et emprunte beaucoup à leur théâtre (climat de féerie, masques et ballets, personnages traditionnels). Libéré des règles, il écrit en prose et ses comédies n'ont souvent que trois actes quand elles ne se réduisent pas à un seul.

Le Jeu de l'amour et du hasard.

Son originalité tient aussi à son thème privilégié : la peinture de l'amour naissant chez de jeunes héros qui, par amour-propre, ne veulent pas reconnaître leur passion et s'avouer qu'ils sont amoureux. De *la Surprise de l'Amour* (1722) au *Préjugé vaincu* (1746), il écrit 27 comédies dont ses œuvres les plus parfaites *Le Jeu de l'amour et du hasard* (1730) et *Les Fausses confidences* (1737). Marivaux montre une grande finesse dans l'analyse psychologique qui s'exprime en des jeux subtils du langage (cf. le marivaudage).

• **La poésie** connaît une incontestable crise ! le culte de la raison et de l'esprit critique créant un climat peu propice à l'inspiration poétique. Les poètes du 18e siècle ont pourtant été nombreux mais sont, à juste titre, fort oubliés aujourd'hui : c'est que leur poésie n'est guère que versification artificielle, une suite de procédés exploitant toutes les ressources d'une rhétorique figée.

De là, les nombreuses attaques dont les poètes, ces « frivoles » sont l'objet à l'époque des lumières : de Montesquieu (*Lettres Persanes :* Lettre 48, portrait du poète) à Fontenelle dans son *Traité sur la poésie*. En dehors des petits genres (sonnets*, épigrammes*) on pratique surtout l'ode* illustrée par Jean-Baptiste Rousseau (1671-1741), à la manière de Pindare, en de vastes méditations lyriques. Ses contemporains le considéraient comme un grand poète ainsi que Voltaire, auteur d'une épopée, *La Henriade* (1726), consacrée à Henri IV, monarque incarnant l'énergie et la tolérance.

« L'art de la poésie à l'homme est nécessaire. Qui n'aime point les vers a l'esprit sec et lourd. »
Voltaire

• **La pensée morale :** elle est représentée par Vauvenargues (1715-1747). Noble sans fortune, officier ayant dû renoncer à une carrière militaire après avoir eu les jambes gelées, Vauvenargues a connu les épreuves : son *Introduction à la connaissance de l'esprit humain* suivie de *Réflexions* et *Maximes* (1746) exprime une sensibilité originale en son temps. Précurseur du courant sensible de la fin du siècle, Vauvenargues réhabilite les passions. « *Nous devons peut-être aux passions les plus grands avantages de l'esprit* » et fait autant confiance à la sensibilité qu'à la raison comme source de la connaissance : « *La raison et le sentiment se conseillent et se suppléent tour à tour. Quiconque ne consulte qu'une des deux et renonce à l'autre se prive inconsidérément d'une partie des secours qui nous ont été accordés pour nous conduire.* »

- **Le roman :** également marqué par l'influence du 17e siècle dans sa veine réaliste, précieuse ou psychologique, il connaît une évolution plus importante et conquiert progressivement sa dignité auprès d'un public qui en est de plus en plus friand :

« Que contiennent les bibliothèques, si ce n'est des romans ? Il y en a sur la Divinité, sur l'Ame, sur les gouvernements, sur la nature de l'homme... »
Gabriel SENAC de MEILHAN

– **LE SAGE** s'inspire du roman picaresque* espagnol pour faire la satire des mœurs de la société française. Après *le Diable boiteux* (1707), il publie de 1715 à 1735 l'*Histoire de Gil Blas de Santillane* : de sa naissance obscure à sa retraite, Gil Blas, « valet aux nombreux maîtres » ne cesse au fil des aventures de s'élever dans la société ; ainsi l'auteur peut-il peindre toutes les couches sociales traversées par un héros tout à tour candide et cynique. Le *Figaro* de BEAUMARCHAIS devra beaucoup au type ainsi créé par l'auteur de *Turcaret* !

– **MARIVAUX,** dont nous avons vu l'œuvre théâtrale, fut aussi un romancier qui se rattache au courant précieux* qu'il commença par parodier (*Pharsamon* 1715) avant d'évoluer vers le réalisme. On lui doit deux grands romans restés inachevés *la Vie de Marianne* (1731-1741) et *le Paysan parvenu* (1734-1735). Comme Gil Blas, Marianne ou Jacob (héros du Paysan parvenu) connaissent une vie mouvementée et des milieux variés, mais au pittoresque de la peinture sociale s'ajoutent chez Marivaux de subtiles analyses psychologiques. Ralentissant parfois exagérément un récit encombré de nombreux épisodes secondaires, elles ne furent pas toujours appréciées de son temps.

– **L'abbé PRÉVOST** (1697-1763) eut une vie hors du commun : jésuite, officier, bénédictin, nouvelliste, historien, aventurier, amoureux incorrigible et homme à scandales, son existence est aussi fertile en rebondissements que ses romans... car il fut aussi romancier ! De son intarissable production, ne survit aujourd'hui que l'*Histoire du chevalier des Grieux et de Manon Lescaut* qui appartenait à un long roman, les *Mémoires d'un Homme de qualité*. Chef-d'œuvre romanesque en partie autobiographique, *Manon Lescaut* connut dès sa parution en 1731 un grand succès. Manon et Des Grieux vivent une passion extraordinaire dans les milieux corrompus, avides d'argent et de plaisir, du Paris de la Régence, L'amour de Des Grieux pour l'amorale et inconstante Manon l'entraîne irrésistiblement à sa perte et ce récit, qui n'est pas sans évoquer les ravages de la passion dans les tragédies de Racine, est aussi une réflexion sur la Providence* qui accumule les malheurs et les rechutes.

Les adieux de Des Grieux et Manon.

LE TRIOMPHE DE L'ESPRIT PHILOSOPHIQUE (1750-1789)

1. L'ÉVOLUTION POLITIQUE ET SOCIALE

➤ *« Vous vous fiez à l'ordre actuel de la société sans songer que cet ordre est sujet à des révolutions inévitables... Le grand devient petit, le riche devient pauvre, le monarque devient sujet... Nous approchons de l'état de crise et du siècle des révolutions. »*

L'Emile, Livre III
J.-J. Rousseau

- **Les échecs extérieurs :** la seconde moitié du siècle connaîtra près de 30 années de guerre, dès 1750 la rivalité maritime et coloniale de la France et de l'Angleterre s'affirme et ne tarde pas à conduire à une suite d'affrontements. La guerre de Sept Ans (1756-1763) oppose la France, maintenant alliée à l'Autriche, à l'Angleterre et à la Prusse. Après d'humiliantes défaites (Rossbach 1757), la France doit céder à l'Angleterre le Canada et l'Inde (Traité de Paris 1763) tandis que la Prusse s'affirme sur le continent.

Certes, la réorganisation de l'armée et de la marine permet à la monarchie française de reprendre la guerre avec l'Angleterre en 1778 : l'intervention des troupes de Louis XVI aux côtés des « insurgents » américains est un succès que concrétise le traité de Versailles (1783) mais le pouvoir royal profitera peu de cette victoire qui renforce, en France même, l'aspiration aux réformes.

- **Le discrédit intérieur :** l'instabilité caractérise le gouvernement royal, les ministres se succédant trop souvent au gré des favorites de Louis XV, c'est « le règne des maîtresses », Madame de Pompadour puis Madame du Barry.

Les nécessités financières et la montée de la critique philosophique conduisent cependant à des tentatives d'évolution mais l'opposition du clergé et de la noblesse empêche toute réforme fiscale ou judiciaire : les parlements et la vénalité* des charges, supprimés par le ministre Maupéou en 1770, sont rétablis à l'avènement de Louis XVI en 1774.

Monarque velléitaire, ce dernier appellera bien aux affaires Turgot, favori des philosophes, puis Necker mais sacrifiera ces ministres éclairés à la réaction des privilégiés. L'affaiblissement de l'absolutisme et l'impossibilité de rétablir l'équilibre financier rendent nécessaire la convocation des États Généraux (1789).

- **La réaction nobiliaire :** attachée à la conservation de ses privilèges, la noblesse s'efforce d'affirmer son pouvoir ; après 1781 la totalité des grades de l'armée et des dignités ecclésiastiques lui est réservée. En province, les seigneurs entreprennent de restaurer des droits féodaux tombés en désuétude, exaspérant ainsi le ressentiment paysan.

- **Les progrès économiques et techniques :** La France connaît cependant une prospérité économique croissante et la population se développe sensiblement. Mais l'expansion économique est interrompue par des crises (1770 ; 1788) et bénéficie surtout aux commerçants et aux propriétaires fonciers.

A l'imitation de l'Angleterre, la noblesse s'intéresse aux progrès de l'agriculture dont les écrits des physiocrates* soulignent l'importance (QUESNAY, *Tableau économique,* 1758) comme à l'industrie naissante. Les découvertes (paratonnerre de Franklin, montgolfières) comme les travaux du chimiste Lavoisier suscitent une large curiosité.

2. LES ÉCRIVAINS ET LA VIE INTELLECTUELLE

- **Les écrivains et leur public :** le nombre des lecteurs s'accroît sensiblement dans la seconde moitié du siècle et les idées philosophiques touchent des milieux plus larges (bourgeois de province, artisans et commerçants). Les origines sociales des écrivains se diversifient de même : Diderot, Jean-Jacques Rousseau ou Beaumarchais sont issus de familles d'artisans ou de commerçants.

On reconnaît de plus en plus à l'écrivain, une **fonction sociale : celle d'éduquer la société en l'aidant à corriger les abus,** de l'orienter au nom de la raison vers un avenir meilleur. Les auteurs les plus éminents jouissent ainsi d'une très grande renommée, les « despotes éclairés » font appel à leurs conseils : voir les relations de Voltaire et de Frédéric II de Prusse, de Diderot avec Catherine II de Russie. Des mouvements d'opinion se dessinent autour d'eux : les luttes de Voltaire contre une justice intolérante ont un grand écho dans toute l'Europe, son retour triomphal à Paris en 1778 suscite l'enthousiasme populaire.

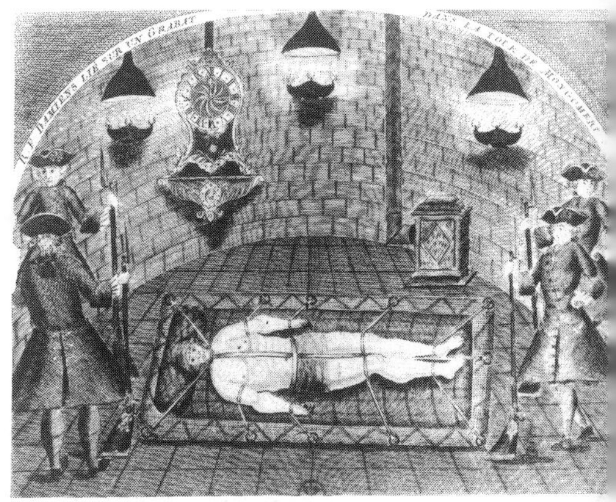

Damiens soumis à la « question ».

- **L'attitude du pouvoir :** les idées philosophiques étant largement répandues y compris dans les milieux dirigeants, la censure se fait beaucoup plus timide et l'on n'emprisonne plus guère les écrivains. L'alternance de périodes de tolérance relative et de mesures autoritaires illustre surtout l'inconstance du pouvoir : voir les divers épisodes de la lutte des encyclopédistes ou les difficultés de BEAUMARCHAIS pour faire jouer *Le Mariage de Figaro*.

- **Les salons** continuent de jouer un grand rôle dans la vie intellectuelle et littéraire, mais se font plus bourgeois et philosophiques. Le plus célèbre est celui de Madame Geoffrin (1749-1777) que fréquentent d'ALEMBERT et HELVÉTIUS et qui soutiendra l'*Encyclopédie*. Julie de Lespinasse, demoiselle de compagnie de Madame du Deffand, ouvre son propre salon dont l'atmosphère simple et le ton bourgeois répondent plus au goût de la nouvelle génération (1764-1776).

Sous l'influence de l'œuvre de Jean-Jacques Rousseau, le goût pour la nature s'affirme, l'on se réunit volontiers à la campagne tandis que Voltaire reçoit ses nombreux admirateurs à Ferney : les centres de la vie intellectuelle sont donc plus dispersés.

- **Les influences étrangères :** dans une Europe plus que jamais dominée par le rayonnement de la langue et de la culture française et où le cosmopolitisme est souvent, pour l'élite, une manière de vivre, les influences étrangères s'exercent aussi sur la vie sociale et les idées littéraires.

En dépit des guerres, l'influence anglaise est la plus importante en littérature : les romans de RICHARDSON, le théâtre de SHAKESPEARE, les poésies de YOUNG et d'OSSIAN inspirent l'évolution des genres. Si l'influence italienne est plus sensible pour les autres arts (musique, architecture), celle de l'Allemagne marque le courant sensible et préromantique de la fin du siècle avec notamment le *Werther* de GOETHE.

3. L'ENCYCLOPÉDIE

A l'origine, surtout conçue comme une entreprise commerciale, l'*Encyclopédie* devient, en raison même des nombreuses et violentes attaques des partisans de la tradition, **le symbole de la lutte philosophique.** Cette œuvre gigantesque de vulgarisation* des connaissances constitue aussi une somme des thèmes de l'esprit nouveau dont le retentissement et l'influence furent considérables.

« Il n'appartient qu'à un siècle philosophe de tenter une encyclopédie. »

DIDEROT

- **La publication de l'Encyclopédie :** le libraire Le Breton, souhaitant publier une traduction d'un dictionnaire anglais – *la Cyclopaedia* de CHAMBERS (1728) – fit appel à DIDEROT en 1746. Celui-ci élargit ce banal projet et le transforma complètement : œuvre originale et non plus simple traduction, *l'Encyclopédie* devient un répertoire de toutes les connaissances humaines faisant une large place aux sciences et aux techniques. Assuré, pour la partie scientifique, de la collaboration du mathématicien d'ALEMBERT, Diderot réunit autour de lui une large équipe de spécialistes et se dépensa sans compter pour cette publication qu'il sut mener au succès envers et contre tout. Résumons en quelques dates les principaux épisodes de la « bataille encyclopédique » :

- 1750 : parution du *Prospectus* annonçant une œuvre en huit volumes, il permet de réunir près de deux mille souscriptions.
- 1751 : sortie du premier tome de l'*Encyclopédie ou Dictionnaire raisonné des sciences, des arts et métiers, par une société de gens de lettres* accompagné d'un *Discours préliminaire* rédigé par d'ALEMBERT. Les jésuites multiplient les attaques contre un ouvrage accusé de porter atteinte aux fondements de l'État comme de la religion.
- 1752 : les attaques ayant redoublé après la publication du second volume et la condamnation pour hérésie de l'abbé de PRADES, collaborateur de Diderot, les deux premiers tomes sont interdits.
- 1752-1757 : la bienveillance de Monsieur de Malesherbes, très libéral directeur de la librairie, permet cependant la

parution des tomes 3 à 7 tandis que les collaborations s'élargissent : MONTESQUIEU et VOLTAIRE prêtent le concours de leurs plumes prestigieuses pour quelques articles littéraires (voir l'article *Goût* donné par MONTESQUIEU), le chevalier de JAUCOURT seconde efficacement DIDEROT.

- 1757 : dans un climat moins favorable, l'article *Genève* de d'ALEMBERT relance les attaques : ayant présenté les pasteurs de Genève comme des déistes* et déploré l'absence de théâtre dans la cité protestante, d'ALEMBERT reçoit une vive réplique de Jean-Jacques ROUSSEAU (cf. *Lettre à d'ALEMBERT sur les spectacles*) qui se brouille avec les encyclopédistes. A la suite de ces polémiques, d'ALEMBERT cesse sa collaboration.
- 1758-1759 : après la condamnation de l'ouvrage matérialiste* d'HELVÉTIUS *De l'Esprit*, le parti dévot obtient du Conseil d'État un arrêt interdisant la vente des volumes déjà édités, révoquant le privilège de l'*Encyclopédie* et condamnant même les libraires à rembourser les souscripteurs !
- 1760-1772 : l'entreprise est cependant sauvée une fois encore par la compréhension de Malesherbes qui autorise le remboursement des souscripteurs par la parution des volumes de planches. DIDEROT mène à bien ce travail tout en préparant clandestinement les dix volumes de textes restant à paraître.

La polémique se poursuit, les philosophes et leurs adversaires échangent de nombreux pamphlets (cf. les attaques de VOLTAIRE contre PALISSOT et FRÉRON) mais, après l'expulsion des jésuites (1762), les tomes 8 à 17 peuvent être terminés et distribués clandestinement aux souscripteurs (1766) : DIDEROT constate cependant avec amertume que le libraire Le Breton a censuré à son insu les passages les plus audacieux ! La parution des onze volumes de planches ne s'achèvera, elle, qu'en 1772.

- **Une équipe riche et diverse :** infatigable animateur de l'entreprise, DIDEROT écrivit personnellement ou retoucha plus de mille articles dans les domaines les plus divers (littérature, philosophie, morale, religion, physique, arts mécaniques, botanique...). A ses côtés, le chevalier de JAUCOURT se consacra aussi à de multiples sujets tandis de d'ALEMBERT, outre quelques grands articles de fond, assura surtout la partie mathématique et le contrôle des articles scientifiques. Mais, autour d'eux, une vaste équipe de quelque 150 collaborateurs, souvent bénévoles, fournit les contributions les plus diverses. Citons notamment :

- pour la littérature : MARMONTEL, DUCLOS.
- pour l'économie : TURGOT, QUESNAY, le président de BROSSES.
- pour la religion : les abbés MALLET, de PRADES et YVON.
- pour la politique : les abbés RAYNAL et de MABLY.
- pour les sciences : d'HOLBACH (chimie), TRONCHIN (médecine), La CONDAMINE (mathématiques), DAUBENTON (sciences naturelles), le ROY (astronomie) etc.

Avec des collaborations aussi variées, parfois inégales, l'ensemble ne pouvait donner qu'une impression de « bigarrure » (Diderot) et n'évite pas un certain nombre de contradictions. Mais, ses adversaires ne s'y trompèrent pas, il y avait bien néanmoins un message de l'*Encyclopédie* : le système des « renvois » en fin d'article permettait d'ailleurs aux multiples auteurs de dialoguer – souvent malicieusement – entre eux, en s'efforçant de déjouer la vigilance des censeurs !

- **L'esprit de l'Encyclopédie :** véritable monument du siècle, l'*Encyclopédie* se voulait à la fois un vaste répertoire des connaissances humaines et une arme dans la lutte philosophique. Dans le cadre limité de ce Précis, nous ne pouvons que citer les finalités dominantes de l'œuvre :

– **La vulgarisation des connaissances** est présentée par le *Discours préliminaire* comme un principe directeur. DIDEROT et ses collaborateurs s'y consacrèrent avec le plus grand sérieux : les articles scientifiques traitent des découvertes les plus récentes, s'appuient sur une documentation très précise et, en s'ouvrant aux sciences humaines notamment économiques, consacrent le développement de nouvelles méthodes de recherche.

Une place très importante est consacrée aux « arts mécaniques » : les planches restituent minutieusement les techniques artisanales utilisées par ces travailleurs manuels que DIDEROT et d'ALEMBERT veulent réhabiliter en soulignant leur utilité sociale : « *Les noms de ces bienfaiteurs du genre humain sont presque tous inconnus, tandis que l'histoire de ses destructeurs c'est-à-dire des conquérants n'est ignorée de personne. Cependant, c'est peut-être chez les artisans qu'il faut aller chercher les preuves les plus admirables de la sagacité de l'esprit, de sa patience et de ses ressources* » *(Discours préliminaire).*

– **La valorisation de la raison et de l'esprit d'examen** est présente dans les textes fondamentaux que sont les articles « *Philosophe* » (DUMARSAIS) et « *Esprit philosophique* » (De JAUCOURT) que nous avons cités dans la première partie de ce panorama (cf. p. 42) mais l'*Encyclopédie* développe, par les articles les plus variés et souvent d'apparence inoffensive, tous les thèmes de la lutte philosophique. Citons à titre d'exemple : la critique du témoignage (DIDEROT, article « *Agnus scythicus* »), le pacifisme (JAUCOURT, article « *Guerre* »), le refus de l'absolutisme (DIDEROT, article « *Autorité politique* »), l'apologie de la tolérance (article anonyme « *Réfugiés* »)...

« La guerre est un fruit de la dépravation de l'homme ; c'est une maladie convulsive et violente du corps politique, il n'est en santé, c'est-à-dire dans son état naturel, que lorsqu'il jouit de la paix... » (Article « Guerre »).

– **La définition d'une nouvelle esthétique** : défenseurs de tous les aspects de la civilisation, les encyclopédistes font l'apologie des arts et notamment du théâtre (d'ALEMBERT, article « *Genève* »). Mais l'article « *Génie* » (SAINT- LAMBERT) souligne l'évolution esthétique en opposant aux canons* du goût classique la libre inspiration du génie : « *Les règles et les lois du goût donneraient des entraves au génie, il les brise pour voler au sublime, au pathétique, au grand.* »

4. LA LITTÉRATURE DES PHILOSOPHES

Tandis que les encyclopédistes construisent leur œuvre monumentale, VOLTAIRE, qui sait les soutenir activement, occupe le devant de la scène littéraire ; son œuvre reflète l'évolution du siècle tandis que celles de DIDEROT et de Jean-Jacques ROUSSEAU ouvrent des voies nouvelles à la sensibilité comme à la poésie.

- **Le patriarche de Ferney ou le philosophe en action :** déçu par son séjour en Prusse qui lui révèle auprès de Frédéric II, l'envers du *despotisme éclairé* (1750-1753), Voltaire se retire près de Genève aux Délices puis à Ferney dont il assurera la prospérité en le dotant de plusieurs fabriques.

« J'écris pour agir » (VOLTAIRE).

Mais Voltaire n'est nullement isolé dans son « ermitage ». Il correspond avec l'Europe entière : monarques, ministres, amis parisiens et philosophes sont les destinataires de quelque 6 000 lettres qui abordent les sujets les plus variés et diffusent largement sa pensée.

De Ferney partent aussi pamphlets* et libelles* car Voltaire poursuit plus que jamais son combat contre le fanatisme, la superstition et l'intolérance. Ses œuvres sont étroitement liées aux « affaires » Calas (cf. *Traité sur la tolérance,* 1763), Sirven ou La Barre qui l'amènent à dénoncer les tares de la justice et l'horreur de la torture. L'ironie voltairienne poursuit les mêmes adversaires dans son *Dictionnaire philosophique portatif* (1764) qui, en opposition aux encyclopédistes athées (DIDEROT, d'HOLBACH), définit aussi le déisme* voltairien (cf. articles « *Athéisme* », « *Dogmes* », « *Religion* », « *Théisme* », « *Tolérance* »).

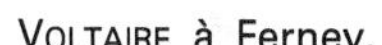
VOLTAIRE à Ferney.

Les contes et romans philosophiques ne se distinguent guère de ces ouvrages polémiques que par leur forme. La verve et l'imagination de VOLTAIRE animent ces récits au rythme rapide par lesquels il prolonge sa réflexion sur la Providence (*Babouc ou le Monde comme il va* 1748), souligne la relativité de toute connaissance (*Micromégas* 1752), dénonce – en atteignant la perfection du genre – les illusions de l'optimisme (*Candide,* 1759) ou les méfaits de l'hypocrisie sociale (*L'Ingénu,* 1767).

Par son action inlassable, par les succès obtenus dans les affaires judiciaires, Voltaire – même s'il ne contestait pas la monarchie et se méfiait du peuple difficile à instruire – contribue à ébranler les institutions d'Ancien Régime. L'enthousiasme populaire qui entoure son retour triomphal à Paris, à la veille de sa mort en 1778, n'est pas sans évoquer les journées révolutionnaires.

- **Diderot (1713-1784) :** philosophe polygraphe* à l'inspiration jaillissante, Denis Diderot est l'auteur d'une œuvre considérable dont une grande partie, non publiée de son vivant, fut totalement ignorée de ses contemporains. Nous ne reviendrons pas sur le rôle de Diderot dans la conception de l'*Encyclopédie* qui, sans lui, n'aurait très certainement pas été achevée et les limites de ce précis ne permettent pas une présentation détaillée de sa vie et de son œuvre. En les regroupant par genre, nous citerons simplement ses écrits majeurs :

Diderot, par L.M. Van Loo.

« Les larmes du grand comédien descendent de son cerveau » (Paradoxe sur le comédien).

- **Œuvres philosophiques :** dès 1745, Diderot participe à la lutte philosophique et la hardiesse de sa pensée ne fera que s'affirmer d'une œuvre à l'autre. **Déiste*** dans les *Pensées philosophiques* (1746), il évolue vers le **scepticisme*** (*Promenade du sceptique*, 1747) puis donne, avec sa *Lettre sur les Aveugles* (1749), un exposé **matérialiste*** qui lui vaut un emprisonnement à Vincennes. Sa vision d'un monde en constante évolution où l'on passe insensiblement de la matière à la pensée se retrouvera dans *le Rêve de D'Alembert* (1769).

Mais comment concilier cette hypothèse matérialiste* avec la liberté de l'homme et sur quelles règles fonder la morale puisque les conventions sociales contredisent parfois la nature et la raison (cf. *Supplément au voyage de Bougainville* (1772) ? Grandes questions qui ne cessent de préoccuper Diderot, partagé entre les exigences de son cœur et celles de sa raison, et que l'on retrouve dans ses romans.

- **Théâtre :** Diderot avait l'ambition de renouveler le genre par un ton nouveau – ni comique, ni tragique – celui du ***drame*** (ou **comédie sérieuse**) et par la peinture réaliste des milieux sociaux. Il illustre sa conception du théâtre par ses œuvres *le Fils naturel* (1757), *le Père de famille* (1758) en même temps qu'il en formule la théorie (*Entretiens sur le Fils naturel* ; *De la poésie dramatique*). Mais le goût des tableaux sensibles, le souci trop visible de moralisation enlèvent à ces pièces, qui ne rencontrèrent pas le succès, toute vivacité.

Réfléchissant sur le métier d'acteur, Diderot soutiendra beaucoup plus tard dans *Le paradoxe sur le comédien* (1773) que celui-ci restitue d'autant mieux un sentiment qu'il a totalement surmonté son émotion : c'était peut-être là tirer la leçon de son propre échec d'auteur dramatique.

- **Critique d'art :** auteur de l'article « *Beau* » de l'*Encyclopédie*, Diderot se passionne pour les questions d'esthétique au point de devenir un pionnier de la critique d'art en commentant les salons de peinture pour la *Correspondance littéraire* de son ami Grimm (Salons 1759-1781). Se détachant de l'esthétique classique, Diderot **ne définit plus l'art comme une imitation de la nature mais plutôt une recréation de celle-ci** selon « l'idée » du peintre.

– **Romans et contes :** on peut ranger sous cet intitulé des œuvres de formes diverses qui empruntent à la nouvelle, aux dialogues philosophiques comme au conte et au roman réaliste en une synthèse très personnelle où s'affirme le génie de Diderot. A côté de courts récits (Ex. : *les Deux Amis de Bourbonne,* 1770), DIDEROT compose des œuvres plus longues comme *la Religieuse* (1760) et surtout ses deux chefs-d'œuvre :

– **Le Neveu de Rameau** (commencé en 1762), dialogue satirique entre « Lui », neveu du Grand Rameau, musicien raté, parasite des nantis de la société mais qui s'en venge par son ironie lucide et « Moi », philosophe aisé mais attiré par ce marginal qu'il aurait pu être. Interrompue par les pantomimes (cf. p. 171) du Neveu, la conversation touche à tous les thèmes chers à Diderot et notamment l'importante question du fondement de la morale et de l'éducation.

– **Jacques le Fataliste,** dialogue, là encore, mais au fil des routes entre le valet Jacques et son maître. Les multiples incidents et rencontres, les récits secondaires qui interrompent la narration des amours de Jacques et le débat des deux personnages sur la liberté de l'homme, évoquent le roman picaresque* dont l'auteur, par ses interventions, souligne malicieusement les procédés.

• **Jean-Jacques ROUSSEAU** (1712-1778) : par sa vie comme par son œuvre, Jean-Jacques ROUSSEAU occupe une place singulière en son siècle. Sans vouloir entrer dans le détail de sa biographie, rappelons les circonstances de sa vie qui contribuent à faire de lui un philosophe peu ordinaire : ses origines d'abord – fils d'un horloger génevois il sera toujours fier d'être né « citoyen » d'une libre cité – ses errances de jeunesse et son éducation autodidacte* ensuite, sa situation marginale enfin, par rapport à la société mondaine où il trouve des protecteurs, mais à laquelle il ne veut ou ne peut s'intégrer.

Dans ses œuvres, dont l'ensemble est d'une cohérence remarquable, l'affirmation progressive de ses convictions, l'amène aussi à s'opposer à Voltaire comme aux encyclopédistes.

– *Le Discours sur les Sciences et les Arts* (1750) : écrit, avec les encouragements de Diderot, pour répondre au concours organisé par l'Académie de Dijon dont il obtient le prix, soutient une thèse paradoxale : le développement des arts et de la civilisation a corrompu moralement l'homme.

– *Le Discours sur l'Origine et les Fondements de l'Inégalité* (1755) : rédigé en réponse à un second concours de la même Académie ne fut pas cette fois couronné par elle. Précisant sa pensée, Jean-Jacques Rousseau développe **le thème de la bonté naturelle de l'homme opposée à l'injustice d'une société** dans laquelle la propriété a développé les inégalités et dégradé les facultés morales.

« Telle fut ou dut être l'origine de la société et des lois qui donnèrent de nouvelles entraves au faible et de nouvelles forces au riche, détruisirent sans retour la liberté naturelle, fixèrent pour jamais la loi de la propriété et de l'inégalité, d'une adroite usurpation firent un droit irrévocable et, pour le profit de quelques ambitieux, assujettirent désormais tout le genre humain au travail, à la servitude et à la misère. »

(Discours sur l'Origine de l'Inégalité)

L'opposition aux thèses de l'*Encyclopédie* qui exalte le progrès par la civilisation est manifeste et conduit, après la *Lettre sur les spectacles* (cf. p. 153), à la « querelle des philosophes ».

- *La Nouvelle Héloïse* (1761) : est d'abord le roman de la passion de Julie d'Étange (nouvelle Héloïse) pour son précepteur Saint-Preux, amour interdit par les conventions d'une société aristocratique mais la structure du roman par lettres permet à Rousseau de développer ses idées religieuses, philosophiques ou économiques.

L'œuvre eut une influence considérable sur les contemporains en exaltant la sensibilité et la passion comme en illustrant l'amour de la nature par l'influence bienfaisante de la montagne (I 29) et les joies de la vie rustique (V 7). En littérature, le lyrisme de *La Nouvelle Héloïse*, le culte de la passion, les liens établis entre les paysages et les états d'âme préfigurent le romantisme.

ROUSSEAU herborisant.

« Je forme une entreprise qui n'eut jamais d'exemple et dont l'exécution n'aura point d'imitateur. Je veux montrer à mes semblables un homme dans toute la vérité de la nature et cet homme ce sera moi. »
(Début des Confessions*)*

- *L'Émile ou De L'Éducation* (1762) : est la traduction des conceptions de Jean-Jacques Rousseau en un programme pédagogique cohérent et progressif. Émile est formé d'âge en âge par son précepteur de manière à **le protéger des influences néfastes de la société :** Rousseau s'efforce ainsi de recréer l'homme naturel libre de se guider selon sa conscience. Ses idées religieuses s'expriment dans le dernier livre (cf. *la Profession de foi du vicaire savoyard*) sous la forme d'un déisme* sensible qui entraîne la condamnation de l'ouvrage par le Parlement et l'exil de l'auteur.

- *Le Contrat Social* (1762) : est la recherche et l'exposé des fondements légitimes de la société selon Rousseau. Le « contrat social » est l'acte par lequel l'homme abandonne sa liberté naturelle pour recevoir en échange, de la communauté, la liberté et l'égalité garanties par les lois civiles. L'influence de ces idées théoriques sera des plus importantes notamment lors de la période révolutionnaire.

Se sentant persécuté, imaginant même un « complot universel » ourdi contre lui, Jean-Jacques Rousseau consacrera surtout les dernières années de sa vie à la justification de ses actes et à l'analyse de lui-même. *Les Confessions*, rédigées entre 1765 et 1770, ne paraîtront qu'en 1782 et 1789 (seconde partie). Cette autobiographie est animée du souci de se laver des accusations lancées par ses ennemis par le témoignage sincère, sans complaisance, de sa vie.

Comme *la Nouvelle Héloïse*, le lyrisme et les thèmes des *Confessions* influenceront le romantisme qu'annoncent *les Rêveries du Promeneur Solitaire*. Rédigées de 1776 à 1778 et publiées en 1782, *les Rêveries* laissent s'exprimer la poésie du souvenir : dans ces dix promenades, Jean-Jacques Rousseau s'abandonne, dans l'apaisement qui marque la fin de son existence, au goût de l'analyse intérieure et chante l'amour de la nature.

L'œuvre de Jean-Jacques Rousseau eut un retentissement considérable par les polémiques qu'elle suscita et surtout par **l'idéal nouveau de simplicité, de vertu et de sensibilité** qu'il contribua à développer : de tous les philosophes c'est certainement son influence qui fut la plus sensible durant la Révolution.

5. LES GENRES LITTÉRAIRES A LA FIN DU 18e SIÈCLE

- **Le théâtre :** la seconde moitié du siècle voit s'accélérer le déclin des genres classiques. Malgré les efforts de VOLTAIRE pour s'adapter à son temps et la faire servir à la propagande philosophique, la tragédie n'est plus que respect formel des règles tandis que la comédie perd le sens du véritable comique avec le développement de la *comédie larmoyante* (cf. p. 162) et moralisante.

– Un genre nouveau s'impose alors : ***le drame,*** DIDEROT (cf. p.165) et BEAUMARCHAIS (*Essai sur le genre dramatique sérieux,* 1767) s'en font les théoriciens :

- **le drame** est, selon Diderot, une « ***tragédie domestique*** ». Le malheur des rois et des tyrans ne pouvant émouvoir le public, ses personnages appartiennent à la bourgeoisie et ils affrontent les épreuves qui peuvent toucher toute famille.
- l'étude des caractères et des passions s'efface ainsi devant celle des **conditions sociales** et des relations familiales comme le soulignent les titres des œuvres : *les Deux Amis* ou *le Négociant de Lyon* de BEAUMARCHAIS, *le Père de famille* de DIDEROT etc.
- en touchant la sensibilité du public, il s'agit de lui donner une **leçon de morale et de vertu :** les valeurs bourgeoises (honnêteté, utilité sociale) étant opposées aux préjugés aristocratiques (cf. Sedaine, *le Philosophe sans le savoir*).
- l'action du drame fait volontiers appel aux coups de théâtre mais aussi à la présentation de véritables « **tableaux** » (à la manière du peintre Greuze) destinés à susciter l'émotion du public tandis que le décor se fait plus réaliste.

« Un renversement de fortune, la crainte de l'ignominie, les suites de la misère, une passion qui conduit l'homme à sa ruine, de sa ruine au désespoir, du désespoir à une mort violente, ne sont pas des événements rares ; et vous croyez qu'ils ne vous affecteraient pas autant que la mort fabuleuse d'un tyran, ou le sacrifice d'un enfant aux autels des dieux d'Athènes ou de Rome ? » DIDEROT (*IIIe entretien sur* Le Fils naturel)

Ces innovations théâtrales seront fécondes : elles préparent le *mélodrame** et le *théâtre romantique**. Mais le « genre sérieux » connaîtra un échec au 18e siècle : une psychologie superficielle, une moralisation abusive affaiblissent par trop les drames de Diderot ou de Beaumarchais, seul SEDAINE atteint une certaine réussite avec *le Philosophe sans le savoir* (1765).

– **La comédie** est cependant renouvelée à la fin du siècle par l'œuvre de BEAUMARCHAIS (1732-1799) qui redonne au rire tous ses droits. La verve de notre auteur, le rythme trépidant de son existence aventureuse, se retrouvent en effet heureusement dans *le Barbier de Séville* (1775) et *le Mariage de Figaro* (1784).

« Me livrant à mon gai caractère, j'ai tenté dans le Barbier de Séville *de ramener au théâtre l'ancienne et franche gaieté, en l'alliant avec le ton léger de notre plaisanterie actuelle. »* BEAUMARCHAIS

Se plaisant à entrecroiser dans *le Mariage* les fils de multiples intrigues, BEAUMARCHAIS fait aussi **œuvre satirique :** Figaro renouvelle profondément le type du valet de comédie ; habile et entreprenant, il est l'homme du peuple qui se heurte à une société fondée sur le seul mérite de la naissance. Déjà insolent dans *le Barbier* (« *Un grand nous fait assez de bien quand il ne nous fait pas de mal* »), il affronte victorieusement son maître dans *le Mariage de Figaro*, « folle journée » certes mais aussi instrument de critique sociale et politique (voir le célèbre monologue (Acte V scène 3), où Figaro dénonce la censure, l'arbitraire, une société de privilèges et revendique hautement la liberté de pensée et d'écrire ! . Louis XVI n'autorise la pièce qu'après 4 ans de tergiversations et son triomphe semble bien être une victorieuse contestation du pouvoir !

La scène du « fauteuil » II.16.
Le Mariage de Figaro.

- **Le roman** manifeste aussi, à la fin du siècle, une forme de contestation sociale en faisant une plus large place à la peinture réaliste de l'existence du peuple mais également en exprimant, dans ses formes libertines, le refus de toute entrave morale :

– **RESTIF de LA BRETONNE** (1734-1806), d'origine paysanne, apporte dans ses romans un précieux témoignage sur la vie rurale du temps (*La Vie de mon père,* 1778). Son œuvre est aussi volontiers licencieuse et traduit la décadence des mœurs (*Le Paysan perverti* 1775).

– **CHODERLOS de LACLOS** (1741-1803) donne dans son seul roman *les Liaisons Dangereuses* (1782), une inquiétante peinture d'êtres libertins et blasés, commettant le mal avec le plus grand cynisme.

– L'œuvre de **BERNARDIN de SAINT-PIERRE** (1737-1814) se rattache à l'influence de Jean-Jacques ROUSSEAU dont il fut le dernier et fidèle ami. L'amour de la nature, le goût de l'exotisme, le rêve d'une société pure caractérisent son roman *Paul et Virginie* (1788) et ses descriptions de paysages idylliques comme de scènes tragiques influenceront les romantiques.

- **La poésie** connaît une évolution certaine. Si la froide rhétorique pseudo-classique domine encore les œuvres de l'Abbé DELILLE (1738-1813) ou les odes de LEBRUN (1729-1807), le goût de la sensibilité leur inspire parfois quelques accents lyriques plus personnels tandis que GILBERT (1751-1780) – dont les romantiques (voir Alfred de VIGNY, *Stello*) feront le type du poète incompris de la société – donne avec *l'Ode imitée de plusieurs psaumes* une très touchante élégie.

➤ *« Sur des vers nouveaux faisons des vers antiques. »*
André CHENIER, *L'invention*

Mais ce renouveau poétique s'exprime surtout dans l'œuvre d'André CHÉNIER (1762-1794), mort tragiquement sur l'échafaud à la veille du 9 thermidor. Né à Constantinople, André CHÉNIER s'inspire de la Grèce antique dont il conserve les formes poétiques. Mais ses *Elégies** ou ses *Bucoliques** révèlent une ardente sincérité et il sut être un poète de son temps. Publiés seulement en 1819, ses vers marquèrent profondément la jeune génération romantique.

LA LITTÉRATURE ET LA RÉVOLUTION

Fille des lumières, la Révolution française n'en conduisit pas moins avec les excès de la terreur, à la faillite de l'idéal de liberté et de tolérance prôné par les philosophes. **Dans l'histoire littéraire, la période révolutionnaire marque une rupture :** à une évolution des genres qui aurait peut-être conduit, comme dans d'autres pays européens, à un néo-classicisme, elle substitue une brutale interruption après laquelle, ainsi que l'avait prophétisé DIDEROT, s'épanouirent de nouvelles formes d'inspiration.

« Quand verra-t-on naître des poètes ? Ce sera après les temps de désastres et de grands malheurs, lorsque les peuples harassés commenceront à respirer. »
DIDEROT, *De la poésie dramatique.*

Dans la tourmente des événements l'action se fait première, non que la littérature disparaisse – la production des écrivains a été intense sous la Révolution – mais elle se soumet aux exigences de l'actualité ou de la propagande et est, dans l'ensemble, fort médiocre.

1. LA FIN DES GENRES TRADITIONNELS

Le choc révolutionnaire mit fin à la société policée du 18e siècle et remit en cause conventions mondaines et élégances de salon. A terme, il modifia profondément les conditions de la création littéraire par **l'élargissement du public** des auteurs comme par **un renouvellement de la langue** mais durant la Révolution elle-même, les genres traditionnels achevèrent leur déclin dans l'imitation formelle des *modèles antiques.*

- **Le théâtre :** « *tout citoyen pourra élever un théâtre public et y faire représenter des pièces de tous les genres* » proclame l'Assemblée Constituante en abolissant la censure royale et, de fait, le théâtre fut très fréquenté pendant la Révolution et Paris compta jusqu'à cinquante salles dramatiques ou lyriques. Dès 1793, la censure frappa cependant les œuvres « contre-révolutionnaires »...

Conçu, à l'image de la Grèce antique, comme une école de civisme, le théâtre est consacré à des pièces d'actualité tel *Le Jugement dernier des rois,* prophétie en prose, en un acte, donné en 1793 par Sylvain MARÉCHAL.
L'auteur le plus fécond fut Marie-Joseph CHÉNIER (1764-1811) – frère d'André – qui traita des sujets historiques dans un esprit révolutionnaire ; *Charles IX ou la Saint-Barthélemy* (1789) ; *Caïus Gracchus* (1792). Mais il faut reconnaître que rien ne demeure aujourd'hui de ces pièces de circonstance.

- **La poésie :** aucun nom nouveau ne vient illustrer la poésie pendant la période révolutionnaire mais l'actualité inspire aux auteurs précédemment cités quelques œuvres de valeur :

– **LEBRUN** crée certainement avec l'*Ode au Vaisseau « Le Vengeur »* son meilleur poème ;

- **André Chénier** avait célébré dans une ode le *Serment du Jeu de Paume* mais on retiendra surtout les remarquables pièces satiriques des *Iambes* écrites contre la tyrannie de la terreur, durant son emprisonnement ;
- l'enthousiasme patriotique et la passion révolutionnaire donnèrent aussi naissance à un genre nouveau alliant poésie et musique, celui des hymnes ou chants républicains tel *Le Chant du Départ* de **Marie-Joseph Chénier** sur une musique de Méhul (1794).

2. JOURNALISME ET ÉLOQUENCE POLITIQUE

- **Le journalisme :** avec la liberté de la presse, le journalisme prit une extension considérable et l'on a pu dire que la presse politique a constitué le véritable genre littéraire de la période révolutionnaire.

Si beaucoup de feuilles sont médiocres ou vulgaires on peut citer pour leur valeur littéraire *L'Ami du Peuple* de Marat, *La Chronique de Paris* où écrivit Condorcet et surtout *Les Révolutions de France et de Brabant* puis *Le Vieux Cordelier* de Camille Desmoulins. Ce dernier faisant sans doute preuve du talent le plus original alliant la netteté du style à l'expression d'une sincérité passionnée.

Danton à la tribune.

- **L'éloquence politique** se fait entendre dans les Assemblées et les Clubs dans les débats les plus graves et les circonstances les plus dramatiques. S'inspirant largement des modèles antiques, elle vibre des passions d'une époque tumultueuse et reflète les péripéties révolutionnaires :
- **Mirabeau** (1749-1791) domina l'Assemblée Constituante par la puissance de son art oratoire caractérisé par l'ampleur de la phrase et la rigueur de l'argumentation ;
- **Vergniaud** (1753-1793), orateur girondin, était d'une éloquence plus facile mais capable de trouver les accents les plus émouvants ;
- **Danton** (1759-1794) fut d'abord un improvisateur à l'éloquence familière mais sachant dominer par son sens de la formule. Voir la péroraison* de son discours du 2 septembre 1792 : « *Le tocsin qui sonne va se propager dans toute la France. Ce n'est point un signal d'alarme, c'est la charge sur les ennemis de la patrie. Pour les vaincre, Messieurs, il nous faut de l'audace, encore de l'audace, toujours de l'audace et la France est sauvée.* »
- **Robespierre** (1759-1794) avait, lui, une éloquence très apprêtée, écrivant très soigneusement tous ses discours, mais il savait emporter la conviction par la logique implacable de ses développements.

Ai-je bien lu ce chapitre ?

☐ L'histoire ?

1) La date de l'avènement de Louis XVI est :
   a 1783 — b 1764 — c 1759 — d 1774

2) Les dates de la guerre de Sept Ans sont :
   a 1776-1783 — b 1756-1763 — c 1759-1766 — d 1764-1771

3) Le ministre réformateur de Louis XVI :
   a Law — b Fleury — c Mirabeau — d Turgot

4) L'auteur de la réforme des parlements en 1770 :
   a Calonne — b Maupeou — c Beaumarchais — d Malesherbes

5) Le pays qui offre aux philosophes un modèle de monarchie parlementaire est :
   a La Prusse — b La Russie — c L'Angleterre — d La Hollande

☐ Les mouvements littéraires ou spirituels

1) Le principal salon philosophique de la fin du siècle est celui de :
   a la duchesse du Maine — b Mme Geoffrin — c Mme de Tencin — d Mme de Lambert

2) La parution de l'Encyclopédie s'étend :
   a de 1723 à 1774 — b de 1759 à 1776 — c de 1750 à 1772 — d de 1740 à 1780

3) Diderot fut le théoricien :
   a du drame sérieux — b de la comédie larmoyante — c du mélodrame — d du conte philosophique

4) L'idée de la bonté naturelle de l'homme caractérise l'œuvre de :
   a Diderot — b Montesquieu — c Voltaire — d Rousseau

5) Cette œuvre influencera le romantisme :
   a Jacques le Fataliste — b Les Rêveries du promeneur solitaire — c La Vie de Marianne — d Le Contrat social

☐ Les auteurs et leurs œuvres

1) L'auteur des Lettres Philosophiques est :
   a Diderot — b Montesquieu — c Voltaire — d Rousseau

2) Le sous-titre de L'Emile de J.-J. Rousseau est :
   a de l'optimisme — b de l'éducation — c de la destinée — d les malheurs de la vertu

3) Gil Blas de Santillane est un roman de :
   a Marivaux — b Diderot — c Restif de La Bretonne — d Lesage

4) Le Dictionnaire philosophique est une œuvre de :
   a Voltaire — b Diderot — c Helvétius — d D'Alembert

5) Jean-Jacques Rousseau reçut le prix de l'Académie de Dijon pour :
   a La Lettre sur les spectacles
   b Le Discours sur les sciences et les arts
   c Les Pensées philosophiques
   d Le Discours sur l'origine de l'inégalité.

L'HISTOIRE
1)d 2)b 3)d 4)b 5)c
LES MOUVEMENTS LITTÉRAIRES OU SPIRITUELS
1)b 2)c 3)a 4)d 5)b
LES AUTEURS ET LEURS ŒUVRES
1)c 2)b 3)d 4)a 5)b

MON COEUR A PLUS D'AMOUR QUE VOUS N'AVEZ D'OUBLI. ET POUR LE DÉMENTIR, VOUS RÉPONDEZ CECI ...

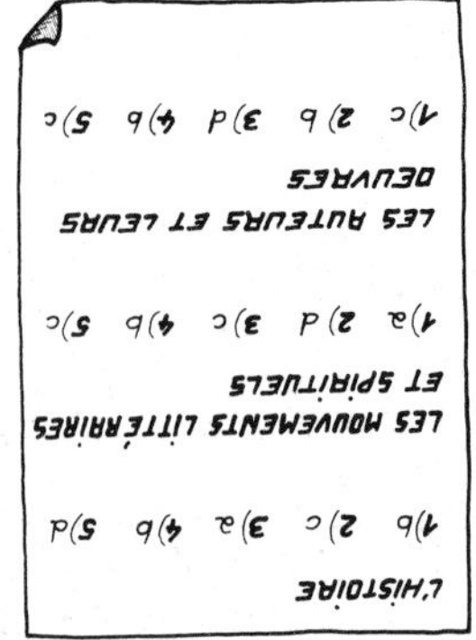

Que sais-je du 19e siècle ?

☐ L'Histoire

	a / b	c / d
1) La Restauration	a 1805-1824 b 1814-1830	c 1814-1824 d 1814-1840
2) La Seconde République :	a 1830-1840 b 1848-1860	c 1848-1852 d 1840-1851
3) Le Second Empire :	a 1852-1870 b 1851-1875	c 1849-1864 d 1852-1896
4) L'affaire Dreyfus :	a 1834-1840 b 1896-1906	c 1870-1875 d 1848-1852
5) Les Trois Glorieuses :	a février 1848 b septembre 1870	c mai 1871 d juillet 1830

☐ Les mouvements littéraires ou spirituels

	a / b	c / d
1) La « bataille d'Hernani » marque :	a Le succès du théâtre romantique b un retour au classicisme	c le triomphe du réalisme d l'échec du théâtre de Victor Hugo
2) Le mouvement parnassien naît :	a dans les années 1880 b dans les années 1800	c dans les années 1830 d dans les années 1860
3) Les écrivains romantiques affirment leur prédilection pour :	a le roman picaresque b le roman scientifique	c le roman historique d le roman par lettres
4) Le naturalisme a pour théoricien :	a Gustave Flaubert b Emile Zola	c Paul Verlaine d Henri de Balzac
5) Son œuvre influença les poètes symbolistes :	a Lamartine b Alfred de Musset	c Baudelaire d Leconte de Lisle

☐ Les auteurs et leurs œuvres

	a / b	c / d
1) L'auteur de Madame Bovary est :	a H. de Balzac b Chateaubriand	c Gustave Flaubert d G. de Maupassant
2) Eugénie Grandet est un roman de :	a Stendhal b H. de Balzac	c Prosper Mérimée d George Sand
3) L'auteur de Lorenzaccio est :	a Lamartine b Alfred de Vigny	c Victor Hugo d Alfred de Musset
4) Parmi ces recueils poétiques lequel n'est pas de Victor Hugo ?	a Les Rayons et les Ombres b Les Méditations	c Les Contemplations d Les Châtiments
5) Chateaubriand est l'auteur de :	a Les Poèmes antiques et modernes b La Comédie Humaine	c Les Mémoires d'Outre-Tombe d Adolphe

Le musée d'Orsay.

En introduisant ce panorama, nous ne chercherons pas à définir le 19e siècle en quelques formules ; plus encore que pour les siècles précédents ce serait se condamner aux plus abusives des simplifications. « L'immense 19e siècle » ne peut guère se caractériser que par sa complexité, que l'on songe à l'enchaînement tumultueux des événements politiques, à l'ampleur des bouleversements économiques et sociaux ou à l'éclosion de multiples idéologies.

A ces profonds changements correspond une littérature d'une grande richesse mais tout aussi complexe. Au fil du siècle, les mouvements littéraires s'enchevêtrent beaucoup plus qu'ils ne se succèdent et le foisonnement des auteurs comme des œuvres rend vain tout essai de synthèse exhaustive. Notre propos sera donc modeste : vous donner de l'histoire littéraire de cette période quelques points de repère essentiels pour fournir un utile arrière-plan à la lecture des œuvres et permettre de situer les principaux écrivains dans une vision globale de leur temps.

Après avoir présenté les grandes lignes de l'évolution politique et sociale, nous construirons notre analyse en fonction des principaux mouvements littéraires – le romantisme, le réalisme, le symbolisme – en soulignant bien que cette structure ne correspond pas à une succession chronologique et n'est qu'une approche commode d'une réalité infiniment plus diverse.

SIÈCLE DES RÉVOLUTIONS OU SIÈCLE DES IDÉES ?

1. L'ÉVOLUTION POLITIQUE

La plus grande instabilité politique caractérise le siècle puisque la France ne connut pas moins de sept régimes. Rappelons brièvement leur succession en soulignant quelques points plus particulièrement importants pour l'histoire littéraire :

- **Le Consulat et l'Empire (1799-1814) :** après la période révolutionnaire, la France aspirait à un régime stable qui garantisse certains des acquis de la Révolution et permette de conserver les conquêtes de celle-ci tout en restaurant la paix civile. **Le Consulat** (1799-1804) accomplit une œuvre très importante de réorganisation administrative et financière et permit une certaine réconciliation nationale (retour des émigrés royalistes à partir de 1800 ; Concordat de 1801 conduisant à la restauration du culte catholique).

> *« Si j'étais destiné à vivre, je représenterais dans ma personne, représentée dans mes mémoires, les principes, les idées, les événements, les catastrophes, l'épopée de mon temps, d'autant plus que j'ai vu finir et commencer un monde, et que les caractères opposés de cette fin et de ce commencement se trouvent mêlés dans mes opinions. Je me suis rencontré entre les deux siècles comme au confluent de deux fleuves ; j'ai plongé dans leurs eaux troublées, m'éloignant à regret du vieux rivage où j'étais né, et nageant avec espérance vers la rive inconnue où vont aborder les générations nouvelles. »*
>
> CHATEAUBRIAND
> *Préface testamentaire* (1833)

Ayant progressivement concentré tous les pouvoirs entre ses mains, Napoléon Bonaparte se fait sacrer Empereur en 1804. Régime autoritaire, **l'Empire** soumet la presse et la littérature à une étroite censure ; fondé sur la force militaire et la guerre de conquête, il s'effondre après les revers de 1814. Si l'impopularité de la monarchie restaurée permet à Napoléon de reprendre le pouvoir (les Cent Jours), la défaite de Waterloo (1815) met définitivement fin à l'épopée impériale.

A la différence de la peinture (cf. l'œuvre de David), la littérature ne contribua guère à exalter la grandeur de l'Empire mais participa plutôt d'une opposition royaliste (Chateaubriand) ou libérale (Madame de Staël, Benjamin Constant). Par contre, le destin extraordinaire de Napoléon, la gloire de ses armées donnèrent naissance au **« mythe napoléonien »** promis à une riche postérité littéraire (voir Chateaubriand, *Les Mémoires d'Outre-Tombe* ; Victor Hugo, *Les Châtiments*).

- **La Restauration (1814-1830) :** difficile compromis entre un essai de monarchie parlementaire (cf. la Charte de 1815) et le désir des « ultras » de revenir à l'Ancien Régime, la Restauration ne parvint jamais à s'imposer, malgré les prudences du règne de Louis XVIII (1814-1824), et la réaction qui s'affirme sous Charles X (1824-1830) conduit aux journées révolutionnaires des « **Trois Glorieuses** » (juillet 1830) et à l'exil du dernier des Bourbons.
  Si les relations entre les idées politiques et la littérature sont alors complexes (le romantisme fut d'abord royaliste en opposition aux libéraux néo-classiques avant d'évoluer vers une certaine opposition), l'absence de perspective d'une société étriquée, en contraste avec l'élan de la période impériale, rend compte de certains aspects du malaise

exprimé par les jeunes écrivains (cf. Alfred de Musset, *Confession d'un enfant du siècle*). Sur l'atmosphère et les luttes politiques et sociales de cette période, la littérature apportera d'abondants témoignages (voir notamment *Les Mémoires d'Outre-Tombe, Le Rouge et le Noir* de Stendhal ou les romans de Balzac).

- **La Monarchie de Juillet (1830-1848) :** décevant les espoirs des républicains, la Révolution de 1830 amène sur le trône une nouvelle branche de la famille royale. Louis-Philippe, roi des Français, est surtout un « roi bourgeois » défendant les intérêts des classes possédantes contre une contestation sociale qui s'affirme (cf. les émeutes parisiennes et la révolte des canuts lyonnais 1831). Monarchie parlementaire à l'assise trop étroite (le suffrage censitaire* réduit les électeurs à une très faible minorité fortunée), entravant la liberté d'expression et refusant les réformes, le régime de Louis-Philippe est renversé en février 1848.

Delacroix, *La liberté guidant le peuple.*

- **La Seconde République (1848-1852) :** proclamée dans l'enthousiasme, la Seconde République laisse vite place à la désillusion. En juin 1848, la révolte des ouvriers parisiens est très durement réprimée et l'instauration du suffrage universel conduit à l'élection de Louis-Napoléon Bonaparte à la présidence de la République (décembre 1848). Par le coup d'Etat du 2 décembre 1851, le prince-président met fin à cette expérience républicaine.

Les années 1830 à 1850 sont sans doute la période du siècle où les écrivains sont les plus engagés dans les luttes politiques : Victor Hugo et Lamartine sont parlementaires, Alfred de Vigny tente de l'être. Devenu l'un des chefs de l'opposition sous Louis-Philippe, Lamartine est chef du gouvernement provisoire en 1848. Opposant déterminé au coup d'Etat du 2 décembre 1851, Victor Hugo choisit l'exil et ne regagnera la France qu'en 1870.

- **Le Second Empire (1852-1870) :** nouvelle forme de régime autoritaire, bénéficie d'une période de prospérité économique. Le développement des infrastructures et de l'industrie, l'essor du système bancaire, l'apparition de nouvelles formes de commerce (grands magasins ; cf. Emile Zola, *Au Bonheur des Dames*), les grands travaux qui transforment Paris en sont autant d'aspects (cf. Emile Zola, *La Curée*). Cet enrichissement profite surtout aux milieux d'affaires mais le sort des ouvriers s'améliore.

Les résultats de la politique extérieure sont plus incertains, la France s'agrandit cependant de la Savoie et du comté de Nice après la guerre d'Italie (1860). Après 1860, le régime, se heurtant à des oppositions croissantes, avait évolué vers une forme plus libérale et même parlementaire en 1870 sans désarmer pour autant l'hostilité des républicains. La guerre franco-allemande et le désastre de Sedan entraînent son effondrement (révolution du 4 septembre 1870).

- **La Troisième République** connaît des débuts difficiles. En réaction contre l'élection d'une majorité conservatrice et favorable à la paix, le peuple de Paris s'insurge : c'est l'épisode de la Commune (mars-mai 1871). Installé à Versailles, le gouvernement de Thiers reprend militairement Paris et les communards subissent une très dure répression (cf. le roman de Jules Vallès, *L'Insurgé*).

Après l'échec d'une tentative de restauration monarchique, la IIIe République s'impose néanmoins durablement puisqu'elle ne s'achèvera qu'en 1940. Notre propos n'est évidemment pas d'en analyser l'évolution mais de souligner du point de vue qui nous intéresse, quelques événements marquants du dernier quart du siècle ;

- tirant les leçons de l'échec de 1848 et pour former des citoyens conscients et responsables, les républicains mettent au premier rang de leurs préoccupations **l'éducation laïque, gratuite et obligatoire (1882)** ;
- la question scolaire est ainsi liée à la question religieuse ; l'Eglise étant favorable aux idées conservatrices et monarchiques, **les républicains, dont l'anticléricalisme est parfois virulent,** souhaitent réduire son emprise sur les consciences par le développement d'une éducation laïque ;
- **le régime républicain se heurte au courant nationaliste,** animé par une volonté de revanche contre la Prusse après la perte de l'Alsace et de la Lorraine annexées. Deux crises le soulignent :

• celle de 1889 où la popularité du général Boulanger semble mettre un instant le régime en péril ;

• l'affaire Dreyfus (1896-1906) pendant laquelle la France se divise profondément : à ceux qui défendent le capitaine israélite Dreyfus, accusé de haute trahison, c'est-à-dire pour l'essentiel les républicains progressistes (voir le rôle de Zola et son article *J'accuse*), s'opposent les antidreyfusards nationalistes et conservateurs.

Page d'histoire
Maison ALFRED DREYFUS, JUDAS and Cie
(Fondee en l'an 33 de notre ere)

— ... Et avec ça?
— Merci, c'est tout... pour aujourd'hui!

2. L'AVÈNEMENT D'UNE SOCIÉTÉ NOUVELLE

- **La révolution industrielle** est assurément **le phénomène économique fondamental du siècle.** L'emploi de la machine à

vapeur transforme les moyens de transport (développement des chemins de fer dès la Monarchie de Juillet, apparition des navires à vapeur) et apporte de nouveaux moyens de production à l'industrie. En se développant, celle-ci se concentre, de vastes usines apparaissent. Cela s'accompagne d'un grand essor des villes dont la configuration est bouleversée avec l'extension des banlieues ouvrières (cf. l'évolution de l'image de la ville dans le roman, de Balzac à Zola).

Les nouveaux paysages industriels, les fabrications en série, la notion d'utilité sont parfois opposés à l'art par les poètes (Théophile Gautier, Baudelaire) mais d'autres auteurs exaltent ce nouveau monde industriel (cf. Saint-Simon, *Le Catéchisme des industriels* 1823-1824) ou évoquent la puissance fascinante des machines comme la dégradation qu'elles peuvent entraîner pour l'homme (voir la machine dans l'œuvre d'Emile Zola).

« La France est devenue une grande manufacture, et la Nation française un grand atelier. »
Comte de Saint-Simon
L'Organisateur

• **Le progrès scientifique** connaît un essor particulièrement remarquable qui touche tous les domaines. Au grand développement des sciences physiques s'ajoutent les progrès de la médecine (cf. Claude Bernard, *Introduction à l'étude de la médecine expérimentale,* 1865) ; la découverte des vaccins par Louis Pasteur (1822-1895)) ; tandis que la conception de l'évolution de l'homme est renouvelée par les théories de l'évolutionnisme* et du transformisme*

« Le monde véritable que la science nous révèle est de beaucoup supérieur au monde fantastique créé par l'imagination. On eût mis l'esprit humain au défi de concevoir les plus étonnantes merveilles, on l'eût affranchi des limites que la réalisation impose toujours à l'idéal, qu'il n'eût pas osé concevoir la millième partie des splendeurs que l'observation a démontrées. »
Ernest Renan
L'Avenir de la science.

Ce prodigieux développement de la science et de ses applications marque profondément la littérature comme la philosophie (cf. Auguste Comte et le *positivisme**), à la fin du siècle le scientisme* accorde une confiance absolue à ses progrès (cf. Ernest Renan, *L'Avenir de la science* publié en 1890). La critique littéraire comme l'histoire adoptent des démarches scientifiques (cf. l'œuvre de Taine et de Renan) et le roman lui-même s'efforce de dégager des lois des phénomènes humains : voir les préoccupations de Balzac dans la *Comédie Humaine,* le roman « archéologique » de Flaubert et, bien entendu, la démarche de Zola dont le naturalisme reprend la méthode de Claude Bernard (cf. *Le Roman expérimental,* 1880).

Le roman, p. 148. 

• **La naissance du prolétariat :** la révolution industrielle s'accompagne de la naissance d'une classe nouvelle : le prolétariat*. L'importance des artisans et ouvriers des métiers traditionnels décline au long du siècle tandis que l'exode rural amène dans les villes de nouvelles masses ouvrières dont les conditions de vie sont particulièrement précaires ; sans autre ressource qu'un salaire journalier (soumis à des baisses successives dans la première moitié du siècle), hommes, femmes et enfants travaillent maintenant collectivement dans les nouvelles manufactures et semblent asservis aux propriétaires des moyens de production.

Le Tableau de l'état physique et moral des ouvriers employés dans les manufactures de coton, de laine et *de soie,* (1840) du

docteur Villermé, est éloquent quant aux conditions épouvantables de la vie ouvrière à cette période. La question sociale devient d'une grande acuité et les écrivains romantiques découvrent cette nouvelle classe laborieuse à la fois fascinante et inquiétante (cf. le prologue de *La Fille aux yeux d'or* de Balzac (1834), l'image du peuple dans la poésie de Victor Hugo et son roman *Les Misérables*) mais l'ouvrier ne devient un personnage de roman qu'avec Zola (*L'Assommoir* 1876).

➤ *« L'argent est l'argent, quelles que soient les maisons où il se trouve. C'est la seule puissance qu'on ne discute jamais. »*
Alexandre DUMAS Fils
La question d'argent I_4

- **Les affaires et l'argent :** l'ascension sociale de la bourgeoisie aisée s'accélère avec la révolution industrielle, le développement de l'industrie exige celui du système bancaire et des fortunes considérables s'édifient. Aussi n'est-il pas étonnant que l'argent occupe une grande place dans les romans de Balzac comme plus tard dans ceux de Zola. Le roman balzacien évoque aussi le rôle de la banque (*La Maison Nucingen,* 1838) et souligne l'affirmation du rôle dirigeant de la bourgeoisie d'affaires aux dépens du clergé et de l'ancienne aristocratie restés cependant influents dans les campagnes.

En classe, le travail des petits, par Geoffroy.

- **Le développement de l'instruction** est aussi un phénomène majeur du siècle. La loi Guizot (1833) permet, en obligeant les communes à entretenir une école primaire, une extension de la scolarisation d'où le recul de l'analphabétisme : plus de la moitié des conscrits étaient illettrés en 1850, ils sont moins de 20 % en 1875 et, après les lois de Jules Ferry, ils ne seront que 5 % en 1910.

L'enseignement secondaire organisé sous l'Empire (création de lycées) se développe également mais de manière plus limitée et il faut attendre 1880 pour voir apparaître les premiers lycées de jeunes filles dont l'éducation était antérieurement le fait des congrégations religieuses. Très coûteux, il reste réservé aux enfants de famille bourgeoise et dominé par l'importance des langues anciennes et de la rhétorique (cf. Jules Vallès, *Le Bachelier*).

L'obligation scolaire est aussi une arme de centralisation en favorisant l'unification linguistique du pays aux dépens des patois et des langues régionales.

- **Les conditions de la création littéraire** sont profondément modifiées par les phénomènes précédemment soulignés. Les écrivains n'écrivent plus seulement pour un étroit milieu privilégié mais pour un public de plus en plus large.

– **Certes le livre reste cher et les tirages faibles** surtout au début du siècle (1 à 2 000 exemplaires pour un roman de Balzac par exemple) mais les cabinets de lecture (plus de 500 à Paris

sous la Restauration) permettent de toucher un nombre de lecteurs beaucoup plus important.

Le peuple des campagnes continue d'être alimenté par les olporteurs. Comme au siècle précédent, ceux-ci diffusent lmanachs, livres de piété, clefs des songes et recueils de acéties* mais aussi de petits romans exploitant les procédés du oman noir (cf. p. 97) du mélodrame (cf. p. 86) et, de plus en lus, les journaux.

- **Le développement de la presse** crée en effet un nouveau moyen de diffusion :

tandis que le combat pour **la liberté de la presse** (consacrée par la loi de juillet 1881) joue un rôle politique majeur – notamment sous la Restauration et la monarchie de Juillet – de nombreux écrivains écrivent aussi dans les journaux (de Chateaubriand à Zola) ;

en 1836, Emile de Girardin crée avec *La Presse* **le journal moderne, à prix modeste grâce à la publicité et à l'importance de la diffusion.** La littérature y trouve sa place avec le roman feuilleton promis à un énorme succès : de nombreux romans de Balzac, d'Eugène Sue *(Les Mystères de Paris)*, d'Alexandre Dumas *(Les Trois Mousquetaires)* paraîtront sous cette forme ;

à la fin du siècle, les progrès techniques permettent une diffusion plus massive et le développement **d'une presse très populaire** désormais vendue au numéro et non plus par abonnement : *Le Petit Journal* tire à un million d'exemplaires en 1900. Une distinction plus nette apparaît entre les lectures du public cultivé et les romans feuilletons « populaires » diffusés par les journaux à grand tirage (tel le *Rocambole* de Ponson du Terrail).

« Cabinet de lecture : lieux où l'on donne à lire, moyennant une faible rétribution, des journaux et des livres. »
(*Dictionnaire de l'Académie* 1835).

« La presse... c'est la parole à l'état de foudre ; c'est l'électricité sociale. Plus vous prétendez la comprimer, plus l'explosion sera violente. »

CHATEAUBRIAND
Mémoires d'Outre-Tombe

Le statut de l'écrivain s'est ainsi trouvé modifié. Ayant obtenu, à la fin du 18e siècle, la reconnaissance des droits d'auteur, il peut maintenant vivre de sa plume mais reste cependant encore largement tributaire de son éditeur et maintenant... des goûts du public ! Cette dépendance du marché commercial contribue déjà au 19e siècle à marginaliser la poésie.

Les auteurs bénéficient cependant d'une grande considération sociale, leur notoriété littéraire vaut même à quelques-uns une autorité morale ou politique (Lamartine, Hugo qui reçoit les funérailles nationales en 1885). Mais écrivains et artistes se entent aussi souvent incompris, isolés dans une société égoïste t matérialiste qui réduirait volontiers la littérature à un simple divertissement : ce malaise est présent dans le mouvement omantique (Musset, Gérard de Nerval) comme plus tard chez Baudelaire.

L'Albatros
ORGANIBAC I, p. 312.

Epoque de bouleversements économiques et sociaux, le 9e siècle est traversé de nombreuses contradictions qui se etrouvent aussi dans la condition des auteurs.

3 L'ÉVOLUTION DES IDÉES

- **Traditionalistes et libéraux :** dans le contexte très mouvan de la première moitié du siècle, le débat porte sur de questions surtout politiques, les traditionalistes partisans d l'ancien régime se heurtent aux libéraux partisans du progrè et de la démocratie :

– **la pensée contre-révolutionnaire** est surtout représentée pa Louis DE BONALD (1754-1850) et le Savoyard Joseph d MAISTRE (1753-1821). L'un et l'autre anciens émigrés, i opposent à la raison des philosophes un ordre naturel voul par la Providence*. Bonald dans *La Théorie du pouvo politique et religieux* (1796) et De Maistre dans *Les Soirées d Saint-Pétersbourg* (1822) font l'apologie d'une société reli gieuse voire mystique* ;

– l'une des principales figures du **parti libéral** est Benjami Constant (1767-1830). Se rattachant aux philosophes d 18e siècle et à leurs héritiers les *idéologues* (Destutt d Tracy, Cabanis), Benjamin Constant croit au progrès d l'humanité grâce à la raison. Ses nombreux articles l montrent avant tout soucieux de sauvegarder les droits d l'individu contre l'Etat par la défense de toutes les liberté (liberté économique, liberté d'opinion et d'expression). L courant libéral est aussi représenté, sous la Restauration, pa le pamphlétaire Paul-Louis COURIER (1772-1825).

« Les nations de nos jours ne sauraient faire que dans leur sein les conditions ne soient pas égales, mais il dépend d'elles que l'égalité les conduise à la servitude ou à la liberté, aux lumières ou à la barbarie, à la prospérité ou aux misères. »

Alexis de TOCQUEVILLE
De la démocratie en Amérique
(phrase de conclusion de l'œuvre)

Alexis de TOCQUEVILLE (1805-1859) donne dans *De l démocratie en Amérique* (1835-1840) une analyse pertinente d la jeune république américaine qui lui vaut la célébrité Tocqueville, historien catholique, croit inévitable et voulu pa la Providence le triomphe de la démocratie. Ses raisonnement rigoureux et souvent prophétiques sont animés par le souci d concilier égalité et liberté (voir aussi *L'Ancien Régime et l Révolution* 1858).

- **Les penseurs socialistes :** après 1830, la misère ouvrière fa progressivement passer au premier plan les questions so ciales. La recherche d'une société plus juste permet d rapprocher ici des penseurs par ailleurs fort différents :

– **les précurseurs de la pensée socialiste :** SAINT-SIMON (176(1825) et FOURIER (1772-1837) sont appelés **socialistes utop ques** car ils fondent leurs analyses sur l'imagination d'un société idéale qu'ils s'efforceront de construire.

- Aristocrate par sa naissance, le comte Henri de Saint-Simo n'en soutient pas moins que seuls sont utiles à la société le travailleurs productifs : noblesse, clergé, armée pourraier disparaître sans nuire à son fonctionnement. Il est possible d concilier les intérêts des classes productives (savants, che d'entreprise, ouvriers, paysans) en une société harmonieus fondée sur la fraternité (*Le Nouveau Christianisme,* 1825). L saint-simonisme influencera de nombreux penseurs et écr vains (Auguste Comte, George Sand).

• La pensée de Charles FOURIER n'est guère résumable. Combinant analyses précises et imaginations délirantes, Fourier rejette toute contrainte entravant les passions humaines : sa société idéale, *le phalanstère,* réunit mille cinq cents personnes dont les tempéraments se complètent dans la plus parfaite harmonie.

« Les sympathies et antipathies ont été pour Dieu l'objet d'un calcul très mathématique ; il a réglé celles de nos passions aussi exactement que les affinités chimiques et accords musicaux. »
Charles FOURIER

- **le catholicisme social :** est créé par l'abbé Félicité de LAMENNAIS (1782-1854) qui donne comme devise à son journal *L'Avenir : « Dieu et la liberté ».* Au conformisme bourgeois louis-philippard, Lamennais oppose un idéal de charité fondé sur l'Evangile. Condamné par le pape en 1832, Lamennais rompt avec l'Eglise en publiant les *Paroles d'un croyant* (1834), expression de ses convictions mais aussi remarquable texte lyrique ;
- **le socialisme proudhonien :** Pierre-Joseph PROUDHON (1809-1865) écrit dans *Qu'est-ce que la propriété ?* (1840) : « *Dieu c'est le mal, la propriété c'est le vol.* » De ses nombreuses œuvres, se dégage un socialisme libertaire fondé sur le droit de tous au travail, l'égalité sociale et la disparition de l'Etat. La pensée de Proudhon aura une influence déterminante sur le mouvement syndical ouvrier de la fin du siècle (anarcho-syndicalisme) ;
- **au niveau international,** les œuvres de Karl MARX (*Manifeste communiste* 1847, *Le Capital* 1867) donnent naissance au socialisme marxiste dont l'influence s'exercera sur l'ensemble du mouvement ouvrier en opposition avec celle de Proudhon.

LE SIÈCLE DU ROMANTISME

Le mot romantique vient le « *roman* » et qualifie au 18e siècle les récits chevaleresques du Moyen Age avant d'être appliqué en peinture, aux paysages contrastés, animés de précipices et de cascades et ornés de quelques ruines mélancoliques tels qu'on les affectionne à l'époque de Diderot (cf. *Les Salons* et la peinture d'Hubert-Robert (1733-1808)). Madame de STAËL l'utilise dans *De l'Allemagne* (1810) pour désigner une nouvelle inspiration littéraire trouvant ses racines dans le Moyen Age et le Christianisme et non plus, comme le classicisme, dans l'antiquité gréco-latine.

Loutherbourg - *Naufrage.*

> « Les rives du lac de Bienne sont plus sauvages et romantiques que celles du lac de Genève, parce que les rochers et les bois y bordent l'eau de plus près ; mais elles ne sont pas moins riantes. »
> Jean-Jacques ROUSSEAU
> *Rêveries du Promeneur Solitaire* (5e promenade)

Le *romantisme* est donc un mouvement littéraire pour leque on peut distinguer différentes périodes mais, de manière plu large, il est **un état d'âme, une nouvelle façon d'envisager l monde** et l'homme qui marqueront profondément, en dehor des écrivains romantiques proprement dits, tous les auteurs né dans les années 1820 (comme Baudelaire, Flaubert ou Eugèn Fromentin) et exerceront une influence durable sur notr littérature. C'est pourquoi, avant d'analyser son développe ment et le renouvellement des formes littéraires auquel conduit, nous nous efforcerons de **définir le romantisme** dan ses **caractéristiques fondamentales.**

1. LE ROMANTISME : ESSAI DE DÉFINITION

- **Un élargissement des sources d'inspiration :** l'esthétiqu classique restreignant le domaine d'investigation de l'écri vain, lui imposait choix et limitations ; le romantisme est, a contraire, volonté d'ouverture à tous les aspects du monde Cet élargissement se traduit sur le plan :

– **spatial :** l'amour de la nature s'exprimant par l'évocation d paysages nouveaux et la recherche du dépaysement d contrées lointaines :

- **les paysages romantiques** évoquent volontiers l'immensité l'infini, le désordre et le mouvement : les descriptions de l montagne (Sénancour, *Oberman*), de la mer (Chateaubriand *Mémoires d'Outre-Tombe*), les scènes d'orage et de tempêt (Chateaubriand, *René*) sont fréquentes ;
- **les pays étrangers** sont décrits pour leur beauté pittoresque si les forêts du Nouveau Monde (Chateaubriand, *Génie d Christianisme*) et les pays orientaux (Victor Hugo, *Le Orientales*) sont privilégiés, les pays du Nord (Madame d Staël, *De l'Allemagne*) comme les pays méditerranéens Espagne (Victor Hugo, *Hernani*), Italie (Stendhal, *La Char treuse de Parme*), Corse (Prosper Mérimée, *Colomba*) – son aussi fréquemment choisis ;
- ces paysages, tourmentés ou mélancoliques sont **l'expressio des états d'âme des auteurs et des héros romantiques :** voi notamment les poésies de Lamartine (ex. : *L'Automne*) et d Victor Hugo (ex. : *Tristesse d'Olympio*) ou les descriptions d Sénancour *(Oberman),* Chateaubriand *(René, Mémoire d'Outre-Tombe),* Gérard de Nerval *(Sylvie)... ;*

> « La journée était ardente, l'horizon fumeux, et les vallées vaporeuses. L'éclat des glaces remplissait l'atmosphère inférieure de leurs reflets lumineux ; mais une pureté inconnue semblait essentielle à l'air que je respirais. »
> SÉNANCOUR
> *Oberman*

– **temporel :** avec l'intérêt porté aux époques anciennes telle que les premiers siècles du christianisme (Chateaubrianc *Les Martyrs*) ou le Moyen Age (Victor Hugo, *Notre-Dam de Paris*) dont l'art est réhabilité (Chateaubriand, *Génie d Christianisme*), la poésie fait même place au « genre trouba dour » (Victor Hugo, *Odes et Ballades* , Alfred de Musse *Contes d'Espagne et d'Italie*). Le goût de l'histoire est ain lié au romantisme (voir l'œuvre de Michelet) et le roma

historique (cf. Alfred de Vigny, *Cinq-Mars,* Alexandre Dumas, *Les Trois Mousquetaires,* etc.) connaît une grande vogue : choisissant le cadre de périodes cruciales, de moments troubles où s'expriment les passions, il est le roman romantique par excellence ;

- **de la sensibilité** qui retrouve tous ses droits. Le **lyrisme personnel,** préparé par Jean-Jacques Rousseau et le courant sensible de la fin du siècle précédent, s'épanouit pleinement ; la passion amoureuse (Lamartine, Victor Hugo, Musset), l'enfant et les joies de la famille (voir notamment Victor Hugo, *Les Voix intérieures*) sont autant de sources de ce lyrisme intime. Les romantiques retrouvent aussi le sentiment religieux (Chateaubriand, Lamartine, Hugo) sont attirés par le sacré, voire le mysticisme* (Nerval).

S'il peut être source d'exaltation, cet élargissement de l'inspiration ne conduit pas, à la différence des classiques, à un sentiment d'harmonie entre l'homme et le monde. **Le romantisme est lié au contraire à l'expression du malaise et de l'insatisfaction**.

- **Un sentiment d'inadaptation** causé sans doute par la rapidité des bouleversements historiques comme, sous la Restauration, par l'absence de perspectives mobilisatrices après l'enthousiasme révolutionnaire et la gloire de l'Empire. Ainsi les écrivains romantiques expriment :

- **le sentiment de ne pas avoir leur place en ce monde et que toute action est vouée à l'impuissance :** Chateaubriand écrit que sa mère « *lui infligea la vie* » *(Mémoires d'Outre-Tombe),* Oberman, le héros de Sénancour a « *le dégoût de tout* », Alfred de Vigny évoque la vanité de ses ambitions militaires *(Servitude et grandeur militaire).* Il en résulte le « **mal du siècle** », mal de l'homme qui a perdu le sens de l'action et est accablé par une surabondance de passions inemployées, d'abord décrit par Chateaubriand dans *René* (1802) comme « **le vague des passions** ». Ce sentiment, présent chez tous les héros romantiques, est tantôt l'expression de leurs incertitudes face à un monde qui les rejette, tantôt le fruit d'une inquiétude métaphysique quand il ne résulte pas de l'une et l'autre de ces causes (cf. *Oberman*) ;
- **une complaisance à la tristesse et à la mélancolie :** pour les romantiques, l'homme est voué à la souffrance et l'automne est leur saison de prédilection (voir les œuvres de Chateaubriand, le poème de Lamartine *L'Automne*) car elle évoque un sentiment de déclin, d'effacement progressif de la vie ;
- **un sentiment d'isolement et de fatalité :** le héros romantique se sent un être à part, différent de ses contemporains et voué à un destin sur lequel il n'a aucune prise (cf. *Hernani, Ruy Blas*).

Cette exaltation romantique du « moi » ne conduit pas cependant nécessairement à la passivité. L'insatisfaction peut aussi se muer en désir d'agir pour transformer le monde.

« Un caractère moral s'attache aux scènes de l'automne : ces feuilles qui tombent comme nos ans, ces fleurs qui se fanent comme nos heures, ces nuages qui fuient comme nos illusions, cette lumière qui s'affaiblit comme notre intelligence, ce soleil qui se refroidit comme nos amours, ces fleuves qui se glacent comme notre vie, ont des rapports secrets avec nos destinées. »

CHATEAUBRIAND
Mémoires d'Outre-Tombe

- **L'énergie de la passion :** être sensible et souffrant, le héros romantique peut passer de la mélancolie à la révolte, se lancer dans des entreprises démesurées ou nourrir de vastes ambitions capables de l'arracher à la mesquine vie quotidienne de la société bourgeoise. Le Lorenzo d'Alfred de Musset (cf. p. 85) incarne sans doute le mieux cette complexité en réunissant en lui le scepticisme* le plus désabusé et la volonté d'affirmation orgueilleuse de soi par l'action. Cet aspect du romantisme se traduit par :

Le lac, ill. par Deeble.

– **l'exaltation de la passion comme source d'énergie :** particulièrement évidente chez les héros romanesques tels Julien Sorel (Stendhal, *Le Rouge et le Noir*) ou Eugène de Rastignac (Balzac, *Le Père Goriot*) ;

– **la méditation sur l'histoire :** sensibles au sentiment de **la fuite du temps** – ce thème est lié au lyrisme poétique (voir Lamartine, *Le Lac,* Victor Hugo, *Tristesse d'Olympio*) – les romantiques confrontent la vie éphémère de l'homme au vaste mouvement de l'histoire dont les événements deviennent autant de sources de réflexion ou se transposent en épopée de l'humanité (cf. Chateaubriand, *Les Mémoires d'Outre-Tombe,* Victor Hugo, *La Légende des siècles*) ;

– **l'engagement des écrivains dans l'action et les problèmes de leur temps :** les romantiques veulent être de leur temps, ce qui amènera les plus énergiques d'entre eux (Lamartine, Hugo) à l'action politique. L'art romantique peut aussi être un art engagé, la vie et l'œuvre de Victor Hugo en offrant sans doute le meilleur exemple. Lié initialement au royalisme (alors que les libéraux sont néo-classiques), le romantisme, déçu après 1830 par la monarchie bourgeoise, évolue vers les idées républicaines, s'intéresse aux révolutions européennes (combat pour l'indépendance de la Grèce, insurrections polonaises, mouvement pour l'unité italienne) et affirme des préoccupations sociales. Les révolutions de 1848, animées des illusions d'un idéalisme humanitaire généreux, sont marquées par le romantisme ;

– **la conscience d'une mission à accomplir** anime cet engagement. L'écrivain romantique s'inscrit dans un vaste élan vers l'avenir, a le souci, par ses actes comme par ses œuvres, de contribuer à l'amélioration du sort de l'humanité. Ainsi, Victor Hugo (cf. *Les Châtiments*) comme Alfred de Vigny *(Chatterton)* présentent-ils le poète comme un guide pour l'humanité, Victor Hugo l'assimile même à un mage, un prophète chargé d'une mission divine *(Les Contemplations)* ;

– **la recherche d'un Absolu :** pour les romantiques, l'homme est avant tout spirituel, il est une âme. La confiance dans la force de l'esprit est une caractéristique essentielle de leur conception de la vie : l'histoire de l'humanité est présente comme le reflet d'un drame métaphysique* (cf. Hugo, *La Fin de Satan*) et le romantisme exalte la faculté de l'homme, qui est esprit, à choisir le Bien contre le Mal, comme la force de rédemption de l'amour (cf. Victor Hugo, Gérard de Nerval, George Sand).

2 LA NAISSANCE DU ROMANTISME

Le romantisme est un **mouvement européen** et **les romantismes allemand et anglais** ont précédé son apparition en France. Nous traiterons donc brièvement de ces influences étrangères, facilitées par certaines circonstances historiques (émigration puis retour en France des émigrés notamment, annexion de nombreux états sous l'Empire), avant d'aborder les premières manifestations du romantisme dans notre pays.

- **Les influences étrangères** se sont exercées dès le 18e siècle (cf. p. 42) mais sont encore plus sensibles dans les premières décennies du 19e siècle :

– **l'influence anglaise** est d'abord celle du théâtre de SHAKESPEARE ; bien qu'écrits au 16e siècle, ses drames où se déchaînent les passions et où les scènes comiques succèdent aux moments les plus pathétiques* sembleront aux romantiques beaucoup plus près de la réalité que le théâtre classique et ses froides convenances.

« Nous voici parvenus à la sommité poétique des temps modernes. Shakespeare, c'est le Drame ; et le drame qui fond sous un même souffle le grotesque et le sublime, le terrible et le bouffon, la tragédie et la comédie, le drame et le caractère propre de la troisième époque de poésie, de la littérature actuelle. »
Victor HUGO *Préface de Cromwell* (1827)

Les poèmes d'*Ossian*, censés avoir été composés par un barde celtique du 2e siècle mais, en fait, créés par MACPHERSON (1763) eurent aussi une grande influence ainsi que les œuvres du poète Edward YOUNG (1683-1765) dont le pessimisme et l'aspiration à l'au-delà annoncent le « **mal du siècle** ».

Ultérieurement, c'est surtout la vie et l'œuvre poétique de Lord BYRON (1788-1824) qui peuvent être considérées comme des modèles dominants : la vie de Byron, par ses extravagances comme par son individualisme et son refus de la morale commune, sa mort à Missolonghi pendant la lutte pour l'indépendance de la Grèce font de lui le type même du héros romantique. L'influence anglaise se prolongera par les œuvres de Walter SCOTT (1771-1832) qui introduiront la vogue du roman historique (*Ivanhoé,* 1820, *Quentin Durward,* 1823).

– **l'influence allemande :** le romantisme allemand né en réaction contre le rationalisme* des lumières, se constitue dès les années 1770 avec le *Sturm und Drang* (Tempête et Assaut). Le roman de GOETHE, *Les Souffrances du jeune Werther* (1774), héros mélancolique et exalté par la solitude, que ses déceptions conduisent au suicide, aura une influence considérable sur les écrivains du 19e siècle. *Faust* (1808), autre œuvre de Goethe, alimentera aussi l'imaginaire romantique avec la figure du savant révolté, que sa quête de l'absolu conduit à vendre son âme au diable.

Le théâtre de SCHILLER (*Les Brigands,* 1782) pour le drame romantique, plus tardivement NOVALIS (*Hymnes à la nuit,* 1800, *Heinrich von Ofterdingen,* 1801) ainsi que les contes et légendes du Rhin sont aussi des influences à signaler.

- **Les initiateurs** : nous avons montré que Jean-Jacques Rousseau pouvait être considéré comme un précurseur du romantisme (cf. p. 58) dans les premières années du siècle ;

plusieurs auteurs liés à son pays natal, la Suisse, ou inspirés par ses paysages donnent naissance à ce mouvement littéraire en notre pays :

> « *C'est à tort, ce me semble, qu'on a dit que les passions étaient plus violentes dans le Midi que dans le Nord. On y voit plus d'intérêts divers, mais moins d'intensité dans une même pensée, or c'est la fixité qui produit les miracles de la passion et de la volonté.* »
> Madame de STAËL
> *(De la littérature)*

– **Germaine de STAËL** (1766-1817) : fille de Necker, avait épousé l'ambassadeur de Suède en France, le baron de Staël. Admiratrice des philosophes, madame de Staël aspira, sous la Révolution, à jouer un rôle politique. Ses idées libérales la font exiler sous l'Empire : installée en son château de Coppet, sur les rives du lac de Genève, elle y reçoit ses admirateurs et y tient un véritable salon cosmopolite*.

Ses ouvrages théoriques jettent les bases d'une véritable doctrine romantique :

- *De la littérature* (1800) reprend l'idée des philosophes selon laquelle le progrès des lettres accompagne celui de la civilisation et étend aux productions littéraires **la théorie des climats** de Montesquieu. Ainsi, madame de Staël affirme sa préférence pour la poésie de l'Europe du Nord, dont les conditions climatiques et les paysages conduisent l'homme à éprouver « *le sentiment douloureux de l'incomplet de sa destinée* », et affirme que la littérature de l'avenir reposera sur une totale liberté de l'imagination.
- *De l'Allemagne* (1810) fait connaître en France la littérature allemande mais surtout, exaltant le rôle de l'inspiration et du génie, oppose poésie classique et poésie romantique : « *On prend quelquefois le mot classique comme synonyme de perfection. Je m'en sers ici dans une autre acception, en considérant la poésie classique comme celle des anciens, et la poésie romantique comme celle qui tient de quelque manière aux traditions chevaleresques. Cette division se rapporte également aux deux ères du monde : celle qui a précédé l'établissement du christianisme, et celle qui l'a suivi.* » Ce passé chevaleresque et chrétien étant notre passé national, l'inspiration romantique convient, pour madame de Staël, à la sensibilité moderne et permettra le développement d'un lyrisme poétique qu'étouffaient les règles du classicisme.

Madame de Staël est aussi l'auteur de deux romans féministes, *Delphine* (1802) et *Corinne* (1807) qui transposent, en grande partie, les passions vécues par leur auteur et notamment son orageuse liaison avec Benjamin Constant (1794-1808).

> « *J'ai voulu peindre dans Adolphe une des principales maladies morales de notre siècle : cette fatigue, cette incertitude, cette absence de force, cette analyse perpétuelle, qui place une arrière-pensée à côté de tous les sentiments et qui les corrompt dès leur naissance.* »
> Benjamin CONSTANT

– **Benjamin CONSTANT** (1767-1830) est très lié, dans sa vie comme dans son œuvre, à madame de Staël dont, opposant à l'Empire, il partagea l'exil à Coppet. Nous avons déjà évoqué son action politique en tant que théoricien du libéralisme (cf. p. 72) mais Benjamin Constant est aussi l'auteur d'un roman *Adolphe* (1816) qui nous offre un premier exemple de héros romantique : ayant fait la conquête d'une femme plus âgée que lui et qu'il croit aimer, Adolphe l'amène à tout lui sacrifier mais, incapable de répondre à son amour comme de rompre leur liaison, il causera sa mort par son égoïsme et sa lâcheté. Dans un style très sobre, Benjamin Constant nous donne, avec ce remarquable roman d'analyse, une peinture du « **mal du siècle** ».

– **Etienne de Sénancour** (1770-1846) eut une existence solitaire et effacée. Son roman autobiographique, *Oberman* (1804) qui lui vaut sa célébrité littéraire ne fut même pas remarqué lors de sa parution, ce n'est qu'en 1833 que le critique Sainte-Beuve en souligna l'intérêt.

L'état d'âme d'Oberman est la forme la plus désespérée du mal du siècle : un ennui sans cause, une inquiétude métaphysique conduisant à une soif d'absolu que rien ne peut assouvir le caractérisent. La forme du roman par lettres ne conduit ici à aucun dialogue : nous n'avons que celles du héros, d'un lyrisme remarquable, notamment dans l'évocation de paysages alpins aussi désolés et mélancoliques que lui-même.

« Il y a une distance bien grande du vide de mon cœur à l'amour qu'il a tant désiré, mais il y a l'infini entre ce que je suis et ce que j'ai besoin d'être. L'amour est immense, il n'est pas infini. Je ne veux point jouir, je veux espérer, je voudrais savoir ! Il me faut des illusions sans bornes, qui s'éloignent pour me tromper toujours. »

Sénancour
Oberman

- **L'œuvre de Chateaubriand** (1768-1848) d'une importance fondamentale pour le développement du romantisme, est étroitement liée à l'histoire de son temps. « *Je me suis rencontré entre les deux siècles, comme au confluent de deux fleuves...* », écrit Chateaubriand dans *Les Mémoires d'Outre-Tombe :* lié à l'Ancien Régime par ses origines et son éducation dans le vieux manoir seigneurial de Combourg (en Bretagne), Chateaubriand connut l'émigration et ses misères (1792-1800) ; opposant à l'Empire et contribuant par sa plume à la restauration des Bourbons (*De Buonaparte et des Bourbons* 1814), il sera cependant déçu par la monarchie restaurée. Son attachement aux libertés publiques fait de lui un opposant dans les dernières années de la Restauration (voir ses articles du *Conservateur* et du *Journal des Débats*) et pourtant, après 1830, par légitimisme*, il refuse toute compromission avec la monarchie de Juillet et s'écarte de la vie politique ! Itinéraire paradoxal, que nous ne pouvions qu'évoquer à grands traits, avant de présenter une œuvre qui marquera profondément la génération romantique :

Chateaubriand en 1820.

– **Atala** (1801) et **René** sont deux épisodes appartenant à l'épopée indienne des *Natchez* (1826) mais Chateaubriand les publia d'abord séparément avant de les rattacher au *Génie du Christianisme ;*

- **Atala** *ou les Amours de deux sauvages dans le désert* est un récit marqué par l'influence du roman exotique de la fin du 18ᵉ siècle (cf. *Paul et Virginie*) et par le mythe du bon sauvage, mais il révéla surtout aux contemporains l'envoûtement d'une prose poétique parfaite : par l'harmonie des sonorités et le rythme de ses périodes* le style de Chateaubriand – « L'Enchanteur » – suggère la beauté des paysages américains comme l'ardeur des passions ;

- **René** dépeint l'état d'âme d'un jeune homme tourmenté, victime du « **vague des passions** » et dont l'existence est vouée au malheur. Chateaubriand condamnera plus tard les rêveries mélancoliques de son héros mais toute une génération se reconnaîtra en René dont le désespoir et l'ennui définissent le « **mal du siècle** » ;

« Si René n'existait pas, je ne l'écrirais plus ; s'il m'était possible de le détruire, je le détruirais : il a infesté l'esprit d'une partie de la jeunesse, effet que je n'avais pu prévoir, car j'avais au contraire voulu la corriger. »

Chateaubriand
Mémoires d'Outre-Tombe

– **Le Génie du Christianisme** (1802) dont la parution coïncide avec le Concordat et la restauration du culte catholique marque le retour du sentiment religieux. S'adressant, non à la raison, mais à la sensibilité et à l'imagination, Chateaubriand veut ramener ses lecteurs au christianisme en exaltant ses beautés (voir la description de la cathédrale gothique) et sa valeur civilisatrice.

Sur le plan littéraire, Chateaubriand affirme la supériorité des auteurs modernes sur les anciens parce que la religion chrétienne leur permet d'approfondir la connaissance de l'âme humaine. Le christianisme, la peinture d'une nature dont la beauté prouve l'existence de Dieu sont donc les sources d'inspiration privilégiées des artistes modernes et Chateaubriand écrit en 1808 une épopée chrétienne *Les Martyrs :* rompant avec les traditions classiques, *Le Génie du Christianisme* entendait ainsi ouvrir une voie nouvelle.

➤ *« En osant quitter Bonaparte, je m'étais placé à son niveau. »*
F.R. de CHATEAUBRIAND
Mémoires d'Outre-Tombe

– **Les Mémoires d'Outre-Tombe :** commencée en 1809 et achevée en 1841, l'œuvre suivant la volonté de Chateaubriand ne parut qu'après sa mort (1848-1850). *Les Mémoires* ne sont pas seulement une autobiographie, réfléchissant sur son destin, dressant un parallèle entre lui et Bonaparte. Chateaubriand nous livre une vaste méditation sur l'histoire et donne de remarquables portraits de ses contemporains. Par les correspondances établies entre des impressions ressenties à plusieurs moments de sa vie, il commence une analyse de la mémoire sensitive que l'œuvre de Proust reprendra (cf. p. 119).

Ecrits en pleine période romantique, *Les Mémoires d'Outre-Tombe* traduisent le parfait achèvement du style de Chateaubriand et restent un témoignage très vivant sur son époque.

3 LE ROMANTISME ET LE RENOUVELLEMENT DES FORMES

➤ *« Oui, nous les regardâmes avec un sang-froid parfait toutes ces larves du passé et de la routine, tous ces ennemis de l'art, de l'idéal, de la liberté et de la poésie, qui cherchaient de leurs débiles mains tremblotantes à tenir fermée la porte de l'avenir ; et nous sentions dans notre cœur un sauvage désir d'enlever leur scalp avec notre tomahawk pour en orner notre ceinture, mais à cette lutte nous eussions couru le risque de cueillir moins de chevelures que de perruques ; car si elle raillait l'école moderne sur ses cheveux, l'école classique, en revanche, étalait au balcon et à la galerie du Théâtre Français une collection de têtes chauves... »*
Extrait du récit de la première représentation d'*Hernani*
par Théophile GAUTIER
(Victor Hugo)

L'apparition d'une sensibilité nouvelle, dont nous avons suivi les étapes dans les œuvres des auteurs précédents, entraîne entre 1815 et 1850 un profond renouvellement des formes littéraires.

Le mouvement romantique, à l'origine partagé entre un courant monarchiste dominant (Lamartine, Victor Hugo, Alfred de Vigny) et un romantisme libéral (Stendhal), évolue de plus en plus vers le libéralisme et trouve peu avant 1830, son unité dans la recherche d'un renouveau de la littérature : l'affrontement avec les tenants du classicisme atteint son point culminant avec la célèbre « bataille *d'Hernani* » en 1830. Si son unité est ensuite moins évidente, le romantisme marque de son influence la révolution de 1848 : les années de désillusion qui suivent verront aussi se développer la critique du lyrisme romantique dont l'influence reste cependant sensible.

Pour rester dans les limites de ce Précis, nous structurerons notre propos selon les genres.

- **La poésie** est avant tout caractérisée par le lyrisme personnel. Que les grands poètes romantiques évoquent les joies et les drames de leur vie sentimentale, méditent sur le destin de l'homme, s'interrogent sur les mystères de la foi ou expriment leurs aspirations politiques et sociales, ils laissent toujours s'épancher le « **Moi** » dont leurs œuvres sont l'expression.

– **Alphonse de Lamartine** (1790-1869) donne à ses contemporains le sentiment d'une véritable révolution poétique en publiant en 1820 *Les Méditations poétiques* qui connurent immédiatement un immense succès. Ce recueil est d'abord l'expression de la douleur du poète dont l'amour pour Elvire (Julie Charles dans la réalité) a été brisé par la mort de celle-ci. *Les Méditations* expriment sur le ton de l'élégie* :

- les émotions liées à ce drame sentimental et la protestation devant la **fuite implacable du temps** *(L'Isolement, Le Lac) ;*
- **l'amour de la nature,** à la fois confidente et consolatrice, dont les paysages sont autant de reflets subtilement accordés à l'état d'âme du poète *(Le Vallon, L'Automne) ;*
- **l'inquiétude religieuse** d'une âme qui fait taire ses doutes pour chanter son besoin d'infini *(L'Homme, L'Immortalité).*

Développant tous les nouveaux thèmes romantiques, *Les Méditations* sont encore, dans la forme, très marquées par le classicisme (périphrases*, allusions mythologiques, invocations oratoires) mais la musicalité du vers est souvent remarquable. Ce lyrisme élégiaque* se retrouve dans *Les Harmonies poétiques et religieuses* (1830) et, beaucoup plus tard, dans *La Vigne et la Maison* (1857).

L'inspiration de Lamartine, devenu homme politique (cf. p. 67) évolue vers une poésie qui « *doit se faire peuple* » et une sorte de christianisme social (cf. *L'Ode sur les Révolutions* 1831), *Jocelyn* (1836), long poème bien oublié aujourd'hui mais qui fut très populaire, peint un simple curé qui met en pratique la charité de l'Evangile.

– **Alfred de Vigny** (1797-1863) : eut une existence marquée par des désillusions successives. Déçu dans sa vie militaire (voir son recueil de nouvelles *Servitude et Grandeur militaire* 1835) comme dans ses ambitions politiques, il trouve sans doute une compensation dans la création littéraire. Ses poèmes ont été regroupés en deux recueils :

- **Les Poèmes antiques et modernes** (1826) évoquent les grandes étapes de l'histoire de l'humanité. Recourant au procédé du symbole, Vigny développe une réflexion philosophique sur le sens de la vie humaine : de ce recueil inégal se détache notamment le poème *Moïse* où Vigny fait du prophète le symbole de l'homme de génie voué à la solitude : « *Ce grand nom ne sert que de masque à un homme de tous les siècles et plus moderne qu'antique : l'homme de génie, las de son éternel veuvage et désespéré de voir la solitude plus vaste et plus avide à mesure qu'il grandit. Fatigué de sa grandeur, il demande le néant.* »

Michel Ange - *Moïse.*

➤ *« Gémir, pleurer, prier est également lâche.
Fais énergiquement ta longue et lourde tâche
Dans la voie où le sort a voulu t'appeler
Puis, après comme moi, souffre et meurs sans parler. »
Derniers vers de* La Mort du Loup.

- **Les Destinées,** publiées en 1864 après la mort du poète, approfondissent sa réflexion philosophique dans le sens du pessimisme. L'existence de l'homme, à l'appel duquel Dieu ne répond pas (*Le Mont des Oliviers*), semble une absurdité dans une nature qui n'est plus que l'« *impassible théâtre* » de son malheur (*La Maison du Berger*). Voué à la souffrance, l'homme trouve cependant sa grandeur dans l'acceptation stoïque de son destin (*La Mort du Loup*).

Le pessimisme de Vigny aboutit ainsi à une sagesse active et les derniers poèmes du recueil affirment la confiance de l'auteur dans la délivrance de l'humanité par le progrès de la civilisation (*La Bouteille à la Mer*).

– **Alfred de Musset** (1810-1857) fut d'abord « l'enfant prodige du romantisme ». Son premier recueil *Contes d'Espagne et d'Italie* (1830) utilise jusqu'à l'excès tous les procédés de la nouvelle école (exotisme et couleur locale, passions violentes, destinées fatales, audaces de la versification) non d'ailleurs sans fantaisie et, parfois, sans une certaine distance ironique. Mais c'est sa liaison malheureuse avec la romancière George Sand (1833-1835) qui, en lui révélant les souffrances de la passion, influença profondément sa poésie.

Dans **Les Nuits** (1835-1837) le poète dialogue avec la Muse, symbole de l'inspiration. De ce recueil, se dégage sa conception de la poésie :

- elle est l'expression immédiate des émotions ressenties par le poète, le fruit d'une inspiration spontanée ;
- elle est fille de la souffrance ainsi que l'illustre dans *La Nuit de Mai* le symbole du Pélican : tel l'oiseau qui se livre en pâture à ses petits, le poète livre au lecteur les vers que lui dictent les douleurs qu'il ressent.

C'est aussi un sentiment intensément vécu du « mal du siècle » qui s'exprime en ce recueil avec le thème de la solitude du poète (*La Nuit de Décembre*).

– **Victor Hugo** (1802-1885) domine de son imposante stature l'ensemble de la littérature du 19e siècle, nous n'évoquerons ici que ses œuvres poétiques liées à l'affirmation du mouvement romantique et, très brièvement, les aspects majeurs de sa poésie.

Rendu célèbre par ses premières œuvres (*Odes et Ballades* 1826 pour la poésie mais aussi ses romans et ses drames), Victor Hugo devient peu à peu, après 1827, le chef de la jeune école romantique : c'est autour de lui que se réunit le « Cénacle » formé par les artistes et écrivains du romantisme militant (Vigny, Musset, Dumas, Mérimée, Balzac, Sainte-Beuve, Nerval, Gautier). Préparé par ce cénacle, le succès de la bataille d'*Hernani* sera son triomphe comme celui du romantisme.

Les recueils poétiques de Victor Hugo sont, dans l'ordre de leur publication :

- **Les Orientales** (1829) qui exploitent surtout la veine pittoresque, mais ce recueil descriptif est déjà au service d'une idée en défendant la cause de l'indépendance de la Grèce (cf. *Clair de Lune, L'Enfant*).
- **Les Feuilles d'Automne** (1831), « *vers de la famille, du foyer domestique, de la vie privée* », marquées par un lyrisme intime et mélancolique.
- **Les Chants du Crépuscule** (1835) et *Les Voix Intérieures* (1837) qui laissent toujours une grande place au lyrisme intimiste mais le poète, inquiet des évolutions à venir, réfléchit aussi sur les événements contemporains (cf. *A la Colonne)*.
- **Les Rayons et les Ombres** (1840) qui font place à une inspiration plus large et affirment nettement la conception hugolienne de la fonction du poète.
- **Les Châtiments** (1853), satire passionnée de l'exilé Victor Hugo contre le Second Empire dont, confiant en la force de l'esprit, il prophétisa la chute (cf. le poème *Sonnez, sonnez toujours* ...).
- **Les Contemplations** (1856) construites autour du drame qui a profondément marqué le poète (la mort de sa fille Léopoldine à Villequier en 1843). Mais Victor Hugo élargit ce drame personnel en communiant avec tous ceux qui souffrent ; il médite sur les mystères de l'univers et présente maintenant le poète comme un mage capable de les élucider par la force du verbe poétique.
- **La Légende des siècles** (1859) est une évocation de l'évolution de l'humanité par une succession de « petites épopées » (titre d'abord envisagé par Hugo). Le poète y affirme sa confiance dans le progrès du genre humain.

« Qu'est-ce que les Contemplations *? C'est ce qu'on pourrait appeler, si le mot n'avait quelque prétention,* Les Mémoires d'une âme. » VICTOR HUGO *(préface).*

Le Mariage de Roland, La Légende des siècles.

De l'ensemble de ces œuvres, dégageons quelques dominantes :

- le lyrisme hugolien s'étend à une large diversité de thèmes : l'enfance (*Lorsque l'enfant paraît)*, l'amour (*Tristesse d'Olympio*), la mort (*A Villequier*) étant les plus privilégiés.
- la nature devient le point de départ d'une vaste méditation philosophique. L'animisme* de Hugo prête à chaque élément naturel une vie spirituelle (*Stella*) : tout est âme dans un monde où s'affrontent le bien et le mal, où l'Esprit lutte pour s'affranchir de la matière (*Ce que dit la bouche d'ombre*).
- l'importance de la fonction du poète ne cesse de s'affirmer au fil de l'œuvre : défini simplement dans *Les Feuilles d'automne* comme placé par Dieu « *au centre de tout comme un écho sonore* », il devient dans *Les Rayons et les Ombres (Fonction du poète)* et plus encore dans *Les Contemplations* un prophète, un guide spirituel conduisant l'humanité vers la vérité, un voyant capable de transformer le monde par la seule force des mots.

« Oui, grâce aux penseurs, à ces sages,
A ces fous qui disent Je vois !
Les ténèbres ont des visages,
Le silence s'emplit de voix ! »
VICTOR HUGO, Les Mages.

- **Le Théâtre** : au début du 19ᵉ siècle, la tragédie classique n'est plus que respect figé des règles, le public cultivé admire

le talent des acteurs (Talma, Mademoiselle Mars) mais la fécondité du genre est épuisée. Le public populaire assure le succès du mélodrame* dont le maître est le prolifique Pixérécourt (cf. p. 170). Influencé par les caractéristiques du mélodrame comme par les influences étrangères (œuvres de Shakespeare, Schiller cf. p. 77), les romantiques définissent un genre nouveau : **le drame**.

Le Théâtre, p. 170.

– **La théorie du drame romantique** s'affirme surtout dans l'œuvre de STENDHAL, *Racine et Shakespeare* (1823-1825) puis dans la préface du drame de Victor HUGO, *Cromwell* (1827). Les auteurs romantiques diffèrent sur certains points mais s'accordent pour affirmer la nécessité d'un théâtre adapté aux goûts du public contemporain par :

- **le renouvellement des sujets** : empruntés au passé national, au Moyen Age ou à la Renaissance et non plus à l'Antiquité, l'atmosphère de l'époque étant restituée par un grand souci de la couleur locale ;
- **une libération des règles** : les contraintes des unités classiques de lieu, de temps et d'action conduisent à l'artifice et interdisent une véritable peinture des événements historiques. Le drame romantique rompt totalement avec les deux premières, les œuvres s'étendent sur des années afin de traduire l'évolution des passions comme la force du destin, les décors sont multipliés. Quant à l'unité d'action, elle est assouplie au profit d'une unité d'ensemble qui « *ne répudie en aucune façon les actions secondaires sur lesquelles doit s'appuyer l'action principale* » (Hugo, *Préface de Cromwell*) ;
- **la restitution de la vie dans sa réalité** : ce qui exclut la séparation artificielle du comique et du tragique. Fondant son analyse sur la dualité de l'homme – qui est corps et âme, tour à tour, grotesque et sublime – Victor Hugo considère au contraire le **mélange des genres** comme une obligation du drame, cette esthétique de contraste lui convenant particulièrement.

La « Bataille » d'Hernani.

La vérité du drame trouve cependant ses limites dans les exigences de l'art qui est « *la vérité choisie* » (Alfred de Vigny). Et si la plupart des romantiques (Stendhal, Vigny, Musset) sont favorables au drame en prose, plus proche de la vie, Victor Hugo, tout en assouplissant audacieusement l'alexandrin classique, reste partisan du vers qui écarte l'œuvre d'art du « commun ».

– **Les œuvres** : après le succès de « la bataille d'*Hernani* » (1830), triomphe des romantiques sur les classiques, le drame s'impose auprès du public mais des nombreuses œuvres de la nouvelle école, sans doute trop dépendantes de la sensibilité d'une époque, peu retiennent encore notre intérêt et beaucoup ont sombré dans l'oubli (tels les drames d'Alexandre DUMAS, *Henri III et sa cour, Antony*).

- **Le théâtre de Victor Hugo** ne survit guère que par deux œuvres : *Hernani* (1830) qui illustre le thème du héros romantique emporté par la force du destin et *Ruy Blas*

(1838), drame de l'amour impossible d'un valet pour une reine. Dans ces deux pièces, le lyrisme hugolien, la restitution épique des moments historiques font oublier une psychologie quelque peu schématique et certaines faiblesses de l'action.

- **Le théâtre de Vigny** ne comporte qu'une seule grande œuvre : *Chatterton* (1835) qui connut un très vif succès. S'inspirant de la vie d'un jeune poète anglais du 18ᵉ siècle, Thomas Chatterton, Vigny fait de ce personnage le symbole du poète incompris par la société : drame philosophique, la pièce montrerait « *l'homme spiritualiste étouffé par la société matérialiste où le calculateur avare exploite sans pitié l'intelligence et le travail* ». Pièce à thèse, *Chatterton* nous touche peut-être cependant plus aujourd'hui par la discrète et fine peinture de l'amour du jeune poète et de Kitty Bell.
- **Le théâtre de Musset,** après l'échec de son premier drame *La Nuit vénitienne* (1830), fut écrit pour être lu et non pour être joué. Libéré de toute contrainte scénique, il est étonnamment moderne et reste la part la plus vivante du théâtre romantique.

Les comédies d'Alfred de Musset nous donnent un exemple subtil du mélange des tons. Dans une atmosphère poétique et irréelle, la fantaisie et le badinage nous conduisent insensiblement au tragique (*Les Caprices de Marianne* 1833, *Fantasio, On ne badine pas avec l'amour* 1834). Ses héros doivent beaucoup à leur auteur dont ils reflètent les déchirements intérieurs comme le montre dans *Les Caprices de Marianne* l'opposition de l'idéaliste et timide Célio et du viveur désabusé Octave.

« Figure-toi un danseur de corde, en brodequins d'argent, le balancier au poing, suspendu entre le ciel et la terre, à droite et à gauche, de vieilles petites figures racornies, de maigres et pâles fantômes, des créanciers agiles, des parents et des courtisans, toute une légion de monstres, se suspendent à un manteau et le tiraillent de tous côtés pour lui faire perdre l'équilibre ; des phrases redondantes, de grands mots enchâssés cavalcadent autour de lui ; une nuée de prédictions sinistres l'aveugle de ses ailes noires. Il continue sa course légère de l'orient à l'occident. S'il regarde en bas, la tête lui tourne, s'il regarde en haut, le pied lui manque. Il va plus vite que le vent, et toutes les mains tendues autour de lui ne lui feront que renverser une goutte de la coupe joyeuse qu'il porte à la sienne. Voilà ma vie mon cher ami ; c'est ma fidèle image que tu vois. »

A. DE MUSSET
Les Caprices de Marianne
(Acte I scène 1, Octave à Celio)

Cette opposition se retrouve dans *Lorenzaccio* (1834) : ce drame historique, aux très vivants tableaux, nous montre Lorenzo, être pur mais devenu le compagnon de débauche du tyran de Florence, Alexandre de Médicis, afin de pouvoir l'assassiner, marqué irrémédiablement par le vice. Le dénouement particulièrement pessimiste – Lorenzo après avoir accompli son acte, tout en le sachant inutile, se laisse assassiner – semble illustrer la vanité de toute action politique comme l'impuissance de l'idéal.

- **Le roman** acquiert, avec le romantisme, une portée considérable tout en se diversifiant en une grande variété de formes. Cadre de l'expression personnelle, instrument de l'exploration de l'histoire et du monde, il est désormais le genre choisi par les plus grands écrivains dont les œuvres définissent à elles seules de nouveaux types de romans.

ORGANIBAC II p. 212

– **le roman-confession** : à l'imitation de Goethe (*Les Souffrances du jeune Werther*) ou de Chateaubriand (*René*), le roman est souvent une analyse autobiographique des tourments romantiques. Ainsi le roman de SAINTE-BEUVE (cf. p. 91), *Volupté* (1834), est-il la traduction lyrique des inquiétudes de jeunesse et des doutes de son auteur. *La Confession d'un Enfant du siècle* (1836) d'Alfred de Musset est l'exemple le plus remarquable de cette confession romanesque du « Mal du siècle » : le héros, Octave, tombé dans la débauche par déception sentimentale et torturé par les affres de la jalousie, reflète les drames même de la vie de Musset.

– **le roman historique** exprime l'intérêt de la nouvelle école pour l'histoire nationale comme son goût du pittoresque et de la couleur locale. Les œuvres illustrant ce genre romantique privilégié sont nombreuses : évocations dramatiques d'époques troublées où se déchaînent les passions (Prosper Mérimée, *La Chronique du règne de Charles IX* ; Alfred de Vigny, *Cinq-Mars*) ; romans d'aventures figurant parmi les œuvres les plus durablement populaires de notre littérature (Théophile Gautier, *Le Capitaine Fracasse* ; Alexandre Dumas, *Les Trois Mousquetaires*).

Cosette par E. Bayard.

Cette reconstitution romantique de l'histoire est particulièrement saisissante dans l'œuvre de Victor Hugo *Notre Dame de Paris* (1831) : Hugo fait revivre le Paris de Louis XI (15e siècle) dominé par sa cathédrale, personnage principal véritable du roman. L'intrigue et les personnages mélodramatiques illustrent les grands thèmes romantiques comme les contrastes chers à Hugo : la séduisante bohémienne Esmeralda, que la passion d'un prêtre, l'archidiacre Frollo, conduit à une fin tragique est aussi aimée par un être monstrueux et difforme, Quasimodo.

– **le roman social** : ouverts au monde extérieur, les romantiques n'ont pas négligé leur époque ; après 1830, l'affirmation des préoccupations sociales conduit à un intérêt nouveau pour le peuple. *Les Mystères de Paris* (1842) d'Eugène Sue évoquent avec compassion la misère populaire mais ne sont encore qu'un roman d'aventures mélodramatiques. *Les Misérables* (1862) de Victor Hugo développent un véritable plaidoyer pour toutes les victimes des misères du temps. Par le récit de la rédemption morale d'un forçat, Jean Valjean, condamné au bagne pour avoir dérobé un morceau de pain, Victor Hugo dresse le procès d'une société injuste, impitoyable aux pauvres qu'elle conduit à la déchéance morale par le vol ou la prostitution. Animé de vastes fresques épiques (cf. description de la bataille de Waterloo), le roman est aussi une méditation sur l'évolution de l'humanité n'évitant pas les trop longues dissertations morales.

– **l'œuvre de George Sand** (1804-1876) se rattache en partie à ce genre (cf. *Le Meunier d'Angibault* et ses préoccupations « socialistes ») mais l'auteur ouvre une voie nouvelle avec ses romans champêtres, inspirés par son Berry natal et qui mêlent la description réaliste des coutumes d'une région à l'idéalisation poétique de la vie paysanne (*La Mare au Diable* 1846, *La Petite Fadette* 1848, *Les Maîtres Sonneurs* 1853).

– **l'œuvre de Balzac** (1799-1850) défie l'analyse par son gigantisme et notre propos, dans le cadre de ce Précis, ne saurait être que de la situer par rapport au romantisme et à l'évolution du roman.

Travailleur acharné (parfois vingt heures d'écriture par jour au prix de force tasses de café !), doué d'une capacité d'imagination exceptionnelle, Honoré de Balzac a usé sa vie (cf. le thème de son roman *La Peau de Chagrin*) en multiples projets (chimériques !), affaires (malheureuses !), liaisons amoureuses (simultanées !) et œuvres romanesques (souvent géniales mais nécessaires au paiement des dettes de notre auteur et aussi inépuisables que sa fécondité littéraire !).

Très soucieux d'affirmer l'unité de son œuvre, Balzac a placé sa quarantaine de romans sous un titre d'ensemble *La Comédie humaine* comprenant les *Etudes philosophiques* (*La Peau de Chagrin* 1831 , *La recherche de l'absolu* 1834) et Les *Etudes de mœurs* . Ces dernières, de très loin les plus importantes, se subdivisent en :

Voir l'extrait de l'avant-propos de *La Comédie humaine* (1842) cité dans le chapitre *Le roman* (p. 147).

- *Scènes de la vie privée* comprenant son œuvre la plus célèbre *Le Père Goriot* (1835), *Le Colonel Chabert, Le Curé de Tours*...
- *Scènes de la vie de province* avec un autre chef-d'œuvre *Eugénie Grandet* (1833), remarquable peinture de l'avarice, *Les Illusions perdues* (1837-1843) présentant les désillusions d'un jeune ambitieux de province, Lucien de Rubempré...
- *Scènes de la vie parisienne* parmi lesquelles on peut citer *Splendeurs et Misères des Courtisanes* (1838-1847), *La Cousine Bette* (1847)...
- *Scènes de la vie politique* dont *Une ténébreuse affaire.*
- *Scènes de la vie militaire* avec un roman historique, *Les Chouans* (1829).
- *Scènes de la vie de campagne* comptant *Le Médecin de campagne, Le Lys dans la vallée* (1835-1836), *Les Paysans* (1844).

L'argent par Gavarni

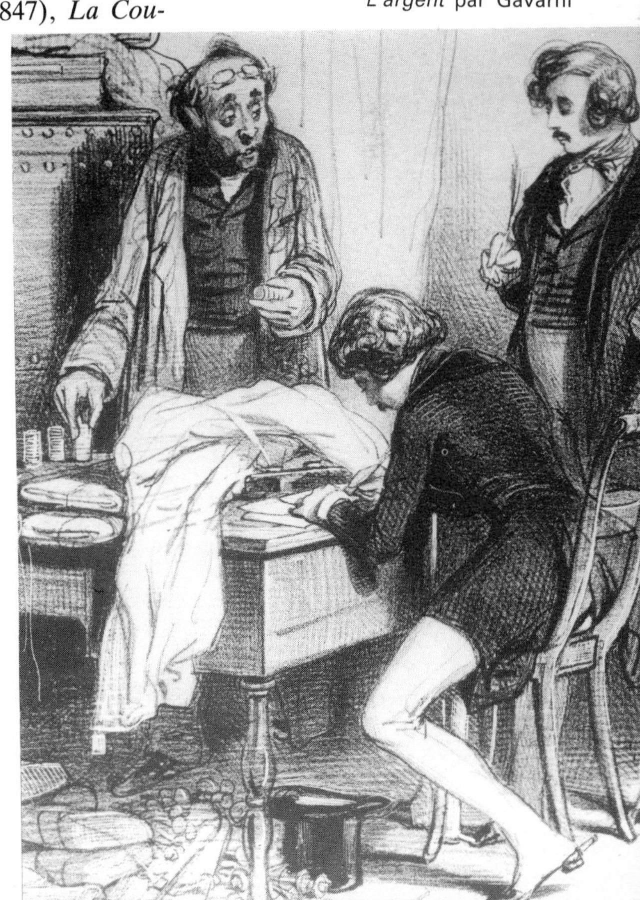

Par le procédé du retour des personnages d'un roman à l'autre, tantôt comme personnage principal, tantôt pour une brève apparition ou une simple mention, Balzac souligne l'unité de l'œuvre et sa volonté de transcrire la réalité de la vie sociale dans son évolution. De cette foisonnante création, on peut dégager quelques caractéristiques essentielles :

- **le réalisme de l'observation** : Balzac décrit la réalité avec un soin minutieux et prépare la voie au courant réaliste qui se développera après 1850 (cf. p. 94). Qu'il s'agisse de leur

nourriture, de leur costume, de leurs revenus et de leurs conditions sociales, de leur physique ou de leur cadre de vie, Balzac n'omet aucun détail sur ses personnages.

ORGANIBAC I (p. 102).

L'action est toujours très précisément située dans le temps et dans l'espace car, pour Balzac, les êtres sont influencés par leur milieu de vie mais créent aussi le décor de leur existence à l'image de leur caractère (cf. Madame Vauquer et sa pension de famille dont il écrit : « *Toute sa personne explique la pension comme la pension implique sa personne* », *Le Père Goriot*). Ses romans sont de véritables documents sur les évolutions politiques et les phénomènes sociaux ; voir l'enrichissement de la bourgeoisie de province par la vente des biens nationaux dans *Eugénie Grandet*, l'opposition de l'ancienne aristocratie et des nouveaux milieux d'affaires dans *Le Père Goriot*, le rôle de la presse dans *Les Illusions Perdues*.

- **la peinture de personnages types** : s'il décrit avec minutie leur environnement, Balzac grossit les caractères. Ses personnages sont des passionnés, habités par des idées fixes et qui constituent de véritables types : le père Goriot est l'incarnation de l'amour paternel comme Rastignac de l'ambition ou Vautrin de la révolte (*Le Père Goriot*). Attiré par les êtres d'exception, opposant la vie de ceux qu'épuise une passion à l'existence falote des médiocres qui dominent la société, Balzac rejoint ici les grands thèmes romantiques.
- **l'intérêt dramatique** : après de longues descriptions initiales indispensables pour l'exposition du décor et des situations, le roman balzacien progresse par des dialogues très vivants et des scènes dramatiques (voir la structure du *Père Goriot*). Malgré le côté parfois fastidieux des descriptions et la surcharge du style, Balzac sait ainsi captiver son lecteur par la solidité de l'intrigue.

– **L'œuvre de STENDHAL** (1783-1842) : Henri Beyle qui choisit le pseudonyme littéraire de Stendhal ne fut, malgré sa participation à la bataille romantique, guère connu et compris de ses contemporains. La partie autobiographique de son œuvre n'a été connue qu'à la fin du 19e siècle (*Vie d'Henri Brulard, Souvenirs d'Egotisme, Journal*) et son œuvre romanesque ne fut guère appréciée avant cette date. Pour nous, il est au contraire l'un des maîtres du roman par ses deux chefs-d'œuvre :

Le Rouge et le Noir : Arrivée de Julien Sorel chez Mme de Rênal.

- **Le Rouge et le Noir** (1830) est l'histoire d'un fils de paysan, Julien Sorel, qui se révolte « *contre la bassesse de sa fortune* ». Précepteur des enfants de Madame de Rênal, il se fait aimer de celle-ci avant de conquérir à Paris la fille du marquis de La Môle, Mathilde. Ainsi, ce jeune ambitieux semble atteindre le succès mais, se croyant trahi par Madame de Rênal, il tirera des coups de feu sur elle et finira sur l'échafaud. Julien Sorel

n'est donc pas un arriviste sans scrupules ; sous l'Empire son mérite lui aurait permis de s'élever par la carrière des armes (le Rouge), sous la Restauration il ne lui reste que l'état ecclésiastique (le Noir) et la voie de l'hypocrisie mais il choisit finalement la fidélité à lui-même en dénonçant une société de classes qui ne réserve aucun avenir à un fils du peuple ayant eu « *le bonheur de se procurer une bonne éducation* ».

- **La Chartreuse de Parme** (1839) a pour cadre l'Italie, chère à Stendhal qui y passa les années les plus heureuses de sa vie, et pour héros Fabrice del Dongo, jeune noble que son admiration pour Napoléon et ses idées libérales rendent suspect à la cour mesquine du Prince de Parme. Ses aventures conduisent Fabrice en prison où il rencontre avant de s'évader l'amour de Clélia Conti, fille du gouverneur de la prison.

> *« La vraie patrie est celle où l'on rencontre le plus de gens qui vous ressemblent. »*
> STENDHAL

De ces deux grands romans – auxquels il faut ajouter une œuvre inachevée, *Lucien Leuwen* – se dégage une grande originalité en pleine époque romantique :

- le roman stendhalien, « *miroir que l'on promène le long d'un chemin* », est un **reflet fidèle de la société**, d'un intérêt historique évident. Le sous-titre du *Rouge et le Noir* est *Chronique de 1830*, et le sujet du roman est tiré d'un fait divers : Stendhal s'y révèle un analyste subtil de la société de la Restauration dominée par l'aristocratie et le clergé, mais fragile. *La Chartreuse de Parme* évoque la situation politique de l'Italie après 1815 et *Lucien Leuwen* une campagne électorale sous la Monarchie de Juillet.

> *« Cet ouvrage-ci est fait bonnement et simplement, sans chercher aucunement les allusions, et même en cherchant à en éviter quelques-unes. Mais l'auteur pense que, excepté pour la passion du héros, un roman doit être un miroir.*
> *Si la police rend imprudente la publication, on attendra dix ans. »*
> STENDHAL *Première préface de Lucien Leuwen* (1836)

- **le réalisme psychologique** n'est pas moindre. Dans un traité théorique *De l'Amour* (1822), Stendhal avait décrit les étapes de la passion amoureuse. Il étudie avec autant de soin les réactions de ses héros dont il est très proche – comme lui, ils se consacrent à l'amour, ont le culte de l'énergie et font de la vie une perpétuelle chasse au bonheur – mais envers lesquels il conserve cependant une certaine distance ironique, rendue manifeste par les interventions de l'auteur dans le récit (cf. dans *La Chartreuse de Parme* la description de Fabrice à Waterloo).

- **la concision du style** distingue encore Stendhal de son époque. Affirmant rechercher comme modèle la sécheresse du Code civil, il refuse toute période oratoire et ses descriptions sont sobrement traitées en fonction des impressions éprouvées par les personnages. Ce lyrisme très contenu ne pouvait plaire en plein essor du romantisme. Lucidement, Stendhal qui dédiait *La Chartreuse de Parme « to the happy few »* – c'est-à-dire aux quelques heureux qui auraient le privilège de goûter son roman ! – ne s'attendait à être lu que « vers 1880 ».

- **Le conte et la nouvelle** n'ont pas été négligés à l'époque romantique et se caractérisent notamment par l'apparition d'un genre nouveau, le fantastique, répondant au goût romantique du mystère.

– **Charles Nodier** (1780-1844) en fut l'initiateur en France. Exerçant une grande influence sur la jeune génération romantique, Nodier accueille dans son salon de la rue de l'Arsenal le « cénacle » des auteurs de la nouvelle école avant que son influence ne s'efface devant celle de Victor Hugo. Dès 1820, il définit, dans une série d'articles, le romantisme par l'inspiration fantastique qu'illustrent ses premiers contes *Jean Sbogar* (1818) et *Smarra ou Les Démons de la Nuit* (1821). Ses recueils ultérieurs, s'éloignant des excès macabres d'un romantisme « frénétique » au développement duquel il avait contribué, peignent le conflit entre le rêve et la réalité : *La Fée aux miettes* (1832).

La mort de Gérard de NERVAL, par Gustave DORÉ.

– **Gérard de Nerval** (1808-1855), de son vrai nom Gérard Labrunie, fit aussi partie du romantisme militant. Sa passion malheureuse pour l'actrice Jenny Colon contribua à ébranler l'équilibre fragile de sa trop sensible personnalité. Dès 1841, il dut être soigné dans une maison de santé. Il connaît alors « *l'épanchement du songe dans la vie réelle* » et des crises successives dans les intervalles desquelles il écrit ses chefs-d'œuvre ; on le retrouve pendu dans une rue de Paris en janvier 1855. Admirateur des *Contes fantastiques* de l'Allemand Hoffmann, intéressé par le mysticisme* et l'occultisme*, Gérard de Nerval exprime dans son recueil de nouvelles *Les Filles du Feu* (1854) les inquiétudes de son âme tourmentée :

- **Sylvie**, fraîche nouvelle ayant pour cadre les paysages du Valois de son enfance, montre le narrateur hésitant entre le charme simple de la vie réelle, représentée par Sylvie une jeune paysanne, et le rêve représenté par Adrienne, jeune fille noble qu'il n'a fait qu'entrevoir.
- **Aurélia** est la transcription des angoisses et des crises de démence vécues par Nerval. Histoire d'une « descente aux enfers », ce récit exprime l'obsession de culpabilité du narrateur et l'espoir qu'il place en l'intercession de la femme aimée.

Le recueil s'achève par les dix sonnets des *Chimères*, autre expression mystérieuse et symbolique des hantises et des rêves de l'auteur.

– **Prosper Mérimée** (1803-1870), esprit brillant et cultivé, joua, après 1834, un rôle important comme Inspecteur des Monuments Historiques et fut, sous le Second Empire, un familier de la cour de Napoléon III. Après s'être essayé au théâtre et au roman historique, Mérimée s'affirma, à partir de 1829, comme un maître de la nouvelle. Son intérêt pour le fantastique, discrètement présent dans ses premiers récits (cf. *L'Enlèvement de la redoute*) s'exprime dans *Les Ames du Purgatoire* (1834) et *La Vénus d'Ille* (1837), modèle du genre, où le lecteur est sans cesse confronté à une double interprétation possible des faits : naturelle ou surnaturelle.

Ami de Stendhal, Mérimée est, comme lui, adepte d'un art

sobre et de la recherche du fait vrai. *Colomba* (1840) et *Carmen* (1845) sont des récits où les mœurs corses, la vie des gitans d'Espagne sont décrites avec réalisme. Mais la violence des passions et le sens de la fatalité n'y sont pas moins présents.

- **L'histoire** est, nous l'avons vu, largement représentée dans la littérature et bénéficie d'un intérêt d'autant plus vif que la succession rapide des régimes après la Révolution française invite à la réflexion monarchistes comme républicains. Elle connut donc un grand développement dans la première moitié du siècle qu'illustrent surtout les œuvres de :

– **Augustin Thierry** (1795-1856) : il fonde l'histoire sur l'érudition qui permet à l'historien de comprendre le passé mais aussi sur l'imagination qui lui permet de le restituer de manière vivante à son lecteur. *Ses Récits des temps mérovingiens* illustrent parfaitement cette conception de la narration historique.

– **Alexis de Tocqueville** (1805-1859) dont nous avons déjà cité l'œuvre (cf. p. 72) et que l'on peut définir comme un philosophe de l'histoire. Dans *La Démocratie en Amérique* (1835-1840) comme dans *L'Ancien Régime et la Révolution* (1856) il s'attache, au-delà des faits, à dégager des lois de l'évolution historique.

– **Jules Michelet** (1798-1874) : d'origine modeste, ayant appris comme ouvrier imprimeur à « faire les livres » avant de les écrire, Michelet revendiqua toute sa vie son appartenance au peuple, grand oublié de l'histoire, auquel il s'efforça dans son œuvre de redonner toute sa place. Professeur, puis chef de la section historique des archives, Michelet éprouvait une véritable passion pour le passé : il travailla à son *Histoire de France* de 1833 à sa mort. L'histoire doit être pour lui une « *résurrection de la vie intégrale* » faisant place à la géographie comme aux activités industrielles et agricoles, aux arts et aux lettres. Par l'imagination, la sympathie qu'il ressent pour ses acteurs, l'historien parvient à faire revivre le passé : pour Michelet, il n'est donc pas un savant impassible, d'où le lyrisme de son œuvre mais aux dépens parfois de l'objectivité surtout dans les dernières parties de son *Histoire de France* où ses convictions démocratiques conduisent à un certain schématisme (voir ses jugements partiaux sur le Moyen Age ou le siècle de Louis XIV).

« Que ce soit-là ma part dans l'avenir d'avoir non pas atteint, mais marqué le but de l'histoire... Thierry y voyait une narration et M. Guizot une analyse. Je l'ai nommée résurrection et ce nom lui restera »
Michelet *(Préface de 1869 à son* Histoire de France*).*

Mais attaché à suivre, à travers l'histoire, la marche de l'humanité vers le progrès, Michelet fait aussi œuvre de poète animant d'un souffle épique les événements qu'il recrée.

- **La critique littéraire** est représentée, pendant la première moitié du siècle, par l'œuvre de Sainte-Beuve (1804-1869).

Personnalité ondoyante et complexe, Sainte-Beuve investit dans la critique littéraire une grande finesse d'analyse. Sa démarche très simple se caractérise par :

« La critique est pour moi une métamorphose : je tâche de disparaître dans le personnage que je reproduis. »
Sainte-Beuve
Sur la critique.

– **un intérêt privilégié pour la personnalité des auteurs :** Sainte-Beuve cherche la singularité de l'homme à travers l'œuvre et une grande partie des ses études prend la forme de biographies ou de portraits littéraires (*Critiques et portraits littéraires* (1836-1839), *Portraits de femmes* (1844), *Portraits contemporains* (1846). Il développe ainsi de véritables études morales qui font le charme de ses articles réunis dans *Les Causeries du lundi* (1851-1862) ou *Les Nouveaux Lundis* (1863-1870). Cette optique ne va pas sans inconvénients et on a pu lui reprocher (Proust en particulier dans son *Contre Sainte-Beuve*) de réduire la critique à la biographie.

- **une approche historique des milieux** se rencontre cependant aussi dans son œuvre avec notamment son *Port-Royal* (1840-1859), remarquable étude de ce foyer du jansénisme* sans lequel nous ne pourrions comprendre ni l'œuvre de Pascal, ni celle de Racine.

Parfois injuste envers ses contemporains (il ne comprit ni Stendhal ni Baudelaire !), Sainte-Beuve montre beaucoup de sûreté dans l'étude des auteurs du passé comme – en romantique assagi – dans l'analyse des courants littéraires (voir son parallèle entre classicisme et romantisme, *Causeries du Lundi,* tome XV).

LA RÉACTION RÉALISTE

Le bal à Mabille en 1867, ill. de Provost.

Si la seconde moitié du siècle est marquée par **le reflux du romantisme** après les désillusions de 1848, l'évolution littéraire y est cependant très complexe. La parution de chefs-d'œuvre du lyrisme romantique (voir l'œuvre de Victor Hugo) coexiste avec l'affirmation de tendances nouvelles. La période de l'engagement politique de l'écrivain semble révolue, les artistes ressentent un malaise croissant dans une société avant tout préoccupée d'enrichissement et que distraient de dociles amuseurs (voir les comédies d'Eugène Labiche (1819-1888) ou les opérettes de Jacques Offenbach (1819-1880)). Poètes et romanciers s'isolent, soit en se réfugiant dans l'imaginaire ou la recherche d'un idéal, soit en s'astreignant à manifester la supériorité de l'art par une reconstitution minutieuse de la réalité : tout en semblant s'opposer, **symbolisme** et **réalisme** procèdent ainsi d'une même attitude fondamentale et se retrouvent parfois chez un même écrivain. Si nous poursuivons notre propos par l'analyse du réalisme, il doit donc être bien entendu que ce demi-siècle ne peut pas se diviser en périodes littéraires distinctes.

1. LA POÉSIE DU PARNASSE

En pleine période romantique, certains artistes se refusaient à mettre la littérature au service d'idées politiques ou morales et trouvaient ridicules les excès du « vague des passions ».

Théophile GAUTIER (1811-1872) incarne cette attitude : dès 1832 (préface de son roman *Mademoiselle de Maupin*) il affirme que l'art a pour seule fin la beauté et son recueil *Emaux* et *Camées* (1852) transpose en vers tableaux et sculptures. Théoricien de « **l'art pour l'art** » il apparaît ainsi comme l'initiateur d'une démarche nouvelle dont le groupe des poètes parnassiens s'inspirera en en faisant une véritable doctrine.

« Tout passe – L'art robuste
Seul a l'éternité.
Le buste
Survit à la cité.

Et la médaille austère
Que trouve un laboureur
Sous terre
Révèle un empereur

Les dieux eux-mêmes meurent
Mais les vers souverains
Demeurent
Plus forts que les airains

Sculpte, lime, ciselle
Que ton rêve flottant
Se scelle
Dans le bloc résistant !
Théophile GAUTIER
L'Art (1857).

- **La doctrine *parnassienne*** : la nouvelle école doit son appellation à la revue *Le Parnasse Contemporain* qui paraît à partir de 1866. Le Parnasse était la montagne de Grèce où, selon la mythologie, résidaient Apollon et les Muses : le choix de ce titre par un groupe de poètes, rassemblés depuis 1861 autour de Leconte de Lisle, est donc significatif d'une volonté de retour aux sources méditerranéennes de l'art. Les idées maîtresses du mouvement parnassien sont :

– **le culte de la beauté** : la recherche du beau, par une grande perfection du vers, est le seul but de l'art. Celui-ci ne doit chercher à transmettre aucun message, politique ou social, et s'oppose, comme pour Gautier, à l'utilité. Le poète appartient à une élite qui ne peut être comprise, comme la beauté elle-même, par la foule avide de distractions grossières (cf. Leconte de Lisle, *Les Montreurs*).

– **le refus du lyrisme personnel** : dans la préface des *Poèmes Antiques*, Leconte de Lisle rejette toute expression par le poète de ses sentiments intimes. Le sonnet *Les Montreurs* développe ce rejet de l'exploitation romantique de la souffrance (cf. Musset).

– **la recherche d'une poésie scientifique** : admirateurs, comme les classiques, de la pure beauté grecque, les parnassiens se veulent néanmoins de leur temps. Le poète doit répondre à l'attente d'une « génération savante » ; loin de s'abandonner à son imagination, il réunira l'art et la science en fondant ses œuvres sur une documentation des plus précises (voir les descriptions érudites que Leconte de Lisle consacre à l'évocation des différentes civilisations antiques ou barbares). C'est ce souci d'exactitude, comme la recherche de la perfection dans l'art, qui rapproche les poètes parnassiens des romanciers réalistes comme Flaubert.

« Il y a dans l'aveu public des angoisses du cœur et de ses voluptés non moins amères une vanité et une profanation gratuites. »
LECONTE DE LISLE
Préface des *Poèmes Antiques (1852).*

- **Leconte de LISLE** (1818-1894) fut le chef respecté du mouvement parnassien. Adepte dans sa jeunesse des idées de Fourrier (qu'il célébra même en vers !), Leconte de Lisle participa à la révolution de 1848 dont l'échec lui causa une amère déception. Le culte exigeant de l'art semble bien avoir été pour lui un refuge contre la médiocrité de ses contemporains « éternelle race d'esclaves ».

Ses principaux recueils sont les *Poèmes Antiques* (1852) et les *Poèmes Barbares* (1862). Œuvres impersonnelles, ces poèmes ne sont pas pour autant impassibles et les sentiments de l'auteur s'y laissent deviner : vision pessimiste du monde (voir les poèmes hindous qui ouvrent les *Poèmes Antiques*), nostalgie de son île natale La Réunion et d'une nature tropicale dont il

évoque admirablement la faune (cf. *Le rêve du Jaguar*). L'art de Leconte de Lisle est celui d'un peintre exigeant envers lui-même : une langue très pure, une versification au rythme vigoureux, une grande richesse des sonorités témoignent de sa recherche d'une forme parfaite.

- **Les poètes parnassiens** sont unis par les idées que nous avons soulignées mais restent très divers dans leur production poétique. Citons rapidement :

– **José-Maria de Hérédia** (1842-1905) qui, en fidèle disciple de Leconte de Lisle, cultiva une poésie particulièrement impersonnelle. Uniquement composé de sonnets, son recueil *Les Trophées* (1893) évoque pays lointains et civilisations disparues. D'origine cubaine, Hérédia a le sens du pittoresque et des tableaux colorés (cf. le sonnet *Les Conquérants*).

– **Théodore de Banville** (1823-1891) fut un excellent ouvrier du vers, son *Petit traité de versification française* condense les règles retenues par les parnassiens. Recherchant les rimes les plus riches, il recrée les genres médiévaux à forme fixe *Ballades joyeuses à la manière de Villon* (1873), *à la manière de Charles d'Orléans* (1875). Virtuose de la forme, il assimile – non sans fantaisie – dans ses *Odes funambulesques* (1857) le poète à un saltimbanque comme si la poésie ne devait être qu'acrobaties verbales.

➤ *« Sculpteur, cherche avec soin, en attendant l'extase,*
Un marbre sans défaut, pour en faire un beau vase. »
Théodore de Banville *Stalactites*

– **Sully Prudhomme** (1839-1907), poète sensible dans ses premiers recueils (*Les Solitudes* 1869), ne pratiqua pas l'impersonnalité, mais cet ingénieur de formation voulut unir la poésie et la science. Très appréciée dans l'atmosphère scientiste* de la fin du siècle, sa poésie a aujourd'hui beaucoup vieilli (*La Justice* 1878, *Le Bonheur* 1888).

– **François Coppée** (1842-1908), après avoir donné un recueil purement parnassien (*Le Reliquaire* 1866), trouva une inspiration plus personnelle dans une évocation réaliste et teintée d'humour du petit peuple de Paris (*Les Humbles, Promenades et Intérieurs* 1872).

2. LE ROMAN RÉALISTE ET NATURALISTE

Le courant réaliste se retrouve à toutes les époques de notre littérature, il existe au 17e siècle – du *Roman comique* de Scarron aux *Caractères* de La Bruyère – comme au 18e siècle dans le roman picaresque* ou certaines pages de Diderot. Au sein même du romantisme, l'œuvre de Balzac constitue une peinture très réaliste de la société et le souci de l'observation, la recherche du fait vrai caractérisent aussi bien le roman stendhalien que les nouvelles de Mérimée. Mais c'est à partir de 1850 et

en réaction contre le lyrisme et l'idéalisation romantiques qu'un groupe d'artistes et d'écrivains font du ***réalisme*** une doctrine en affirmant que l'art doit être une photographie fidèle de la réalité. La parution des *Scènes de la vie de Bohème* (1849) d'Henri Murger, la présentation du tableau de Courbet *L'enterrement à Ornans* (1850) marquent avec éclat l'affirmation de cette exigence mais c'est l'œuvre comme la doctrine de Flaubert qui engagent durablement le roman dans la voie du réalisme.

- **Gustave FLAUBERT** (1821-1880) et le roman réaliste : romantique de tempérament, Flaubert s'enthousiasma dans sa jeunesse à la lecture de Chateaubriand et conçut à quinze ans une passion pour une femme à peine entrevue (Elisa Schlesinger) qui marqua sa vie entière. Mais, ayant grandi dans le cadre de l'Hôtel-Dieu de Rouen où son père exerçait la médecine, Flaubert accorde le plus grand prix à une observation quasi scientifique de la réalité qu'il envisage avec un pessimisme certain et que les chagrins accumulés au cours de son existence ne feront que renforcer.

« Il y a en moi littérairement parlant, deux bonshommes distincts : un qui est épris de gueulades, de lyrisme, de grands vols d'aigle de toutes les sonorités de la phrase et des sommets de l'idée ; un autre qui creuse et qui fouille le vrai tant qu'il peut, qui aime à accuser le petit fait aussi puissamment que le grand, qui voudrait vous faire sentir presque matériellement les choses qu'il reproduit. »
Gustave FLAUBERT (1852).

– Ses œuvres railleront donc d'autant mieux la sensibilité romantique qu'elle avait aussi été la sienne et qu'elle constituait un aspect de sa nature :

- **Madame Bovary** (1857), roman inspiré d'un fait divers, est le récit de la vie d'une jeune femme que ses lectures romantiques et ses rêveries empêchent de trouver le bonheur auprès de son mari, officier de santé médiocre et sans ambition. Cherchant l'évasion dans des aventures sentimentales, elle va d'échec en échec et ne trouvera d'issue que dans le suicide.
- **Salammbô** (1862), roman « archéologique » se situe à Carthage au 3e siècle avant J.-C. Flaubert y évoque la révolte des mercenaires contre la grande cité punique et l'impossible passion de leur chef Mâtho pour la prêtresse Salammbô, fille du chef carthaginois Hamilcar.
- **L'Education Sentimentale** (1869), expression de l'échec de la génération de 1848, raconte les désillusions successives de Frédéric Moreau, jeune étudiant, venu de province à Paris à la poursuite de rêves de gloire mais qui ratera totalement sa vie à cause d'un amour de jeunesse que ses aspirations romantiques ont fait naître en lui.
- **Bouvard et Pécuchet**, œuvre restée inachevée et publiée après la mort de Flaubert, est une féroce satire de la bêtise humaine par la narration des échecs successifs de deux employés vieillissants.

– **Le réalisme de Flaubert** se fonde sur :

- **un grand souci documentaire** : chaque roman est préparé par de vastes enquêtes permettant de restituer la réalité dans toute son exactitude (voir la description de l'empoisonnement de l'héroïne dans *Madame Bovary* ou la reconstitution des journées révolutionnaires de février 1848 dans *L'Education Sentimentale*).

• **l'effacement de l'écrivain** : selon Flaubert, le romancier ne doit pas laisser transparaître ses sentiments personnels, c'est en « se transportant » dans ses personnages, en s'identifiant à eux qu'il pourra les peindre avec vérité.

• **un culte exigeant de la forme** : s'il éprouve du dégoût pour la médiocrité de la vie et la bêtise des hommes, Flaubert trouve un refuge dans l'art. Il affirme qu'« *il faut partir du réalisme pour aller jusqu'à la beauté* » et s'astreint à un grand travail du style, soumettant ses phrases – après de multiples corrections – à l'épreuve du « **gueuloir** », déclamation à haute voix qui permet d'apprécier rythmes et sonorités. Le résultat est une prose remarquablement évocatrice, un des styles les plus parfaits de notre littérature.

➤ *« Le Naturalisme, dans les lettres, c'est... le retour à la nature et à l'homme, l'observation directe, l'anatomie exacte, l'acceptation et la peinture de ce qui est. »*
EMILE ZOLA
Le Naturalisme au théâtre

• **Le *naturalisme*** est annoncé vers 1860 par les œuvres des frères Goncourt avant de trouver en Emile Zola son théoricien et son meilleur illustrateur. Les naturalistes comme les réalistes veulent restituer intégralement la vie mais ils s'en distinguent par l'attention privilégiée qu'ils portent aux milieux populaires « les basses classes » et leur prétention à développer une méthode d'expérimentation scientifique.

– **Edmond** (1822-1896) **et Jules** (1830-1870) **de GONCOURT** écrivent en commun des romans dont les personnages sont toujours empruntés à la réalité : ils dépeignent surtout les classes les plus défavorisées et des cas pathologiques*, *Germinie Lacerteux* (1865) est, par exemple, le récit de la vie d'une servante atteinte d'hystérie*. D'abord tournés vers la peinture, les Goncourt cherchent à restituer par le style la succession des instants de la vie, d'où, à la manière des peintres impressionnistes, une succession de touches minutieuses, « le style artiste » bien vieilli aujourd'hui.

– **Emile ZOLA** (1840-1902) aurait trouvé sa vocation de romancier à la lecture de *Germinie Lacerteux*, son « naturalisme » est déjà présent dans ses premières œuvres (*Thérèse Raquin* 1867 ; *Madeleine Férat* 1868) mais est surtout illustré par le cycle des *Rougon-Macquart*, un ensemble de 20 romans constituant l'« *histoire naturelle et sociale d'une famille sous le Second Empire* » – Abordant tous les aspects de la société (*Ex* : les milieux financiers : *La Curée* (1872), le demi-monde : *Nana* (1880) ; la bourgeoisie : *Pot-Bouille* (1882) ; les paysans : *La Terre* (1887) ...), les romans de Zola connaissent un succès croissant marqué notamment par le grand retentissement de ses deux peintures des milieux ouvriers. *L'Assommoir* (1877), récit de la déchéance d'un couple d'ouvriers parisiens sous l'effet de l'alcoolisme et *Germinal* (1885), évocation des conditions de vie et des luttes sociales dans les mines du Nord.

Exposée dans *Le Roman expérimental* (1880) (cf. p. 148), la doctrine naturaliste de Zola se définit par :

- **la détermination de la psychologie par la physiologie** : les comportements, les attitudes morales, les traits de personnalité sont le résultat de la vie du corps, de l'influence du milieu sur les sens et, si Zola choisit de peindre une famille sur cinq générations, c'est pour montrer la détermination des caractères par l'hérédité ;
- **des prétentions scientifiques** : « observateur et expérimentateur », le romancier, se fondant sur un important effort de documentation, vérifierait ainsi par ses œuvres les effets des lois naturelles dans des conditions données.

« Notre héros n'est plus le pur esprit, l'homme abstrait du 18e siècle, il est le sujet physiologique de notre science actuelle, un être qui est composé d'organes et qui trempe dans un milieu dont il est pénétré à chaque heure... Tous les sens vont agir sur l'âme. Dans chacun de ses mouvements l'âme sera précipitée ou ralentie par la vue, l'odorat, l'ouïe, le goût, le toucher. La conception d'une âme isolée, fonctionnant toute seule dans le vide devient fausse. C'est de la mécanique psychologique, ce n'est plus de la vie. »

Emile ZOLA
Le Roman expérimental.

Cette volonté pseudo-scientifique (le romancier n'est pas le savant dans son laboratoire, il ne vérifie pas mais imagine à partir d'une hypothèse !) retient cependant moins l'attention du lecteur actuel que :

- **la restitution vivante des milieux sociaux** avec leur sensibilité et leur langage propres (voir la relation du paysan et ses propriétés dans *La Terre*, l'introduction de l'argot ouvrier dans *L'Assommoir*).
- **la peinture évocatrice des masses humaines** (cf. les mineurs en grève dans *Germinal*) et *l'animisme** qui prête aux objets une vie extraordinaire et multiplie les symboles (voir l'alambic dans *L'Assommoir*, la locomotive dans *La Bête humaine*).

Le naturalisme de Zola n'a donc pas entravé l'expression de sa sensibilité, pour lui l'art était « *un coin de la création vu à travers un tempérament* » et le sien anime d'un souffle épique les descriptions les plus réalistes.

– **Les écrivains de l'école naturaliste** constituent un groupe autour d'Emile Zola et publient collectivement un recueil de nouvelles, *Les Soirées de Médan* (1880) (lieu de leurs réunions dans la villa de Zola). On retiendra surtout du naturalisme l'œuvre de Maupassant qui en est une expression originale et on peut rattacher à ce courant Jules Vallès, Alphonse Daudet et Jules Renard.

- **Guy de MAUPASSANT** (1850-1893) fut formé à l'école de Flaubert avant d'être un ami d'Emile Zola. Rendu célèbre par sa nouvelle *Boule de Suif* – parue dans *Les Soirées de Médan* – il exprime dans ses œuvres un pessimisme foncier. Ses romans (*Une Vie* 1883, *Bel Ami* 1885) sont une peinture désabusée d'une humanité lâche et médiocre ; devenu maître de la nouvelle – il en écrivit plus de 300 ! – Maupassant consacre ses courts récits à la description réaliste des paysans normands (*Les Contes de la Bécasse* 1883) ou à la création d'une atmosphère obsédante et fantastique (*La Peur* ; *Le Horla*), reflet de ses angoisses et des troubles nerveux qui le conduisirent à la folie (1891).

ORGANIBAC I p. 203

Sachant admirablement recréer une atmosphère en quelques lignes, Maupassant s'écarte de la doctrine naturaliste par sa conception d'un réalisme sélectif, « *la vérité choisie et expressive* », définie dans la préface de *Pierre et Jean* (1888).

« Le réaliste, s'il est un artiste, cherchera non pas à nous montrer la photographie banale de la vie, mais à nous donner la vision plus complète, plus saisissante, plus probante que la réalité même. »

MAUPASSANT
préface de *Pierre et Jean.*

- **Jules VALLÈS** (1832-1885) est l'auteur d'une trilogie romanesque directement inspirée de sa vie. *L'Enfant* et *Le Bachelier* évoquent son enfance pauvre, mal aimée et les contraintes d'une éducation subie, *L'Insurgé*, sa participation à l'insurrection de la Commune de Paris.
- **Alphonse DAUDET** (1840-1897) est sans doute plus célèbre par les œuvres poétiques et fantaisistes célébrant sa Provence natale (*Les Lettres de mon moulin* 1869 ; *Tartarin de Tarascon* 1872) ou pour le récit émouvant de son enfance (*Le Petit Chose* 1868) qui lui valut le succès mais ses dernières œuvres rejoignent le naturalisme dans la description des divers milieux sociaux (*Fromont jeune et Risler aîné* 1874, *Le Nabab* 1877). La présence d'une ironie amusée, la chaleureuse sympathie qu'il porte aux êtres le séparent cependant d'un courant dont il ne partagea jamais les préoccupations scientifiques.
- **Jules RENARD** (1864-1910) donne de la réalité une vision d'une lucide et sarcastique* sécheresse. Qu'il s'agisse de la vie familiale avec le roman *Poil de Carotte* (1894) ou des animaux dépeints dans ses *Histoires naturelles* (1896), il nous livre une peinture sans complaisance aucune du monde et des hommes.

3. L'ÉVOLUTION DU THÉATRE

L'échec des *Burgraves* (1843) de Victor Hugo marque la fin du drame romantique dont les thèmes se retrouvent cependant dans la célèbre pièce d'Alexandre DUMAS fils, *La Dame aux Camélias* (1852) ; la comédienne Rachel contribue par son talent à remettre en honneur, pour un temps, la tragédie classique. Mais la scène est surtout dominée, sous le Second Empire, par le vaudeville* et des comédies assez conventionnelles. Le naturalisme ne connut guère de succès au théâtre, sinon, à la fin du siècle, par l'œuvre d'Henry Becque.

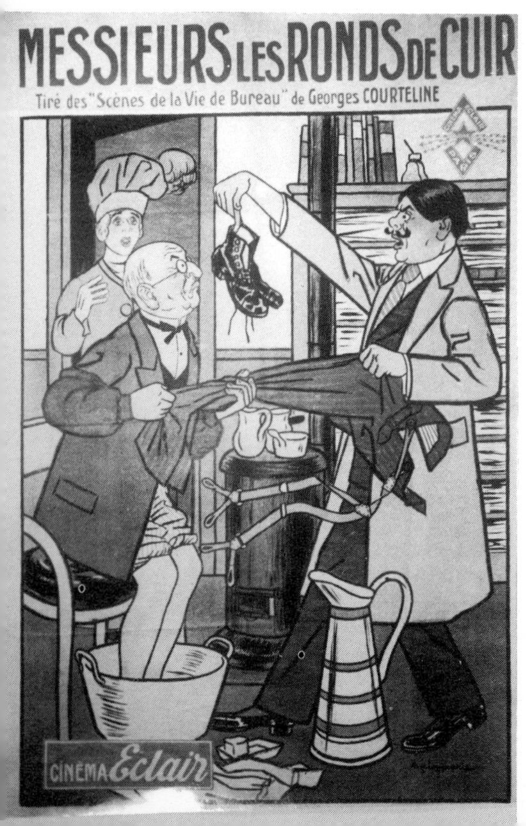

- **La comédie** donne lieu à un théâtre de divertissement fondé essentiellement sur des intrigues assurant un comique de situation. Les innombrables œuvres d'Eugène SCRIBE (1791-1861), comédies, vaudevilles*, opéras-comiques ... – celles de Victorien SARDOU (1831-1908), auteur de *Madame Sans-Gêne* (1893) ou d'Eugène LABICHE (1815-1888) (*Un chapeau de paille d'Italie* 1851) illustrent ce genre répondant pleinement aux goûts du public bourgeois de l'époque.

Avec Emile AUGIER (1820-1889), la comédie s'attache cependant à l'analyse des mœurs. Situées dans la riche bourgeoisie, ses intrigues la montrent soumise aux intérêts de l'argent et à la vanité (*Le Gendre de Monsieur Poirier* 1854). Sous la Troisième République, Georges COURTELINE (1858-1929) développe une satire de la vie militaire et des fonctionnaires (*Messieurs les Ronds-de-Cuir* 1893).

- **Le théâtre naturaliste**, appelé de ses vœux par Zola dans les années 1880, ne connut que d'infructueuses adaptations de ses romans ou de ceux des Goncourt. C'est Henry BECQUE(1837-1899), de tempérament indépendant mais que les naturalistes revendiquèrent comme leur, qui ramena le réalisme au théâtre. Son chef-d'œuvre, *Les Corbeaux* (1882), nous montre une famille bourgeoise dépouillée de son héritage par des hommes d'affaires avides et cyniques. Observateur minutieux de la réalité sociale, créateur de pièces « tranches de vie » comme les souhaitait Zola, Henry Becque dénonce sobrement les possédants pour qui « *Il n'y a que les affaires en ce monde* ».

Créé en 1887, le **Théâtre libre** du metteur en scène André ANTOINE assura un temps la popularité des drames naturalistes. Il contribua à faire évoluer le jeu des acteurs et la conception du décor vers un strict réalisme en affirmant l'importance nouvelle du metteur en scène.

4. L'ÉVOLUTION DES IDÉES ET DE LA CRITIQUE LITTÉRAIRE

L'état d'esprit dominant de la seconde moitié du siècle est à l'observation attentive des faits. Le développement de la science, la maîtrise croissante de ses méthodes critiques influencent l'évolution des idées. L'œuvre de Claude BERNARD (cf. p. 69) et le positivisme* d'Auguste COMTE (1798-1857), qui souhaitait appliquer les méthodes mathématiques à l'étude des phénomènes humains, exercent une influence déterminante sur l'évolution des idées et de la critique littéraire comme le montrent les œuvres d'Ernest Renan et Hippolyte Taine.

- **Ernest RENAN** (1823-1892), élevé dans une atmosphère religieuse et d'abord voué à être prêtre, perdit la foi en pratiquant les méthodes d'*exégèse** , critique des textes bibliques. Fasciné par l'essor de la science, il en fit alors son idéal. Son ouvrage, *L'Avenir de la Science* (écrit en 1848 mais publié seulement en 1890), définit le scientisme* ; la connaissance scientifique peut inspirer tous les domaines de la recherche et conduira l'humanité au bonheur. Cette « religion de la science » inspira les différents aspects de l'œuvre de Renan :

– **l'histoire des religions** est analysée du point de vue critique de l'historien. Ainsi sa *Vie de Jésus* (1863) compare les textes des quatre évangiles et élimine tout surnaturel, remettant ainsi en question la divinité du Christ.

– s'opposant à la conception romantique du génie inspiré, Renan considère que **l'œuvre d'art est le produit de conditions historiques déterminées,** l'écrivain n'est que l'expression de son temps, « *c'est la masse qui crée* ». Les tendances romantiques, une sensibilité au mystère ne sont cependant

> *« L'admiration absolue est toujours superficielle : nul plus que moi n'admire les* Pensées de Pascal, *les* Sermons de Bossuet, *mais je les admire comme œuvres du 17e siècle. Si ces œuvres paraissaient de nos jours, elles mériteraient à peine d'être remarquées. La vraie admiration est historique .»*
>
> Ernest RENAN
> *L'avenir de la science.*

pas absentes chez Renan et s'expriment davantage à la fin de sa vie (cf. *Souvenirs d'enfance et de jeunesse* et la célèbre « Prière sur l'Acropole »).

➤ *« Tous les sentiments, toutes les idées, tous les états de l'âme humaine sont des produits ayant leurs causes et leurs lois, et tout l'avenir de l'histoire consiste dans la recherche de ces causes et de ces lois. L'assimilation des recherches historiques et psychologiques aux recherches physiologiques et chimiques, voilà mon objet et mon idée maîtresse. »*

H. TAINE

- **Hippolyte TAINE** (1828-1893) s'efforça avec beaucoup de cohérence de construire une explication rigoureusement scientifique de la création littéraire. Trois facteurs déterminent selon lui l'œuvre de tout écrivain :

- **la race** qui induit des différences psychologiques innées ;
- **le milieu,** tant géographique (cf. la *théorie des climats* de Montesquieu) que social ;
- **le moment** historique de la création, tout auteur écrivant en fonction des œuvres antérieures.

Ce déterminisme n'exclut pas cependant la singularité de l'écrivain. Chaque auteur a « une **faculté maîtresse** » qui explique la manière dont il réagit aux déterminations extérieures. Ainsi l'imagination poétique pour La Fontaine (*Essai sur La Fontaine et ses fables* 1853).

Taine appliquera cette analyse dans ses œuvres de critique littéraire (*Essais de critique et d'histoire* 1858) comme à l'étude du passé national (*Origines de la France contemporaine* 1875-1893). Ses idées auront une très grande influence notamment pour l'évolution ultérieure de la critique qui y puisera des directions de recherche fécondes mais elles aboutissent trop souvent à un schématisme réducteur que souligna Sainte-Beuve.

LE SYMBOLISME ET L'IDÉALISME

Les deux termes que nous avons retenus comme titre de la dernière partie de ce panorama ne désignent pas des écoles à proprement parler mais des tendances. C'est l'œuvre de Baudelaire qui ouvre à la poésie des voies nouvelles que Verlaine, Rimbaud ou Mallarmé exploreront chacun avec leur sensibilité propre. *Le Manifeste du symbolisme* (1886) dégage ses principes de grandes œuvres déjà existantes à un moment ou une réaction contre le naturalisme* et ses excès inspire, dans le roman comme au théâtre, un retour sous une forme nouvelle à certaines tendances romantiques.

1. L'ÉVOLUTION DE LA POÉSIE

- **Charles BAUDELAIRE** (1821-1867) est, pour l'essentiel, le poète d'un seul recueil, *Les Fleurs du Mal*, publié en 1857, dont les *Petits poèmes en prose,* restés inachevés, reprennent les thèmes sous une autre forme.

Si la vie de Baudelaire fut décevante, son recueil – qui ne connut pas le succès et ne lui valut qu'une condamnation en justice pour immoralité – marque une étape décisive dans l'évolution de la poésie française. Dépassant l'opposition entre le lyrisme romantique et le culte parnassien de la forme, Baudelaire libère un champ nouveau à l'imagination poétique. Si *Les Fleurs du Mal* sont au carrefour du plusieurs influences, il y apparaît, en effet, surtout comme un novateur :

– **l'influence parnassienne** (bien que *Les Fleurs du Mal* soient dédiées à Théophile Gautier) se limite au soin apporté à la forme poétique et à l'importance accordée au travail du poète. Baudelaire cultive la forme rigoureuse du sonnet et, en évoquant la Beauté « *comme un rêve de pierre* », se rapproche des parnassiens. Mais les impressions visuelles sont chez lui prétexte, par le jeu des images, à des visions successives et l'harmonie des rythmes et des sonorités est créatrice de mystère.

– **l'influence romantique** y est plus sensible dans :

- la conception baudelairienne du poète : voué par le destin et son extrême sensibilité à la solitude, exilé en ce monde (cf. *L'Albatros*), incompris des autres hommes, voire maudit (cf. *Bénédiction*) ;
- l'aspiration à un idéal opposé aux désillusions du réel (cf. *Elévation*) ;
- l'affirmation d'un lien entre l'art et la souffrance qui est l'une des significations possibles du titre *Les Fleurs du Mal.*
- la volonté de choquer et une certaine complaisance dans l'évocation d'images morbides (cf. *La Charogne, Spleen* IV) qui s'apparentent au « romantisme frénétique ».

« Il y a dans tout homme, à toute heure, deux postulations simultanées, l'une vers Dieu, l'autre vers Satan. L'invocation vers Dieu ou spiritualité est un désir de monter en grade ; celle de Satan ou animalité est une joie de descendre. »
BAUDELAIRE

Mais l'effusion lyrique n'est pas cultivée par Baudelaire (que l'on compare, de ce point de vue, *L'Albatros* et le *Pélican* de Musset !) et il ne décrit pratiquement jamais la nature.

– **l'originalité des thèmes baudelairiens** conduit à affirmer un rôle nouveau de la poésie :

- **confession personnelle indirecte,** *Les Fleurs du Mal* sont bien davantage l'expression du *drame métaphysique de la condition humaine* : comme l'exprime le titre de la première partie, *Spleen et Idéal*, l'homme aspire à un absolu qu'il ne peut que fugitivement entrevoir et connaît l'ennui du spleen, abattement physique et moral beaucoup plus profond que le « mal du siècle » romantique. L'architecture du recueil évoque les tentatives successives pour trouver le chemin de l'idéal (la poésie, l'amour, les paradis artificiels...), la mort apparaissant comme l'ultime espoir d'échapper enfin au spleen.
- **l'esthétique de Baudelaire définit la poésie comme un moyen de connaissance** : le sonnet *Correspondances* présente le poète comme un « déchiffreur » du monde ; par le jeu des analogies entre les sensations, les synesthésies*, il entraîne son lecteur au-delà des apparences vers le monde des Idées et sa « *ténébreuse et profonde unité* ».

➤ *« De la musique avant toute chose*
Et pour cela préfère l'impair,
Plus vague et plus soluble dans l'air,
Sans rien en lui qui pèse ou qui pose.

Il faut aussi que tu n'ailles point
Choisir tes mots sans quelque méprise :
Rien de plus cher que la chanson grise
Où l'Indécis au Précis se joint »

VERLAINE
Art poétique (1874).

Rimbaud, dessiné « de mémoire » par VERLAINE.

« Je dis qu'il faut être voyant, se faire voyant – Le Poète se fait voyant par un long, immense et raisonné dérèglement de tous les sens. Toutes les formes d'amour, de souffrance, de folie ; il cherche lui-même, il épuise en lui tous les poisons, pour n'en garder que les quintessences. »

RIMBAUD
Lettre à Paul Demeny.

Pour l'imagination de Baudelaire, tout peut ainsi devenir symbole, l'art révélant sans cesse le spirituel au-delà du matériel.

- **Paul VERLAINE** (1844-1896) apparaît par sa vie ratée comme le type du poète maudit (il s'affirmait lui-même né sous l'influence maléfique de Saturne !). Les épisodes de son existence assombrie par l'alcoolisme, son aventure scandaleuse avec Rimbaud, sa déchéance finale contrastent avec les aspirations à la pureté, l'étonnante délicatesse qu'exprime souvent sa poésie. Nous nous contenterons ici de le situer comme nous l'avons fait pour Baudelaire.

Si son premier recueil, *Poèmes saturniens* (1866), est marqué par l'influence parnassienne, les sentiments qu'expriment ses vers rappellent le lyrisme romantique. Mais la chanson verlainienne est profondément originale, les sentiments y sont faits de nuances délicates et les sensations sont comme assourdies. Les paysages intérieurs des *Fêtes galantes* (1869), les errances des *Romances sans paroles* (1874) ou la foi naïve de *Sagesse* (1881) sont autant d'expressions d'une sensibilité très personnelle.

Comme Baudelaire, Verlaine oriente la poésie vers le symbolisme : les paysages, les atmosphères sont de subtiles transpositions de ses états d'âme ou de ses aspirations, toute impression peut se traduire en sentiment. La poésie est pour lui avant tout musique (cf. son *Art poétique*) et il contribue à son renouvellement en assouplissant le rythme de l'alexandrin et les contraintes de la rime ainsi qu'en usant, avec beaucoup de finesse, des vers impairs.

- **Arthur RIMBAUD** (1854-1891) ne fut poète que pendant quelques années d'adolescence (1870-1875), mais ce court laps de temps lui suffit pour apporter à la poésie un fondamental renouvellement.

Dès 1871, Rimbaud définit le poète comme un **voyant** (Lettre à Paul Demeny) qui doit nous révéler un monde inconnu. Le poème *Bateau ivre* évoque cette aventure du **poète voyant** en d'étranges visions colorées. Exploitant pleinement les correspondances baudelairiennes (cf. le sonnet *Voyelles*), Rimbaud élabore une véritable « **alchimie du verbe** ». Après *Une saison en enfer* (1873) où il affirme « *je m'habituai à l'hallucination simple* », les poèmes en prose des *Illuminations* (1874-1875), aboutissement de son itinéraire poétique, nous offrent l'envoûtant mystère d'images hallucinatoires.

Rejetant les « vieilleries poétiques », Rimbaud multiplie dès *Bateau ivre* les hardiesses de la versification avant de passer au vers libre, par le non-respect du compte des syllabes et la suppression de la rime, et au poème en prose. Cette révolution poétique, les images étonnantes qui naissent sous sa plume préfigurent les recherches des surréalistes (cf. p. 117).

- **Stéphane Mallarmé** (1842-1898) vécut essentiellement pour la création poétique n'exerçant son métier de professeur d'anglais que par nécessité matérielle. Ses premières œuvres parurent dans le *Parnasse contemporain* (1866) mais reflètent surtout l'influence de Baudelaire : aspiration à un idéal inaccessible (*L'Azur*), lassitude d'une vie vouée au spleen et rêve d'une évasion qui n'est peut-être possible que par la mort (*Brise Marine*).

Dépassant cette conception de la poésie où les symboles, malgré la préciosité du style, restent clairs, Mallarmé s'engage dans une obsédante recherche qui lui permettrait de réaliser le Livre dont il rêve. *Hérodiade*, drame lyrique seulement ébauché, *L'Après-midi d'un Faune* (1876) sont des étapes de cette quête exigeante qui le conduit à un hermétisme* de plus en plus grand.

« Le monde est fait pour aboutir à un beau livre. »
Stéphane Mallarmé *(1891).*

Cette obscurité est pour lui une nécessité : **l'essence de la poésie réside dans le mystère et son accès doit être réservé à une minorité d'initiés.** Cette haute ambition explique le rayonnement de Mallarmé ; considéré, après 1880, comme un maître du symbolisme, il réunit chaque mardi rue de Rome, ses disciples en un cénacle littéraire que fréquentent Jules Laforgue, Henri de Régnier, Maurice Barrès, Paul Claudel, André Gide, Paul Valéry.

Evoquant les idées par des symboles qui suggèrent une pluralité de sens, utilisant des termes rares, regroupant les mots par affinités de sonorités (Ex. : « *parmi l'exil inutile le Cygne* » ; « *Aboli bibelot d'inanité sonore* »), les vers de Mallarmé sont difficilement accessibles à un large public.

- **Décadents et symbolistes** : la fin du 19e siècle est marquée par la coexistence de multiples tendances et cercles poétiques (on parle de la « mêlée symboliste ») qui rendent malaisée une présentation brève et ordonnée. Au risque de simplifier abusivement, nous nous contenterons de distinguer :

- **Les décadents** qui affirment leur admiration pour Verlaine et se désignent ainsi par référence provocatrice à l'un de ses vers (« *Je suis l'Empire à la fin de la décadence* »). Leurs poésies mêlent un raffinement subtil à un laisser-aller volontaire, des tournures recherchées à une simplicité populaire et naïve.

Jules Laforgue (1860-1887), à la vie triste et maladive, est sans doute le poète le plus représentatif de cet état d'esprit décadent. Son pessimisme désespéré s'exprime dans *Les Complaintes* (1885), *Derniers vers, Le Sanglot de la terre* (publiés après sa mort) en se dissimulant derrière une fantaisie ironique et désinvolte.

> « **Nommer** un objet, c'est supprimer les trois quarts de la jouissance du poème qui est faite de deviner peu à peu ; le **suggérer,** voilà le rêve. »
>
> Stéphane MALLARMÉ
> *Sur l'évolution littéraire*

– **L'école *symboliste*** qu'il convient de bien distinguer du courant symboliste, beaucoup plus large, auquel nous consacrons cette partie, et qui s'exprime en de multiples revues et manifestes dont *le Manifeste du symbolisme* (1886) de Jean MORÉAS. Dans l'esprit de Mallarmé, le symbole y est défini comme suggéré par les sensations et enveloppé de mystère, moyen de connaissance par lequel la poésie ouvre l'accès au monde des essences.

L'œuvre d'Albert SAMAIN (1858-1900) représente bien, par ses rêveries nostalgiques, cette sensibilité symboliste de la fin du siècle (*Au jardin de l'infante* 1893).

– **L'école *romane*** qui naît en 1891 de la rupture de Jean Moréas (1856-1910) avec le symbolisme jugé trop « déliquescent ». D'origine grecque, Moréas veut renouer avec la tradition classique. Ses *Stances* (1899-1901) rappellent parfois, avec le retour à l'Antiquité, l'inspiration de la Pléiade.

2. LE THÉATRE ET LE ROMAN SYMBOLISTES

- **Un théâtre poétique,** en réaction contre le théâtre naturaliste, « photographie du réel », s'est efforcé d'exprimer l'univers mystérieux des symbolistes. *Le Théâtre de l'Œuvre* (1893) mit en scène de nombreuses pièces symbolistes, aujourd'hui tombées dans l'oubli. Il faut cependant citer *Pelléas* (1892), drame du poète belge Maurice MAETERLINCK (1862-1949) : situé dans un Moyen Age de convention, ce récit d'un amour pur mais voué au malheur ne se préoccupe ni d'intrigue ni de psychologie. Les personnages se définissent par des images et ce drame qui n'est que poésie trouve peut-être sa meilleure expression dans l'adaptation de Claude DEBUSSY, l'opéra *Pelléas et Mélisande* (1902).

- **Le roman,** largement dominé par le réalisme, puis le naturalisme a cependant toujours laissé place à un courant idéaliste représenté en particulier par l'œuvre d'Eugène FROMENTIN (1820-1876), *Dominique* (1862), qui s'inscrit dans la tradition du roman d'analyse et doit à son caractère autobiographique une grande justesse de ton.

En réaction contre le matérialisme et les préoccupations scientifiques liés au naturalisme, un groupe d'écrivains catholiques, hostiles aux valeurs modernes, s'expriment aussi par la voie du roman :

- **Barbey D'Aurevilly** (1808-1889) se place délibérément à contre-courant de son époque. Sa plume accumule les surcharges du style et les outrances romantiques, ses romans et nouvelles évoquent l'obsédante présence de démons (*L'Ensorcelée, les Diaboliques* 1874).

- **Léon Bloy** (1846-1917) critique, en un style virulent, la démocratie comme le positivisme* ; dénonçant aussi l'hypocrisie religieuse des possédants, il trouve en une foi militante le seul remède à son désespoir (*Le Désespéré* 1886).

- **Villiers de L'Isle-Adam** (1838-1889) développe une satire de la science et du scientisme* (*L'Eve future* 1886) et se fait le chantre ironique des réalités spirituelles (*Contes cruels* 1883).

- **Joris-Karl Huysmans** (1848-1907), d'origine hollandaise, fut d'abord un adepte du naturalisme, collabora aux *Soirées de Médan* et écrivit plusieurs romans dans cette veine.

Mais la publication de *A Rebours* (1884) marque sa rupture avec ce courant : son héros Des Esseintes, revenu de tout, quête désespérément du nouveau dans des recherches de sensations raffinées et l'ouvrage servit de références aux Décadents. L'évolution de Huysmans se poursuit, après un intérêt pour le satanisme (*Là-Bas* 1891), par une conversion au catholicisme et ses dernières œuvres expriment une foi quasi mystique* (*La Cathédrale* 1898).

Le Silence par O. Redon.

Dans les dernières années du siècle, le paysage littéraire est traversé de courants très divers. Le réalisme et le naturalisme qui étaient dominants depuis 1850 ont perdu de leur éclat, le symbolisme se perd en discussions théoriques et en querelles de chapelles alors que les grandes œuvres qui ont donné naissance à cette esthétique (celles de Baudelaire, de Verlaine, de Rimbaud) appartiennent au passé. Avant que des tendances nouvelles ne s'affirment et ne permettent de dépasser l'opposition du réel et de l'idéal, toutes les sensibilités du siècle semblent se manifester à nouveau :

- **le romantisme** réapparaît au théâtre avec les œuvres d'Edmond Rostand (1868-1918), *Cyrano de Bergerac* (1897) et *L'Aiglon* (1900), dont l'atmosphère et le style à effets évoquent le drame romantique tandis que les romans de Pierre Loti (1850-1923) transposent dans des décors exotiques la recherche de l'évasion et une inguérissable mélancolie (*Pêcheur d'Islande* 1886 ; *Madame Chrysanthème* 1887).

« C'est la nuit qu'il est beau de croire à la lumière. »
Edmond Rostand
Chantecler

La poétesse Anna de Noailles (1876-1933), à l'opposé des recherches symbolistes, célèbre de son côté, en une versification très classique, son amour de la nature (*Le Cœur innombrable* 1901).

– **l'œuvre d'Anatole FRANCE** (1844-1924) se rattache pour sa part au rationalisme* humaniste* du 18e siècle. Avec une ironie très voltairienne, Anatole France développe une satire des milieux cléricaux et conservateurs (*L'Orme du Mail* 1897) et renoue avec le conte philosophique (*La Rôtisserie de la Reine Pédauque* 1892). Son engagement aux côtés de Zola, au moment de l'affaire Dreyfus, rappelle aussi les luttes philosophiques pour la justice et le progrès.

ESQUISSE DE CONCLUSION

Les dernières années comme l'ensemble du siècle laissent ainsi l'image d'une littérature aussi riche que complexe, ayant connu une très large diversification de ses sujets comme de ses moyens d'expression alors que les premières œuvres de jeunes auteurs – Paul CLAUDEL a fait jouer *Tête d'or* en 1889, André GIDE publie *Les Nourritures terrestres* en 1897 – sont les prémices de nouvelles écritures.

Ai-je bien lu ce chapitre ?

☐ L'Histoire

1) Le Concordat date de :
   a 1814 — b 1848 — c 1801 — d 1809

2) Les dates du règne de Louis XVIII sont :
   a 1830-1848 — b 1815-1830 — c 1824-1830 — d 1814-1824

3) Le chef du gouvernement provisoire en 1848 est :
   a Victor Hugo — b Lamennais — c Lamartine — d Auguste Comte

4) L'article d'Emile Zola « J'accuse... » est en relation avec :
   a le coup d'Etat du 2 décembre 1851 — b l'affaire Dreyfus — c le général Boulanger — d la Commune

5) Le Second Empire s'effondre après :
   a la bataille de Magenta
   b le désastre de Sedan
   c la guerre de Crimée
   d la guerre du Mexique

☐ Les mouvements littéraires ou spirituels

1) Les précurseurs de la pensée socialiste sont :
   a Tocqueville — b Saint-Simon — c H. Taine — d E. Renan — e B. Constant — f Fourier

2) Œuvre définissant l'inspiration romantique :
   a de l'Allemagne — b Les Illuminations — d Emaux et Camées — d Oberman

3) Les poètes parnassiens se regroupent autour de :
   a Paul Verlaine — b Alfred de Vigny — c Leconte de Lisle — d Théophile Gautier

4) Les Soirées de Médan sont un recueil :
   a réaliste — b naturaliste — c romantique — d symboliste

5) Les décadents se réclament de :
   a Rimbaud — b Baudelaire — c Mallarmé — d Verlaine

☐ Les auteurs et leurs œuvres

1) La Curée est une œuvre de :
   a Flaubert — b J. et E. de Goncourt — c Zola — d Maupassant

2) Les Poèmes Saturniens sont un recueil de :
   a A. de Musset — b Verlaine — c Jules Laforgue — d Mallarmé

3) Parmi ces poèmes quels sont ceux qui ne sont pas de Rimbaud ?
   a L'Azur — b Correspondances — c Bateau Ivre — d Voyelles

4) Alfred de Vigny est l'auteur de :
   a Ruy Blas — b Les Caprices de Marianne — c Chatterton — d Les Corbeaux

5) Lucien Leuwen est une œuvre de :
   a Maupassant — b Victor Hugo — c Balzac — d Stendhal

L'HISTOIRE
1/c 2/d 3/c 4/b 5/b

LES MOUVEMENTS LITTÉRAIRES OU SPIRITUELS
1/b, f 2/a 3/c 4/b 5/d

LES AUTEURS ET LEURS OEUVRES
1/c 2/b 3/a/b 4/c 5/d

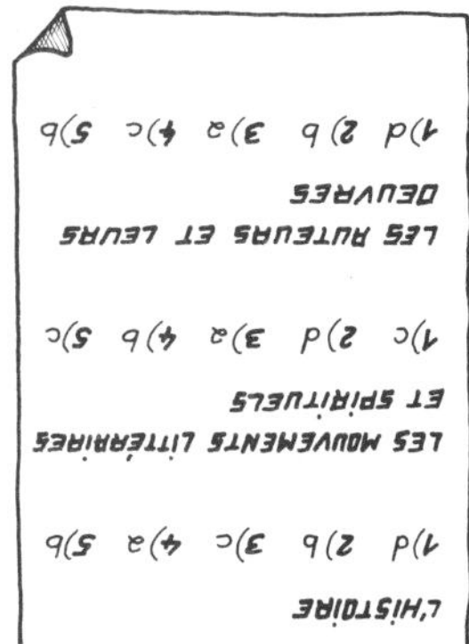

Que sais-je du 20e siècle ?

□ L'histoire ?

1) L'expression « Les années folles » désigne la période :	a 1914-1918 b 1900-1914	c 1936-1939 d 1918-1929
2) L'arrivée au pouvoir d'Hitler en Allemagne :	a 1922 b 1933	c 1938 d 1929
3) La grande crise économique commence en :	a 1939 b 1906	c 1929 d 1936
4) L'occupation de la France par l'Allemagne nazie s'étend de :	a 1940 à 1944 b 1939 à 1944	c 1940 à 1945 d 1941 à 1944
5) La IVe République s'étend de :	a 1940 à 1954 b 1946 à 1958	c 1946 à 1962 d 1944 à 1959

□ Les mouvements littéraires ou spirituels

1) Le surréalisme se développe :	a avant 1914 b après 1945	c dans les années 1920 d vers 1960
2) Le théâtre entre 1918 et 1939 est principalement marqué par :	a le retour au drame romantique b le triomphe du réalisme	c une vitalité exceptionnelle de la comédie d le renouveau de la tragédie
3) L'existentialisme est défini par les œuvres de :	a Jean-Paul Sartre b Antonin Artaud	c André Breton d Paul Claudel
4) Le « nouveau roman » naît :	a après 1918 b dans les années 1950	c sous l'Occupation d dans les années 1970
5) Le « théâtre de l'absurde » est illustré par les pièces de :	a Jean Anouilh b Paul Claudel	c Eugène Ionesco d Jules Romains

□ Les auteurs et leurs œuvres

1) L'auteur d'A la recherche du temps perdu est :	a Paul Claudel b Romain Rolland	c André Gide d Marcel Proust
2) Alcools est une œuvre de :	a Louis Aragon b Guillaume Apollinaire	c Blaise Cendrars d Paul Eluard
3) L'auteur des Faux-Monnayeurs est :	a André Gide b Jean-Paul Sartre	c François Mauriac d André Malraux
4) André Malraux est l'auteur de :	a La Semaine sainte b Terre des Hommes	c La Condition humaine d La Peste
5) Parmi ces œuvres laquelle n'est pas d'Albert Camus ?	a L'Etranger b La Nausée	c La Chute d Les Justes

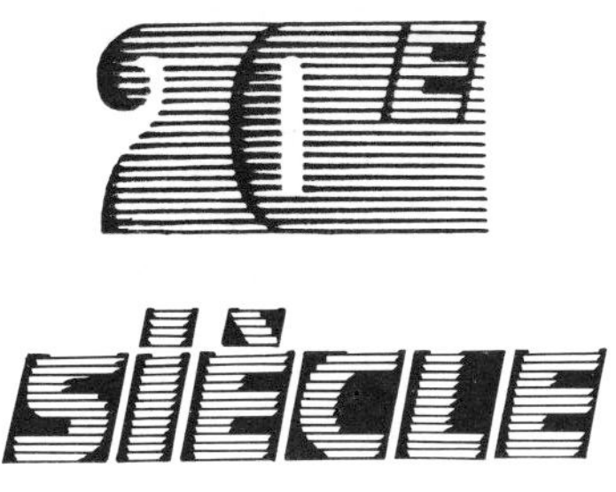

« Le dix-neuvième siècle est grand, mais le vingtième sera heureux. »
Victor HUGO
Les Misérables 5e partie.

La production littéraire de notre siècle est aussi immense que variée; si l'on peut discerner des courants dominants c'est l'impression d'hétérogénéité qui l'emporte cependant et, plus l'on se rapproche de la période contemporaine, plus il devient difficile de distinguer dans le foisonnement des œuvres celles qui, pour la postérité, occuperont une place déterminante.

C'est pourquoi ce panorama se présente sous un aspect différent des précédents. On n'y trouvera pratiquement ni indications biographiques ni analyses détaillées des œuvres, les auteurs n'y sont que très brièvement situés, leurs productions uniquement définies dans leurs caractéristiques essentielles : nous avons choisi de limiter notre propos, beaucoup plus que pour les deux siècles antérieurs, à l'évolution des mouvements et des genres littéraires. Notre lecteur n'y trouvera donc que les moyens de situer un écrivain ou une œuvre dans son contexte.

Si nous avons respecté les grandes divisions qu'offrent les événements historiques – avant 1914, l'entre-deux-guerres 1918 – 1939, de 1940 à 1962 date de la paix en Algérie, après 1962 – cette structuration commode ne doit pas faire oublier la continuité de certains phénomènes littéraires d'une période à l'autre. Au début de chaque partie, nous rappelons brièvement les faits majeurs de l'évolution politique et sociale.

LA LITTÉRATURE AVANT 1914

1. LE CONTEXTE POLITIQUE ET SOCIAL

- **Des crises intérieures aux menaces extérieures :** si la Troisième République s'est imposée durablement, la France reste divisée par des crises successives. L'**affaire Dreyfus** continue d'opposer la droite nationaliste et catholique, qui défend *l'honneur de l'armée*, aux partisans de l'innocence de Dreyfus, essentiellement la gauche républicaine : après la retentissante lettre de Zola « *J'accuse...* », la procédure de révision est engagée en 1899, mais le capitaine Dreyfus ne sera réhabilité qu'en 1906. Les références à l'**Affaire** sont nombreuses dans les œuvres littéraires du début du siècle (voir notamment *A la recherche du temps perdu* de Marcel Proust et l'*Ile des pingouins* d'Anatole France).

Le **conflit entre l'Eglise et l'Etat** est une autre source d'affrontement : la venue au pouvoir de la gauche radicale, la politique anticléricale d'Emile Combes (1902-1905) qui aboutit à la séparation de l'Eglise et de l'Etat, suscitent les vives protestations des milieux catholiques et conservateurs et provoquent de nombreux incidents.

> *« La justice est la sanction des injustices établies ».*
> Anatole FRANCE

Les écrivains participent souvent aux affrontements idéologiques de l'époque. Le socialisme (la fondation du parti socialiste date de 1901) séduit Romain Rolland et Anatole France comme le poète belge Emile Verhaeren, tandis que Maurice Barrès ou Charles Maurras appartiennent à la droite nationaliste.

La **montée de la tension internationale,** le sentiment qu'une guerre est possible apaisent cependant les tensions internes et en août 1914 les Français communient dans l'Union sacrée.

- **La fin d'une société :** malgré les conflits sociaux, c'est encore la société du 19e siècle qui se prolonge dans ses structures essentielles durant *la Belle époque*. La joie de vivre n'y est assurément pas la même dans les beaux quartiers de la capitale et les banlieues ouvrières sans cesse grossies par les effets de l'industrialisation et de l'exode rural (cf. Verhaeren, *Les Villes tentaculaires* 1895).

Mais des inventions nouvelles se développent qui préparent d'importants changements des conditions de vie : avec les premières années du siècle les automobiles se répandent, les premiers aéroplanes apparaissent, les applications de l'électricité se multiplient, le radium a été découvert en 1898 par Marie Curie, à Paris on creuse le métropolitain tandis que s'ouvrent, suite aux découvertes des Frères Lumière, des salles de cinéma.

2. L'AFFRONTEMENT DES IDÉES

Les premières années du siècle sont des années d'intenses débats idéologiques ; les affrontements politiques, la définition des valeurs amènent de grands écrivains à s'exprimer dans la presse et les échos de ces débats intellectuels sont importants dans les œuvres littéraires. Pour préciser ce mouvement des idées citons :

- **en philosophie,** l'œuvre d'Henri BERGSON (1859-1941). En réaction contre le scientisme* et l'analyse rationaliste*, Bergson définit un spiritualisme* psychologique accordant la primauté à l'intuition (*L'Evolution créatrice* 1907). Ses analyses sur la perception du temps et la vie intérieure sont importantes pour la compréhension de l'œuvre de Marcel Proust.

- **en politique,** les idées socialistes sont défendues par Jean JAURÈS (1859-1914), remarquable tribun populaire et fondateur du journal **L'Humanité.** La presse joue alors un rôle essentiel et les idées nationalistes s'y expriment aussi sous la plume de Maurice BARRÈS ou de Charles MAURRAS (1868-1952) dans le journal royaliste **L'Action Française.**

J. JAURÈS au Pré-St-Gervais 25 mai 1913.

Les grands courants de pensée de l'époque — nouveau spiritualisme chrétien, traditionalisme, socialisme humanitaire — se retrouvent dans les œuvres des maîtres à penser du temps :

- **Anatole FRANCE** (cf. p. 106) évolue vers une critique de plus en plus vigoureuse des préjugés et des injustices sociales. Ses aspirations rejoignent les idées socialistes (*Crainquebille* 1902) et, déçu par la politique gouvernementale après l'affaire Dreyfus, il exprime son pessimisme dans *L'Ile des Pingouins* (1908) et dans un roman consacré à la période révolutionnaire, *Les Dieux ont soif* (1912), dénonciation très voltairienne de l'intolérance et du fanatisme. Bouleversé par la guerre, ce pacifiste consacrera ses dernières œuvres à ses souvenirs d'enfance (*La Vie en fleur* 1922).

- **Romain ROLLAND** (1866-1944), normalien, passionné par la philosophie, l'histoire et la musique s'exprima d'abord au théâtre (voir son théâtre de la révolution et notamment *Les Loups* 1898) mais trouva sa voie dans le roman. Les 10 volumes de son *Jean-Christophe* (1903-1912), récit de la vie d'un musicien génial, inaugurent le genre du ***roman fleuve*** : cette œuvre idéaliste est, en même temps qu'un hymne à la musique, un témoignage de confiance en l'énergie humaine. L'amour de la vie de Romain Rolland s'exprime aussi dans *Colas Breugnon* (1919) au style très truculent* et savoureux.

« Il y a la vie, il y a l'instinct puissant de vie, il y a l'amour. Ce ne sont pas des rêves, des suggestions, c'est la réalité la plus vigoureuse et la plus profonde. On ne peut les renier sans se mutiler soi-même. »

Romain ROLLAND (1909)

➤ *« Tout homme qui est un vrai homme doit apprendre à rester seul au milieu de tous, à penser seul pour tous – et au besoin contre tous. »*

Romain ROLLAND
Préface de *Clérambault.*

Pacifiste, Romain Rolland écrivit de Suisse des articles qui ne furent guère compris (*Au-dessus de la mêlée*) dans le déchaînement des propagandes. Après la guerre, cet esprit libre et généreux (cf. *Clérambault* 1920, « *histoire d'une conscience libre pendant la guerre* »), ennemi de tous les sectarismes, exerça une grande influence, incarnant « l'intellectuel de gauche » à l'engagement humaniste.

- **Maurice BARRÈS** (1862-1923) est, à l'opposé de Romain Rolland, le chantre du nationalisme et des valeurs traditionnelles. Après avoir vanté le **culte du Moi**, la nécessité de s'appliquer à se connaître soi-même, ce Lorrain, souffrant de la défaite de 1870, veut mobiliser les énergies contre le danger qui menace la patrie. Député nationaliste, il exalte l'enracinement (*Les Déracinés* 1897) et exprime la révolte des Alsaciens-Lorrains contre l'occupant (*Colette Baudoche* 1909). Sa foi et son amour de la terre lui dictent *La Colline inspirée* (1913).

➤ *« A toutes celles et à tous ceux qui sont morts de leur mort humaine pour porter remède au mal universel humain. »*

Charles PÉGUY
dédicace de *Jeanne d'Arc* (1897).

- **Charles PÉGUY** (1873-1914) a un itinéraire profondément original. D'origines très modestes, ce normalien, adepte des idées socialistes, retrouva la foi de son enfance : s'efforçant de concilier ses aspirations sociales et ses convictions religieuses, il se brouille avec ses amis socialistes comme il vit en marge de l'Eglise. Solitaire, il anima de ses seules forces sa revue, les *Cahiers de la Quinzaine* (1900-1914) avec un redoutable talent de polémiste. Sa *mystique**, faite d'idéalisme religieux et de patriotisme ardent, s'exprime par des drames consacrés à Jeanne d'Arc, des *mystères** (*Le Mystère des Saints Innocents* 1912) et des *tapisseries* (*la Tapisserie de Notre-Dame, Eve* 1913) illustrant le renouveau du spiritualisme chrétien.

Influencé par les versets bibliques, Péguy reste obstinément fidèle à un lyrisme litanique* fondé sur de vastes unités poétiques où abondent les redites.

La mort du lieutenant Péguy, dans les premiers combats de la guerre (5 septembre 1914) semble comme l'accomplissement d'une existence aussi passionnée que sincère.

3. HÉRITAGES ET PROMESSES DE LA POÉSIE

Au début du siècle, le prestige de la poésie est encore très important. Les revues de poésie sont très nombreuses et les diverses écoles s'affrontent mais ce sont les tendances dominantes de la fin du 19e siècle qui se prolongent : **l'esprit parnassien** avec l'**école romane** de Jean MORÉAS (cf. p. 104), le **symbolisme** qui trouve quelques expressions originales après 1900. D'autres poètes annoncent cependant des voies nouvelles qu'ouvre l'œuvre de Guillaume Apollinaire.

- **L'héritage symboliste** se prolonge avec Henri de RÉGNIER (1864-1936) et Francis JAMMES (1868-1938) qui chante simplement l'instant qui passe et sa foi chrétienne ; une place particulière est occupée par Emile VERHAEREN (1855-1916). Après avoir chanté ses Flandres natales et exprimé ses angoisses sur le mode symboliste (*Les Flambeaux noirs* 1891), Verhaeren prit les nouveaux paysages du monde moderne comme source d'inspiration, transposant en véritables visions les réalités industrielles, et exprima dans ses vers ses convictions socialistes et humanitaires (*Les Forces tumultueuses* 1902 ; *Les Rythmes souverains* 1910).

- **La recherche de voies nouvelles** se manifeste cependant par diverses tentatives :
  - L'***unanimisme*** défini par Jules ROMAINS (1885-1972). Pour lui, le poète doit éveiller les hommes, enfermés dans leur solitude, au sentiment de la vie unanime qui les réunit (*La Vie unanime* 1902).
  - **une poésie de l'aventure** illustrée par ces poètes voyageurs que sont Victor SEGALEN (1878-1919), Valéry LARBAUD (1881-1957) et surtout Blaise CENDRARS (1887-1961). Avec *La Prose du Transsibérien* (1913), inspiré par un voyage de Russie en Chine, il donne un long poème utilisant des procédés très originaux : par une technique impressionniste*, il enregistre au fil d'un voyage en train toutes les coïncidences et les simultanéités (on parlera de simultanéisme poétique). Il apparaît comme un initiateur pour qui l'aventure est un nouveau moyen de découverte poétique.

« Le théâtre, la rue, en eux-mêmes, sont, chacun, un tout réel, vivant, doué d'une existence globale et de sentiments unanimes. »
Jules ROMAINS
Le Penseur 1905.

- **L'œuvre de Guillaume APOLLINAIRE** (1880-1918) ouvre un champ nouveau à la poésie avec la parution du recueil *Alcools* (1913). Evoquant ses souvenirs mélancoliques (*Rhénanes*), la fuite du temps (*Le Pont Mirabeau*) et les souffrances de l'amour (*Chanson du Mal Aimé*), Apollinaire est aussi le poète de la modernité (*Zone*). Supprimant toute ponctuation, il utilise le vers libre et d'audacieuses images annonciatrices du surréalisme*. Sa liaison avec le peintre Marie Laurencin, son amitié pour Picasso lui avaient fait connaître le cubisme* qui influence son esthétique. Les *Calligrammes,* parus en 1918, tentent de réunir dessin et poésie en un essai de vers picturaux*.

Apollinaire et ses amis par Marie Laurencin - 1909.

4. LE THÉÂTRE AVANT 1914

Le théâtre néo-romantique d'Edmond Rostand est le dernier succès durable de la scène française avant 1914. Les pièces de théâtre sont certes fort nombreuses mais aucun chef-d'œuvre ne marque cette période.

- **Le théâtre d'idées**, héritier du théâtre naturaliste*, est représenté par les œuvres de Paul HERVIEU qui traite du conflit entre la nature et les institutions sociales et surtout François de CUREL qui s'intéresse davantage aux conflits psychologiques. La peinture des passions alimente le théâtre de Georges de PORTO-RICHE tandis que les drames d'Octave MIRBEAU dénoncent la corruption de la société (*Les Affaires sont les affaires* 1903).

- **Le théâtre de divertissement** rencontre toujours un large succès. Georges COURTELINE poursuit sa carrière tandis que Georges FEYDEAU (1862-1921) devient le maître du vaudeville*, le rythme endiablé de ses pièces reposant sur un mécanisme comique soigneusement monté continue de séduire aujourd'hui les metteurs en scène (*Mais ne te promène donc pas toute nue* 1912). L'humoriste Tristan BERNARD donne aussi quelques comédies (*Triplepatte* 1905).

Rosy Varte et Georges Wilson dans « UBU » d'Alfred Jarry, mise en scène de Jean Vilar – TNP – 1958.

La Belle Epoque est celle du **théâtre du Boulevard** dont les recettes se prolongent jusqu'à nos jours ; les « boulevardiers » peignent un monde d'oisifs uniquement préoccupés de leurs aventures amoureuses et leurs pièces se caractérisent par l'absence de tout jugement et de tout contenu idéologique. D'une abondante production sans valeur littéraire se détachent les comédies railleuses de Robert de FLERS et Gaston de CAILLAVET.

- **Alfred JARRY** (1873-1907), auteur de poèmes et de romans, grand amateur de canulars et créateur de la **pataphysique**, renouvelle le genre de la farce* avec le personnage d'Ubu (*Ubu Roi* 1896, *Ubu enchaîné* 1900, *Ubu sur la Butte* 1906). A l'origine création collective d'une classe de lycéens, le caricatural Ubu, cruel et vulgaire, représente la tyrannie aveugle comme toutes les formes d'oppression qui menacent l'homme dans le monde moderne ; ce sens explique l'intérêt porté à cette farce moderne dont le T.N.P. renouvela le succès en 1960 en présentant une version globale d'*Ubu*.

5. L'ŒUVRE DE PAUL CLAUDEL

Nous plaçons ici l'œuvre de Paul CLAUDEL (1868-1955) parce qu'elle appartient, pour une grande part, par les dates de création, à la période considérée, mais nous aurions pu aussi bien la situer dans une partie ultérieure : diplomate de carrière, Claudel fut éloigné de France par ses postes successifs et ses drames ne furent parfois joués qu'après 1945. Mais la découverte de la foi, par Claudel (1886), qui marque sa vie entière est à replacer dans le contexte de la renaissance spirituelle qui suivit la période naturaliste.

D'un abord difficile, l'œuvre de Claudel, d'une puissante originalité, est rebelle à tout classement, sa poésie comme ses drames procèdent d'une ardente inspiration chrétienne.

- **L'œuvre poétique** accorde, comme les symbolistes*, la première place à l'image mais, pour Claudel, la poésie peut ainsi représenter le monde total, c'est-à-dire avec sa dimension surnaturelle. Il parle de « *La Muse qui est la Grâce* » réunissant l'inspiration du poète et l'inspiration divine. Pour évoquer l'ampleur de la création, le lyrisme claudélien s'affranchit de toute contrainte métrique : Claudel utilise un verset* dont le rythme épouse celui de la respiration (*Cinq grandes odes* 1904-1910).

- **L'œuvre dramatique** est d'une ampleur telle qu'elle est souvent comparée, pour la puissance de l'inspiration comme pour la démesure, à celle de Shakespeare. De ses premières œuvres (*Tête d'Or* 1889, *L'Echange* 1893) à sa dernière pièce (*Le Soulier de Satin* 1930-1944) Claudel traite le même thème central : la relation de l'homme à Dieu. *L'Otage* (1910) et *Le Pain dur* (1914) opposent, dans le contexte de la révolution française, les valeurs chrétiennes traditionnelles au rationalisme* moderne. *Partage de Midi* (1906) et *Le Soulier de Satin* montrent que l'amour humain peut être un chemin vers Dieu s'il sait se sublimer* en renonçant à toute satisfaction terrestre.

Le lyrisme* cosmique de ces drames, l'absence d'un souci de vraisemblance, le mélange des genres et les contrastes de personnages leur prêtent un caractère baroque* très singulier en notre littérature.

« Vous ne trouverez point de rimes dans mes vers ni aucun sortilège ; ce sont vos phrases mêmes. Pas aucune de vos phrases, que je ne sache reprendre !
Ces fleurs sont vos fleurs et vous dîtes que vous ne les reconnaissez pas.
Et ces pieds sont vos pieds, mais voici que je marche sur la mer et que je fonde les eaux de la mer en triomphe ! »

Paul CLAUDEL

ENTRE-DEUX-GUERRES 1918-1939

1. DES ANNÉES FOLLES A LA MONTÉE DES PÉRILS

- **Bouleversements d'après-guerre :** l'épouvantable hécatombe de 1914-18 (1.375.000 morts et 2.800.000 blessés pour la France) crée un choc profond et sonne le glas de la société héritée du 19e siècle. De très nombreuses œuvres évoqueront l'horreur des tranchées et le martyre des combattants : citons, parmi les plus significatives, *Le Feu* (1916) d'Henri BARBUSSE, *Les Croix de Bois* (1919) de Roland DORGELÈS.

Après l'armistice, c'est, en réaction, une période d'étourdissements et de distractions. **les années folles**. Les modes et les mœurs changent, la femme s'émancipe. Cette période sera propice aux recherches esthétiques nouvelles, comme le souligne le développement du surréalisme, et source d'interrogations multiples qui feront la fortune du roman.

- **Le temps des crises :** la grande crise économique de 1929 met fin à l'euphorie de l'après-guerre. La société française est ébranlée par l'inflation, qui fait disparaître les rentiers, les scandales financiers, le chômage et les conflits sociaux.

Les affrontements politiques deviennent très vifs entre partis de gauche (parti socialiste, parti communiste né en 1920) et ligues de droite. Le gouvernement de Front populaire (1936) du socialiste Léon Blum réalise de grandes réformes (congés payés, semaine de 40 heures) mais les querelles idéologiques se poursuivent malgré la montée des périls extérieurs.

Les efforts de sécurité collective, la création de la Société des Nations n'aboutissent qu'à des échecs. Les totalitarismes* s'affirment avec la répression stalinienne en U.R.S.S., l'installation du fascisme mussolinien en Italie (1922) et l'arrivée au pouvoir d'Hitler et des nazis en Allemagne (1933). Après la guerre d'Espagne (1936), les crises et les tensions créées par l'expansionnisme hitlérien se succèdent jusqu'au déclenchement de la guerre (septembre 1939).

➤ *« Il n'y a pas de vérités moyennes. »*
Georges Bernanos
La Grande Peur des bien-pensants.

Dans un tel contexte, la neutralité n'est guère possible pour l'écrivain et la plupart des auteurs choisissent la voie de l'engagement.

- **De nouveaux modes d'expression :** le public de la littérature s'élargit mais devient de moins en moins homogène. Alors que les écrivains d'avant-garde sont surtout lus par un public restreint d'artistes et d'intellectuels, la publicité commence à être utilisée pour le lancement des œuvres littéraires et l'influence des revues est importante (*Cahiers du Sud, Nouvelle Revue Française*).

La radio et le cinéma (devenu parlant en 1928) deviennent dans l'entre-deux-guerres des moyens essentiels de diffusion culturelle au même titre que certaines formes littéraires (ex. : romans d'évasion de Pierre Benoît avec *Koenigsmark* 1918, *L'Atlantide* 1919). Le disque se répand et la bande dessinée fait son apparition (ex. : *Bibi Fricotin, Tintin* 1929).

Le cimetière marin de Sète. Eau-forte de Valéry.

2. LA POÉSIE ENTRE LES DEUX GUERRES

Deux courants en totale opposition marquent cette période de la poésie : un **courant intellectualiste***, attaché à une forme rigoureuse, qu'incarne avec éclat Paul Valéry mais qui n'aura guère de postérité ; le **mouvement surréaliste** visant à libérer la création de toute entrave à la recherche de la pure spontanéité; étendu à tous les arts, ce dernier influencera durablement l'esthétique de notre siècle.

- **Le néo-classicisme de Paul Valéry** (1871-1945):passionné par l'analyse des mécanismes intellectuels, à laquelle il consacre des œuvres majeures (*Introduction à la méthode de Léonard de Vinci* 1895 ; *Soirée avec Monsieur Teste* 1896) , Valéry, les jugeant trop « artistiques », ne publie ses poèmes de jeunesse qu'en 1920 (*Album de vers anciens*). La préparation de ce recueil l'a cependant amené à composer un long poème, *La Jeune Parque* (publié en 1917) qui lui vaut une gloire littéraire encore accrue par la publication de *Charmes* (1922).

« Cent instants divins ne construisent pas un poème, lequel est une durée de croissance et comme une figure dans le temps, et le fait poétique naturel n'est qu'une rencontre exceptionnelle dans le désordre d'images et de sons qui viennent à l'esprit. Il faut donc beaucoup de patience, d'obstination et d'industrie dans notre art, si nous voulons produire un ouvrage qui ne paraisse enfin qu'une série de coups rien qu'heureux, heureusement enchaînés... »

Paul VALÉRY
(Je disais quelquefois à Stéphane Mallarmé...).

Adversaire déterminé de la conception romantique de la poésie, Paul Valéry, en disciple de Teste, nie toute valeur à l'inspiration et affirme la nécessité du travail poétique qui donne toute sa noblesse à la création consciente. Admirateur de la perfection classique, il qualifie de « *gênes exquises* » les règles de la métrique* qu'il respecte scrupuleusement. L'obscurité de la poésie lui apparaît doublement justifiée : comme condition de sa richesse et comme difficulté réservant son accès à une élite d'initiés.

L'art de Valéry, tourné vers l'expression des idées se caractérise par une grande beauté du vers mais semble aujourd'hui bien délaissé.

Les multiples essais de circonstance que Paul Valéry, véritable écrivain officiel, donne après 1920 sont beaucoup plus souvent cités comme analyse lucide des traits dominants du siècle (*Regards sur le monde actuel* 1945).

ORGANIBAC II vous en offre quelques extraits significatifs.

- **La révolution surréaliste :** apparaît comme une conséquence de la Première Guerre mondiale perçue comme une faillite de la civilisation. Cette révolte commence par le **mouvement Dada** (ou dadaïsme), fondé en Suisse en 1916 par le poète Tristan TZARA et qu'animait un nihilisme* total, pour conduire au *Manifeste du surréalisme* qu'André BRETON publie en 1924.

Avec les travaux de Sigmund Freud (*Introduction à la psychanalyse* 1916) avait été révélée l'importance de l'inconscient. Le surréalisme se propose d'explorer ce subconscient, de capter cette « sur-réalité » qui s'exprime dans les actes manqués*, les lapsus*, les rêves et les pulsions instinctives. La poésie doit donc s'affranchir du contrôle de la raison et procéder de la pure spontanéité : les surréalistes cultiveront **l'écriture automatique** consistant à reproduire tel quel le désordre des mots qui se présentent à l'esprit libéré de toute contrainte rationnelle*.

Si l'écriture automatique peut paraître d'application limitée, la recherche d'associations insolites se révélera féconde, nous ouvrant un monde nouveau de **cadavres exquis** et de « *revolvers à cheveux blancs* » (titre d'un recueil d'André Breton).

Les surréalistes s'affirment ainsi les héritiers des hallucinations d'un Nerval (*Aurélia*), des visions cauchemardesques d'un Lautréamont (*Les Chants de Maldoror* 1868-69) ou des *Illuminations* d'un Rimbaud.

« The burning girafe »
Salvador DALI

Cadavres exquis : nom du jeu surréaliste qui consiste à créer une phrase fortuite à partir des mots écrits, à l'insu les uns des autres, par les joueurs sur des papiers pliés.

➤ ***Surréalisme,***
n. m. Automatisme psychique pur par lequel on se propose d'exprimer, soit verbalement, soit par écrit, soit de toute autre manière, le fonctionnement réel de la pensée. Dictée de la pensée, en l'absence de tout contrôle exercé par la raison, en dehors de toute préoccupation esthétique ou morale.
Définition du *Manifeste du Surréalisme* (1924).

André BRETON (1896-1966) fut le théoricien et l'animateur – « le pape » – du mouvement surréaliste. Son récit de *Nadja* (1928) présente une héroïne qui agit en état d'hypnose ; ses recueils poétiques (de *Clair de terre* 1923 à *L'Amour fou* 1937) se caractérisent par de multiples images très librement associées.

Dans les années 1930, les surréalistes se divisent, notamment sur le problème des relations entre le surréalisme et l'engagement politique dans les rangs du parti communiste. Tandis que Paul Eluard ou Louis Aragon choisiront l'engagement militant, André Breton continuera d'affirmer la totale indépendance du mouvement.

Même si en tant que tel le surréalisme ne maintient que peu de temps son unité, il marque durablement la vie littéraire, imprègne à des degrés divers de nombreuses œuvres poétiques et s'étend à tous les arts. Représenté au cinéma par les films de Luis Buñuel, il est particulièrement fécond en peinture (œuvres de Picabia, Ernst, Dali, Magritte, Miró).

- **Itinéraires poétiques :** nous regroupons ici les poètes qui, après avoir appartenu au groupe des surréalistes, s'en sont détachés en affirmant leur personnalité littéraire propre ou qui, tout en étant proches, sont toujours restés en marge du mouvement.

– **Louis ARAGON** (1897-1982) participa avec Breton à la fondation du surréalisme qu'il illustre par ses premiers recueils (*Feu de joie* 1920, *Mouvement perpétuel* 1925). Mais en 1930, il choisit l'engagement au sein du parti communiste et se consacre à sa production romanesque (cf. p. 127). La guerre et l'occupation le ramènent à une poésie militante qui réunit les thèmes de l'amour et du patriotisme (*Les Yeux d'Elsa* 1942, *Je te salue, ma France, La Diane française* 1944).

– **Paul ELUARD** (1895-1952) figure lui aussi parmi les fondateurs du surréalisme dont les techniques sont remarquablement servies par son lyrisme personnel (*Capitale de la douleur* 1926, *L'Amour La Poésie* 1929). Il évolue ensuite vers une poésie plus simple (*Les Yeux fertiles* 1936) et, avec la guerre d'Espagne (cf. le poème *Guernica*), choisit, comme Aragon, la voie de l'engagement poétique (*Poésie et vérité* 1942, *Au rendez-vous allemand* 1944).

➤ *« Ils étaient quatre qui n'avaient plus de tête, quatre à qui l'on avait coupé le cou, on les appelait les quatre sans cou. »*
Robert DESNOS

– Parmi les poètes qui appartinrent au groupe surréaliste ou qui en furent très proches, citons Robert DESNOS (1900-1945) dont la poésie laisse place à l'humour et à l'onirisme*, Pierre REVERDY (1889-1960), Max JACOB (1876-1944) qui s'en éloignèrent par leurs préoccupations spirituelles.

– **Jules SUPERVIELLE** (1884-1960) a une situation totalement indépendante. L'œuvre de ce poète, qui partagea sa vie entre la France et l'Uruguay, sa terre natale, refuse tout exotisme facile mais évoque souvent les grands espaces, comme les mystères de l'océan : sa poésie simple et spontanée fait jaillir des visions du réel le plus banal, est une quête

permanente des mystères et des sympathies cachées de ce monde. Outre ses recueils poétiques (*Gravitations* 1925, *Les Amis inconnus* 1934, *La Fable du Monde* 1938), il faut citer ses contes où s'exprime son sens du merveilleux (*L'Enfant de la haute mer* 1931).

3. LE TRIOMPHE DU ROMAN

Dans la continuité de son évolution au 19e siècle, le roman s'affirme plus que jamais comme le genre majeur de la littérature française. Les premières années du siècle avaient déjà été marquées par d'éclatantes réussites (*Le Grand Meaulnes,* remarquable et unique roman d'Alain FOURNIER, paraît en 1913) mais, servi par sa souplesse d'adaptation à tous les tempéraments, le genre connaît ensuite une extrême diversification en même temps que la plus abondante des productions. Rares sont les écrivains qui ne le pratiquent pas et cette prolifération romanesque rend nécessairement insatisfaisant tout essai de classement et de présentation synthétique.

« C'est pourquoi la meilleure part de notre mémoire est hors de nous, dans un souffle pluvieux, dans l'odeur de renfermé d'une chambre ou dans l'odeur d'une première flambée, partout où nous retrouvons de nous-même ce que notre intelligence, n'en ayant pas l'emploi avait dédaigné... Hors de nous ? En nous, pour mieux dire, mais dérobé à nos propres regards par un oubli plus ou moins prolongé. »

Marcel PROUST
A l'ombre des jeunes filles en fleur.

Celui que nous esquissons ne peut donc apparaître qu'arbitraire et manifestement incomplet. Nous avons voulu simplement présenter les œuvres monumentales de cette prodigieuse période et caractériser quelques grands types de roman.

- **Enquêtes psychologiques et réflexions sur le roman :** ce double caractère est commun à l'œuvre de Marcel PROUST et à celle d'André GIDE, d'une importance considérable.

– **Marcel PROUST** (1871-1922) publie les sept volumes d'*A la recherche du temps perdu* à partir de 1913, les derniers ne paraissant qu'après sa mort : *Du côté de chez Swann, A l'ombre des jeunes filles en fleur* 1918, *Le Côté de Guermantes* 1920, *Sodome et Gomorrhe* 1922, *La Prisonnière* 1923, *Albertine disparue* 1925, *Le Temps retrouvé* 1927 . L'unité de ce vaste ensemble est assurée par la présence du Narrateur – qui ne se confond pas totalement avec la personne de Proust – et le retour des personnages. De cette œuvre colossale, trois aspects majeurs peuvent être brièvement mis en évidence :

- **l'analyse d'un mécanisme psychologique complexe, la mémoire sensitive :** la rencontre d'une sensation, identique à celle que notre mémoire a enregistrée autrefois et à l'insu de notre conscience, peut faire ressurgir en nous toutes les impressions liées à ce moment du passé, nous transportant ainsi hors du temps. La saveur d'une madeleine trempée dans une tasse de thé, le parfum des lilas un soir d'orage, la phrase musicale d'une sonate en sont autant d'exemples qui permettent au Narrateur de remonter le cours du temps.

« La Soirée », Jean Béraud.

Entraîné ainsi à une observation psychologique minutieuse, Marcel Proust fait preuve d'une rare subtilité dans l'analyse des sentiments. Le moyen de cette patiente investigation est un

style très ample : la phrase, surchargée de détails, rallongée de multiples incidentes peut sembler interminable, impose en tout cas la participation la plus attentive du lecteur.

➤ *« Pour écrire ce livre essentiel, le seul livre vrai, un grand écrivain n'a pas, dans le sens courant, à l'inventer puisqu'il existe déjà en chacun de nous, mais à le traduire. »*
Marcel PROUST
Le Temps retrouvé.

• **un roman qui est son propre sujet :** telle apparaît être l'innovation majeure de Proust au plan de la technique romanesque. Au début de l'œuvre une sensation (la saveur de la madeleine) déclenche le flot des souvenirs au fil desquels se construit la *Recherche* ; réfléchissant dans le dernier volume sur le sens de cette expérience, Proust y découvre l'invitation à créer une œuvre qui échappe à la continuité de l'écoulement du temps et qui est, précisément, celle qu'il vient d'écrire : le lecteur perçoit ainsi que le sujet de ce roman était l'histoire de sa propre genèse.

• **la chronique d'une société qui s'en va :** œuvre d'introspection*, la *Recherche* est aussi une remarquable observation sociale riche d'enseignements sur les dernières années du 19e siècle. C'est une peinture de la haute société où s'affrontent les représentants de la vieille aristocratie (la famille de Guermantes) et ceux de la bourgeoisie enrichie (les Verdurin) : un monde en déclin mais encore fascinant dont l'analyse révèle les travers.

– **André GIDE** (1869-1951) : tient, tant par ses propres productions que par ses analyses critiques, une place des plus importantes dans notre littérature. Son œuvre, d'une grande diversité mais qui trouve son unité dans l'analyse du moi, se fit d'abord provocatrice par la revendication d'une totale liberté d'être sans aucune limite morale (*Les Nourritures terrestres,* recueil de prose poétique 1897, *L'Immoraliste*, roman de 1902) ; puis l'aveu de son homosexualité (*Si le grain ne meurt* 1919). Cet *inquiéteur* devint cependant dans l'entre-deux-guerres, par les nombreuses interrogations soulevées par son œuvre, l'un des maîtres à penser du temps et ses engagements eurent un grand retentissement (cf. sa critique du colonialisme, *Voyage au Congo* 1927 ; son adhésion au communisme puis sa critique du stalinisme, *Le Retour d'U.R.S.S.* 1936).

➤ *« J'aime assez qu'en une œuvre d'art, on retrouve... transposé à l'échelle des personnages, le sujet même de cette œuvre. »*
André GIDE
(1893).

Nous insisterons seulement ici sur le renouvellement qu'il apporte au roman. Après des œuvres de facture classique (*La Porte étroite* 1909, *La Symphonie pastorale* 1919), il crée avec *Les Faux Monnayeurs* (1926) le roman dans le roman (ou roman *en abyme*) : l'un des personnages principaux du livre est un romancier qui écrit lui-même-sous le même titre et avec les mêmes personnages ! – un roman au fil de l'intrigue romanesque à laquelle il prend part... Cette technique sera souvent reprise par les auteurs contemporains et constitue une innovation capitale pour le roman dont Gide bousculait déjà les procédés dans *Les Caves du Vatican* (1914) : sorte de parodie du roman d'aventures où se trouve la célèbre théorie gidienne de *l'acte gratuit* (accompli sans aucune raison ni utilité).

– **La tradition du roman d'analyse** se poursuit par ailleurs, pendant cette période, avec les œuvres de Raymond RADIGUET prématurément disparu (1903-1923), *Le Diable au Corps* (1923), *Le Bal du Comte d'Orgel* (publié en 1924) et de Jacques de LACRETELLE *(Silbermann* 1922) ainsi que de Jacques CHARDONNE, analyste du couple (*Claire* 1931).

- **Les cycles romanesques :** à l'image du *Jean-Christophe* de Romain Rolland, la constitution de vastes cycles romanesques, héritée de Balzac et de Zola, connaît une faveur toute particulière dans les années trente.

– **Jules ROMAINS** (1885-1972) publie, dans l'esprit de l'unanimisme, les 27 volumes des *Hommes de bonne volonté* (1932-1947) avec l'intention de peindre, dans l'entrecroisement des destins individuels, la vie de la société entière.

L'unanimisme p. 113.

– **Roger MARTIN DU GARD** (1881-1957) donne les *Thibault* (huit volumes de 1922 à 1940), histoire d'une famille bourgeoise et conservatrice dont les deux fils – Antoine, médecin et adepte du positivisme* scientiste*, Jacques, intellectuel anticonformiste – s'opposent avant de trouver, l'un et l'autre, la mort dans l'absurdité de la guerre.

– **Georges DUHAMEL** (1884-1966), médecin de formation, s'intéresse en clinicien à la peinture de la moyenne bourgeoisie. Après *Vie et aventures de Salavin* (1920-1932), « héros » de la médiocrité, il écrit les dix volumes de *La Chronique des Pasquier* (1932-1945), évocation des conflits de générations d'une famille aggravés par les bouleversements de la guerre.

- **Les romans de l'inquiétude spirituelle :** le renouveau du spiritualisme chrétien se prolonge dans l'entre-deux-guerres et inspire de nombreuses œuvres romanesques. Tous ces romans ont en commun :

- de peindre des conflits et des drames dont le véritable sens est métaphysique ; ce qui importe, au delà de l'existence terrestre des héros, c'est l'enjeu de leur salut éternel ;
- de présenter comme personnages principaux des êtres faibles, des âmes noires et pécheresses que seule la grâce divine peut arracher à leur misère morale.

– **François MAURIAC** (1885-1970) choisit, comme cadre de ses romans, les landes de son bordelais natal et, comme milieu, la bourgeoisie catholique dont il était issu. Dans cet univers étroit, il peint, avec un sobre réalisme, des êtres prisonniers de passions morbides ou d'un destin sans issue et dénonce le pharisaïsme* d'une bourgeoisie possédante qui se donne bonne conscience par la pratique religieuse, sans aucune ouverture à l'autre. Après *Le Baiser au lépreux* (1922), *Génitrix* (1923), *Le Désert de l'amour* (1926), ses chefs-d'œuvre sont sans doute *Thérèse Desqueyroux* (1926) et *Le Nœud de vipères* (1932). Après la guerre, durant laquelle il participa à la résistance (cf. *Le Cahier noir* 1943), Mauriac poursuivit son œuvre romanesque (*Le Sagouin* 1951 ; *Un adolescent d'autrefois* 1969) tout en se révélant un brillant journaliste politique dont le talent de polémiste était redouté.

« Le poète se saisit de l'ascendance bourgeoise qui le ligote et il en tire des types. Il se paie sur la bête. »
François MAURIAC
Mémoires intérieurs I.

> *« Chacun de nous est tour à tour, de quelque manière, un criminel ou un saint. »*
>
> Georges BERNANOS
> *Sous le Soleil de Satan.*

– **Georges BERNANOS** (1888-1948) consacre, avec une violence passionnée, son œuvre à l'évocation de la lutte que Dieu et Satan se livrent en toute créature humaine (*Sous le Soleil de Satan* 1926). Son *Journal d'un curé de campagne* (1936) a pour héros un humble prêtre qui s'efforce, dans sa maladresse et sa naïveté, de ramener à Dieu les âmes égarées. On doit aussi à Bernanos un drame, *Dialogue des Carmélites* (1948), situé sous la Révolution.

– **Marcel JOUHANDEAU** (1888-1979) évoque ce même conflit spirituel dans le cadre conjugal avec le personnage de M. Godeau (*M. Godeau marié* 1933). *Julien* GREEN (né en 1900) exprime dans ses romans une obsession du mal et la recherche d'une impossible pureté (*Léviathan* 1929 – *Moïra* 1950).

- **Les aventures héroïques** réunissent des écrivains qui n'ont pas seulement été des témoins mais des acteurs de leur temps et ont puisé dans les aventures de leur vie la matière de leurs œuvres.

André MALRAUX, 1945.

– **André MALRAUX** (1901-1976) connut d'abord l'aventure dans une Asie en proie aux conflits révolutionnaires (séjours en Indochine de 1923 à 1928). C'est le cadre de ses premiers romans *Les Conquérants* (1928), *La Voie royale* (1930) dont les personnages cherchent dans l'action le moyen de conjurer la peur de la mort. *La Condition humaine* (1933), assurément son chef-d'œuvre, reprend ce thème mais le dépasse : c'est la solidarité dans l'action, la fraternité que crée l'engagement collectif, qui donnent un sens à la vie humaine et, surmontant l'angoisse de la mort, justifient son sacrifice.

Inspiré à Malraux par sa participation à la guerre civile espagnole, dans les rangs républicains, *L'Espoir* (1938) reprend ces mêmes contenus sur le rythme trépidant d'une sorte de reportage romancé (le sujet fut d'abord traité sous forme de film). *Les Noyers de l'Altenburg* (1945), dernier roman de Malraux, évoque les débuts du second conflit mondial au cours duquel il s'illustra dans les rangs de la Résistance.

Après la guerre, André Malraux voua une indéfectible fidélité au général de Gaulle dont il fut le ministre des Affaires Culturelles de 1958 à 1969 : ses dernières œuvres sont une méditation sur le sens de cette action politique (*Antimémoires* 1967, *Les Chênes qu'on abat* 1971). On lui doit aussi de profondes méditations sur **l'art,** cet **« anti-destin »** qui, plus encore que l'action, donne un sens à la vie humaine (*Les Voix du Silence* 1951).

– **Antoine de SAINT-EXUPÉRY** (1900-1944) bâtit toute son œuvre sur son expérience de pilote, de l'époque héroïque de l'aéropostale à la Seconde Guerre mondiale. C'est elle qui nourrit *Vol de nuit* (1931), *Terre des hommes* (1939) ; il y poursuit une réflexion humaniste qui l'amène à considérer que l'action, par la solidarité et la fraternité qu'elle crée entre les hommes, fonde le seul véritable bonheur.

- **Romans et critiques sociales :** la volonté de replacer l'homme dans son environnement social, le souci de procéder à une analyse critique de celui-ci continuent d'alimenter la veine du roman réaliste.

- **Louis Aragon,** dont nous avons vu l'œuvre poétique, est aussi un grand romancier. S'inspirant des théories du réalisme socialiste*, il publie de 1934 à 1944 le cycle intitulé *Le Monde réel : Les Cloches de Bâle, Les Beaux Quartiers, Les Voyageurs de l'impériale, Aurélien,* œuvres qui dénoncent la domination exercée par la grande bourgeoisie d'affaires et l'individualisme mesquin de la petite bourgeoisie. Cet aspect de roman à thèse (dans l'optique du réalisme socialiste, le roman est une arme contre les adversaires de la classe ouvrière) se retrouve ultérieurement dans le cycle des *Communistes* (1949-1951). *La Semaine Sainte* (1958), roman historique situé en 1815, est une réussite plus heureuse de même que *Blanche ou l'Oubli* (1967).

Aragon poète p. 118.

- **Le courant populiste*** (un prix populiste est fondé en 1929), héritier du naturalisme*, choisit ses héros parmi les « petites gens », représentants d'une humanité banale. Citons, Eugène Dabit (*L'Hôtel du Nord* 1929) et Louis Guilloux (*Le Sang noir* 1935). On retrouve l'atmosphère des romans populistes dans les œuvres de Georges Simenon (né en 1903) ; le père du célèbre commissaire Maigret étant aussi un peintre des décors populaires (*Le Chien jaune* 1931).

- **Louis-Ferdinand Céline** (1894-1961) tire, de l'expérience d'une existence aventureuse, une œuvre, Le *Voyage au bout de la nuit* (1932), aussi singulière que son auteur. Dénonçant le monde moderne, la guerre, le machinisme et la puissance de l'argent, antisémite et d'un anarchisme foncier, Céline se caractérise par un style très âpre, souvent argotique, dont l'originalité explique l'intérêt que lui porte la critique moderne. Après *Mort à crédit* (1936), son œuvre pamphlétaire sera considérable.

« La vérité, c'est une agonie qui n'en finit pas. La vérité de ce monde c'est la mort. Il faut choisir, mourir ou mentir. »
Louis-Ferdinand Céline
Voyage au bout de la nuit.

- **Les romanciers de la nature et du terroir :** les écrivains du 19e siècle n'ont guère su dépeindre la vie paysanne (trop idéalisée chez George Sand, caricaturée chez Zola) et l'esprit des différents terroirs. Le vingtième siècle abonde, au contraire, en romanciers régionalistes dont la sensibilité vibre au contact de la nature et qui savent souvent transmuer en poésie les liens subtils de l'homme et de son terroir.

Nous ne pouvons que citer Maurice Genevoix (*Raboliot* 1925) pour la Sologne, Charles Ferdinand Ramuz pour le pays de Vaud (*Joie dans le ciel* 1925), Henri Bosco pour la Provence (*Le Mas Théotime* 1945).

- **Jean Giono** (1895-1970) puise toute son inspiration dans la Haute Provence et sa ville natale de Manosque – *Colline* (1928), *Un de Baumugnes* (1929) et *Regain* (1930) – le rendirent célèbre. Romancier pastoral, hostile au monde moderne, il se fit le chantre lyrique du retour à la terre dans le *Chant du monde* (1934) et *Que ma joie demeure* (1935).

Après la guerre, Jean Giono, qui fut un temps emprisonné parce que les thèmes du *gionisme* avaient servi de caution à l'idéal de *retour à la terre* du gouvernement de Vichy, évolua vers une seconde manière. Après la peinture balzacienne du *Moulin de Pologne* (1952), il se consacre au *cycle du hussard* dont le héros ressemble fort aux personnages de Stendhal (*Le Hussard sur le toit* 1951, *Le Bonheur fou* 1957, *Angélo* 1958).

Colette et son chat – 1935.

– COLETTE (1873-1954), seule romancière parmi cette pléiade de romanciers de l'entre-deux-guerres, peut être citée ici car le sentiment de la nature fut l'une de ses plus constantes inspirations. Mais son œuvre, qui lui valut une grande célébrité, est très diverse : ses héroïnes, très proches d'elle-même, manifestent une volonté d'indépendance et de libre accomplissement, liée à l'évolution de la condition de la femme et fort nouvelle à l'époque.

Parmi les nombreuses œuvres de Colette, citons celles qui évoquent avec beaucoup de poésie les paysages de sa Bourgogne natale, *La Maison de Claudine* (1922), *La Naissance du jour* (1928) ou le souvenir de sa mère *Sido* (1929) et ses études de mœurs, reliées aux épisodes de sa vie, *Chéri* (1920), *Le Blé en herbe* (1923). Animée d'un grand amour pour les animaux, Colette leur prête une vie intérieure avec une remarquable subtilité (*Dialogues de bêtes* 1904, *La Chatte* 1933).

4. LE THÉÂTRE DE 1918 à 1939

S'il reflète parfois les tendances et les préoccupations de l'époque, le théâtre de l'entre-deux-guerres manque d'éclat et d'innovations. De nombreux auteurs cités dans les anthologies sont maintenant totalement délaissés et oubliés et le théâtre comique prolonge surtout des recettes éprouvées. L'importance des metteurs en scène est cependant un fait majeur de cette période qui connaît, dans les années 1930 et avec l'œuvre de Jean GIRAUDOUX, un renouveau de la tragédie tandis que l'influence du surréalisme amène Antonin ARTAUD à proposer une dramaturgie nouvelle.

➤ *« Le metteur en scène invente et fait régner entre les personnages ce lien secret et visible, cette sensibilité réciproque, cette mystérieuse correspondance des rapports, faute de quoi le drame, même interprété par d'excellents acteurs, perd le meilleur de son expression. »*
Jacques COPEAU (1913).

• **La mise en scène évolue et devient un élément déterminant de la création théâtrale** sous l'impulsion de quelques metteurs en scène et acteurs passionnés de théâtre.

Après LUGNÉ-POÉ, fondateur du théâtre de l'Œuvre, Jacques COPEAU affirme le rôle d'animateur du metteur en scène. Le **Cartel des Quatre**, formé en 1926 par Georges PITOEFF, Charles DULLIN, Gaston BATY et Louis JOUVET eut ensuite, malgré les tendances différentes de ses membres, un rôle déterminant dans la mise en valeur du théâtre et la rénovation de la mise en scène.

Georges PITOEFF et sa femme Ludmilla se sont employés à faire connaître les œuvres d'auteurs étrangers (les Scandinaves Ibsen et Strindberg, l'Allemand Bertholt Brecht, l'Irlandais Bernard Shaw, l'Italien Luigi Pirandello), apportant ainsi des exemples nouveaux d'action dramatique.

- **Le théâtre comique est prolifique mais souvent peu créatif.** La tradition du boulevard se poursuit avec Sacha GUITRY (1885-1957) chez qui les dialogues brillants masquent mal la minceur de l'intrigue et Marcel ACHARD (1901-1975), à l'univers tendre et fantaisiste (*Jean de la Lune* 1929).

- **La critique sociale**, très présente dans le roman, l'est aussi de manière plus satirique à la scène. Jules ROMAINS triomphe avec *Knock* (1923), amusante caricature de la médecine et satire de la sottise humaine ; son sens du canular* (voir son roman *Les Copains* 1913) lui inspire la farce philosophique de *Donogoo* (1930) où, par la grâce de la publicité, le mensonge devient réalité. Marcel PAGNOL (1895-1974) avec *Topaze* (1928) vise le pouvoir corrupteur de l'argent en une comédie fort burlesque avant de créer, en un théâtre bon enfant, sa savoureuse trilogie marseillaise *Marius, Fanny, César* qui passa très vite au cinéma auquel il devait ensuite se consacrer.

- **Jean Giraudoux** (1882-1944) **et le renouveau de la tragédie :** le problème de la destinée, au cœur de la tragédie grecque, rencontre les interrogations de l'homme moderne : notre liberté est-elle réelle ou illusoire ? Cette question amène, dans les années 1930, un regain d'intérêt pour les mythes et le théâtre antiques.

« Le destin, c'est simplement la forme accélérée du temps. »
La Guerre de Troie n'aura pas lieu I_1.
Jean GIRAUDOUX

L'œuvre théâtrale de Jean COCTEAU (1889-1963) en témoigne avec *La Machine infernale* (1934), analyse lucide, par la reprise de la légende d'Œdipe, du mécanisme de la tragédie grecque. Mais c'est surtout Jean GIRAUDOUX qui, en puisant fréquemment ses sujets dans l'Antiquité, crée un théâtre original, servi par la fantaisie d'un style poétique chatoyant et dont le succès fut lié aux talentueuses interprétations de Louis Jouvet.

Louis JOUVET dans *Ondine* de J. GIRAUDOUX – Mai 1939.

Aucune pièce de Giraudoux n'est entièrement une tragédie, le mélange des tons et des genres y est constant, la parodie, l'humour y jouent un grand rôle. Mais, avec la crainte d'un nouveau conflit, son théâtre évolue vers un tragique de plus en plus accentué :

- *Siegfried* (1928) évoque la nécessaire réconciliation de la France et de l'Allemagne tandis qu'*Amphitryon 38* (1929) présente, avec un optimisme souriant, un idéal de bonheur humain.

– Mais *La Guerre de Troie n'aura pas lieu* (1935) montre la fatalité de la guerre et la vanité des efforts de ceux qui se proposent de l'éviter ; *Electre* (1937) pose le problème d'un conflit de valeurs que l'ambiguïté du dénouement ne résout pas : faut-il, pour éviter la tragédie, renoncer à la justice ?

➤ *« La longue habitude des spectacles de distractions nous a fait oublier l'idée d'un théâtre grave, qui, bousculant toutes nos représentations, nous insuffle le magnétisme ardent des images et agit finalement sur nous à l'instar d'une thérapeutique de l'âme dont le passage ne se laissera plus oublier. Tout ce qui agit est une cruauté. C'est sur cette idée d'action poussée à bout et extrême que le théâtre doit se renouveler. »*

A. ARTAUD
Le Théâtre et la Cruauté.

• **Antonin ARTAUD** (1896-1948) appartient au mouvement surréaliste* de 1920 à 1927, avant de le trouver trop timide. Nourri d'une expérience d'acteur et de metteur en scène, il publie en 1938 *Le Théâtre et son double* ; dans ce recueil d'essais, il rejette le théâtre psychologique pour un théâtre total : un spectacle violent qui révélerait dans toute leur cruauté les forces convulsives qui font agir les hommes et les en détournerait par là-même.

Ce **théâtre de la cruauté** (la formule prête à contresens !) ne fut pas compris, les troubles mentaux dont souffrit Artaud contribuèrent à faire de lui un auteur maudit. Mais, après sa mort, sa réflexion influencera dramaturges et metteurs en scène.

ENGAGEMENTS ET REMISES EN CAUSE LITTÉRAIRES 1945-1962

1. LENDEMAINS DE GUERRE ET DÉCOLONISATION

Après les dures épreuves de l'Occupation (1940-1944), la France connaît la Libération, et la capitulation de l'Allemagne nazie (8 mai 1945) marque la victoire des Alliés. La guerre se prolonge cependant en Extrême-Orient où le Japon ne capitule qu'après l'utilisation par les États-Unis de l'arme atomique à Hiroshima et Nagasaki (août 1945).

La fin de la guerre ne suscite pas la même euphorie qu'après 1918 :

– si l'action du général de Gaulle et de la France Libre, les luttes de la Résistance ont permis à notre pays de sauver l'honneur et de participer à la victoire, la France n'apparaît plus comme une grande puissance ;
– pénétrant en Allemagne, les armées alliées ont découvert **l'horreur des camps de concentration** et l'abomination d'un tel système d'extermination concerté ébranle profondément les consciences ;
– **l'explosion de la bombe atomique sur Hiroshima** révèle de nouveaux dangers avec la possibilité d'une auto-destruction de l'humanité ;

- **le partage du monde entre les grandes puissances** (cf. la conférence de Yalta en 1945 entre Staline, Roosevelt et Churchill) ne crée pas les conditions d'une paix durable, l'affirmation de l'antagonisme russo-américain donne rapidement naissance à de nouvelles tensions internationales : c'est la « guerre froide ». Après 1947, l'Europe est divisée, d'un côté l'Europe occidentale qui entame sa reconstruction avec l'aide américaine (plan Marshall), de l'autre les pays socialistes d'Europe de l'Est dans l'orbite de l'U.R.S.S.

- **Les écrivains et la Seconde Guerre mondiale :** comme tous les Français, les écrivains ont été entraînés dans la tourmente des **années noires**. De nombreux auteurs se sont exilés (Jules Romains, Bernanos, André Breton, Saint-John Perse...), d'autres ont disparu (les poètes Robert Desnos et Max Jacob morts en déportation, Saint-Exupéry tué lors d'une mission aérienne).
- A la libération, les écrivains compromis dans la collaboration avec l'Allemagne et l'antisémitisme paient le prix d'un tel engagement (exécution du romancier Robert Brasillach (1909-1945) ; condamnation à la réclusion perpétuelle de Charles Maurras ; condamnation de Louis-Ferdinand Céline).
- Les auteurs qui se sont activement associés à la Résistance se trouvent placés au premier plan : citons les poètes Louis Aragon et Paul Eluard (cf. le poème *Liberté*), André Malraux, François Mauriac ou Albert Camus qui devient le rédacteur en chef du journal *Combat.*

▶ ORGANIBAC II p. 286

- La Seconde Guerre mondiale et la Résistance ont inspiré d'innombrables œuvres littéraires et cinématographiques d'inégale valeur. Parmi les plus remarquables, mentionnons, outre les recueils poétiques d'Aragon et Eluard (cf. p. 118), l'admirable nouvelle de VERCORS (pseudonyme de Jean Bruller, né en 1902), *Le Silence de la mer* (1942) et le roman de Roger VAILLAND, *Drôle de jeu* (1945).

A noter aussi que *Les Mémoires de guerre* (1954-1959) du général de GAULLE ont révélé en lui un grand écrivain dont le style est souvent comparé à celui de Chateaubriand.

- En 1945, le paysage littéraire se trouve donc profondément modifié par rapport à l'avant-guerre et **on attend désormais de l'écrivain qu'il s'engage** et de la littérature qu'elle exprime une morale, une politique ou une philosophie : c'est dans ce contexte que se développe l'existentialisme*.

*« L'écrivain est en **situation** dans son époque : chaque parole a des retentissements. Chaque silence aussi. Je tiens Flaubert et Goncourt pour responsables de la répression qui suivit la Commune parce qu'ils n'ont pas écrit une ligne pour l'empêcher. »*

J.-P. SARTRE
Situations II.

- **De l'Indochine à l'Algérie, la décolonisation :** dans les années qui suivent, la France ne connaît pas une paix totale, l'aspiration à l'indépendance des peuples colonisés entraîne des conflits outre-mer. C'est la guerre d'Indochine (1947-1954) puis la guerre d'Algérie (1954-1962). L'impuissance à résoudre le problème algérien et l'instabilité gouvernementale entraînent la fin de la IVe République (1946-1958).

Rappelé au pouvoir en mai 1958, le général de Gaulle fait adopter par référendum la constitution de la Ve République. En juillet 1962, les accords d'Evian conduisent à l'indépendance de l'Algérie : c'est enfin la paix. Ces événements n'ont pas été sans avoir de répercussions sur les engagements des écrivains, le conflit algérien constitua ainsi un véritable drame personnel pour Albert Camus.

- **Diversités et remises en cause :** les interrogations sur la condition humaine, nées du second conflit mondial, se traduisent dans les années qui suivent 1945 par l'affirmation d'une littérature engagée et la vogue de l'existentialisme*. Mais la célèbre question de Sartre *Qu'est-ce que la littérature* ? (1947) reçoit dans la réalité des réponses fort variées et de multiples courants littéraires donnent une impression d'éparpillement que le manque de recul rend difficile à dominer.

➤ *« La fonction de l'écrivain est de faire en sorte que nul ne puisse ignorer le monde et que nul ne s'en puisse dire innocent. »*
Jean-Paul SARTRE
Qu'est-ce que la littérature ? 1947.

L'influence du surréalisme se prolonge dans le roman comme en poésie (voir le roman de Julien GRACQ, *Le Rivage des Syrtes* (1951), les œuvres de Boris VIAN ou de Jacques PRÉVERT). Mais les romans de facture traditionnelle sont toujours nettement dominants et continuent de permettre l'affirmation de styles originaux (voir les œuvres postérieures à 1945 des romanciers cités dans la période précédente p. 119 ou celles d'Hervé BAZIN ou de Marguerite YOURCENAR) tandis que la poésie connaît aussi un retour du lyrisme (voir les œuvres de René Guy CADOU et de René CHAR). Les années 1950 sont cependant caractérisées par la recherche de nouvelles manières d'écrire et une réflexion sur le langage lui-même : ces réflexions inspirent les nouvelles interrogations des poètes, comme le Nouveau Roman ou le Théâtre de l'Absurde.

Si nous mettons légitimement l'accent sur ces efforts d'innovation, il convient toutefois de ne pas oublier qu'ils ne touchent souvent que marginalement le grand public, largement abreuvé par ailleurs par une littérature « moyenne » de consommation facile.

2. L'EXISTENTIALISME

Par des ouvrages théoriques et par des œuvres littéraires diverses, l'***existentialisme**** est l'expression d'une philosophie : cette doctrine trouve son origine chez le philosophe danois Sören KIERKEGAARD (1813-1855) et a été reprise par les philosophes allemands JASPERS, HEIDEGGER et HUSSERL. Jean-Paul SARTRE et sa compagne Simone de BEAUVOIR, l'un et l'autre agrégés de philosophie, font, par leurs œuvres, passer l'existentialisme du plan de la théorie abstraite à celui de l'expérience concrète et lui assurent un large rayonnement.

L'œuvre d'Albert CAMUS, lui aussi influencé par les phénoménologues* allemands et sensible à l'absurdité du monde contemporain, reprend les mêmes thèmes mais sa pensée diffère nettement de celle de Sartre et les deux écrivains s'opposeront en plusieurs polémiques.

- **Jean-Paul SARTRE** (1905-1980) expose sa pensée dans son œuvre philosophique, d'un abord difficile, *L'Etre et le Néant* (1943) : l'homme n'est qu'une existence et aucune essence – Dieu ou une nature humaine éternelle – n'est là pour donner un sens à sa vie. L'homme est donc jeté dans un monde absurde où il éprouve, dans l'angoisse, le sentiment d'être « *de trop* » mais cette angoisse doit être dépassée : l'homme responsable est ce qu'il fait, « *condamné à être libre* », il se définit par ses actes. L'action et l'engagement – inévitables pour l'homme « *en situation* » – sont donc ainsi placés au cœur de l'œuvre de Sartre.

« L'existentialisme athée déclare que si Dieu n'existe pas, il y a au moins un être chez qui l'existence précède l'essence, un être qui existe avant de pouvoir être défini par aucun concept et que cet être c'est l'homme. Qu'est-ce que signifie ici que l'existence précède l'essence ? Cela signifie que l'homme existe d'abord, se rencontre, surgit dans le monde et qu'il se définit après. L'homme, s'il n'est pas définissable, c'est qu'il n'est d'abord rien. Il ne sera qu'ensuite et il sera tel qu'il se sera fait.
Ainsi il n'y a pas de nature humaine, puisqu'il n'y a pas de Dieu pour la concevoir. »

Jean-Paul SARTRE
L'Existentialisme est un humanisme
(1946).

Dès avant la guerre, les grandes lignes de sa pensée apparaissent dans un recueil de nouvelles, *Le Mur* (1939) et dans son premier roman *La Nausée* (1938) : son héros, Antoine Roquentin, découvre, dans l'atmosphère de médiocrité d'une ville de province, le sentiment de l'absurdité de l'existence ; cette découverte le plonge dans l'angoisse à laquelle la création d'une œuvre lui permettra peut-être d'échapper.

Après *L'Etre et le Néant*, la philosophie de Sartre inspire ses œuvres dramatiques et romanesques :

- **au théâtre,** il donne *Les Mouches* (1943) en reprenant le mythe d'Oreste pour exprimer sa conception de la liberté, puis *Huis-clos* (1944), remarquable exposé dramatique de sa pensée et notamment analyse de l'angoisse qu'entraîne pour l'homme l'obligation de vivre en permanence sous le regard d'autrui (« *L'enfer, c'est les autres* »). En 1948, *Les Mains sales* traitent des rapports entre idéologie politique et action : à l'intellectuel idéaliste s'oppose le dirigeant politique qui accepte de « *se salir les mains* » par souci d'efficacité.
- **ses romans,** réunis sous le titre des *Chemins de la liberté*, sont *L'Age de raison, Le Sursis* (1945), *La Mort dans l'âme* (1951) ; ils reprennent le thème de l'absurdité de l'existence que l'homme tente de dépasser par l'action collective.
- l'œuvre de Jean-Paul Sartre comprend aussi de **nombreux essais,** regroupés dans les sept volumes des *Situations* (1947-1965) et *Les Mots* (1964), précieux récit autobiographique de son enfance et de l'éveil de sa vocation d'écrivain. Chez lui, la pensée militante a toujours été prédominante et, si la place nous fait ici défaut pour traiter de ses engagements (voir ses relations avec le communisme avant et après 1956, sa lutte contre le colonialisme, son engagement « gauchiste » d'après 1968), il faut souligner que, conformément à sa pensée, toute étude de son œuvre ne saurait être isolée de ses actes *en situation*.

J.-P. SARTRE à la Sorbonne – Mai 1968.

- **Simone de Beauvoir** (1908-1986) partagea avec Sartre l'anticonformisme et la révolte contre leurs communes origines bourgeoises. Tous les thèmes de la pensée sartrienne se retrouvent dans ses œuvres qui offrent cependant une tonalité originale :

– **dans ses romans,** *L'Invitée* (1943), *Le Sang des autres* (1945), *Tous les humains sont mortels* (1947), *Les Mandarins* (1954) elle traite des problèmes de la difficile relation à autrui comme de ceux de l'action politique.

– **ses mémoires** sont sans doute l'expression la plus personnelle de son talent (*Mémoires d'une jeune fille rangée* 1958 , *La Force de l'âge* 1960 , *La Force des choses* 1963). La mort se sa mère lui inspire des réflexions sur la mort : *Une mort très douce* (1964).

➤ *« On ne naît pas femme on le devient. »*
Simone de Beauvoir

– **Le Deuxième Sexe**, essai paru en 1949, marque une date essentielle dans la réflexion sur la condition de la femme et cette importante étude servira de référence aux mouvements féministes. Rejetant l'idée d'un « *éternel féminin* », Simone de Beauvoir y montre comment les multiples conditionnements éducatifs et sociaux forgent la prétendue psychologie féminine.

Albert Camus lors d'une répétition de *Requiem pour une nonne.*

- **Albert Camus** (1913-1960) fut, comme Sartre, essayiste, romancier et dramaturge. Si sa pensée s'apparente à l'existentialisme*, elle prend cependant une forme différente et se définit comme une philosophie de l'absurde, laquelle n'est toutefois qu'une étape dans l'œuvre de Camus :

– ***L'absurde*** est défini par Albert Camus dans un essai philosophique, *Le Mythe de Sisyphe* (1942) : le sentiment de l'absurde naît, selon lui, en l'homme par la prise de conscience du non-sens de l'existence quotidienne, de l'écoulement inexorable du temps et de la mort qui semble rendre inutile et vaine toute action. L'absurde, c'est aussi la confrontation de l'exigence humaine qui voudrait rendre le monde intelligible et du caractère irrationnel de celui-ci qui nous reste à jamais « étranger ».

Mais cette découverte de l'absurde n'est qu'un point de départ : refusant les fausses solutions du suicide ou des explications transcendantes* – pour Camus aussi, aucune essence ne peut donner un sens à l'existence – l'homme veillera à rester conscient de l'absurde et apprendra à vivre sa totale liberté.

Le héros de son premier roman, *L'Etranger* (1942), illustre cette expérience de l'absurde qui inspire également deux pièces de théâtre : *Caligula* (écrit en 1938) où l'empereur Caligula entreprend, par la cruauté de ses actes, de révéler à ses victimes l'absurdité du monde, et *Le Malentendu* (1944).

Voir l'analyse détaillée de *l'Etranger* et l'étude du personnage de Meursault dans Organibac I (p. 105/6, p. 107/8).

– **La révolte** apparaît à Camus comme le moyen de dépasser la prise de conscience de l'absurde et de donner ainsi un sens au destin de l'homme. Dans *L'Homme révolté* (1951), il montre que **la révolte ne peut s'accomplir qu'au nom d'une valeur** qui est une certaine idée de la nature humaine : il s'écarte ici de l'existentialisme et s'oppose encore à Sartre – ou aux communistes dont il avait été proche – en refusant toute action politique qui ne respecterait pas les valeurs (droits de l'homme) au nom desquelles elle prétend conduire les hommes au bonheur.

« L'analyse de la révolte conduit au moins au soupçon qu'il y a une nature humaine, comme le pensaient les grecs, et contrairement aux postulats de la pensée contemporaine. Pourquoi se révolter s'il n'y a en soi, rien de permanent à préciser ? »

Albert CAMUS
L'Homme révolté.

L'œuvre de Camus évolue donc vers une morale humaniste* : son second roman *La Peste* (1947), qui se prête à une riche pluralité d'interprétations, nous montre que l'homme peut fonder sa vie sur l'action solidaire contre le mal. Son théâtre reprend le même thème avec *L'Etat de siège* (1948) tandis que *Les Justes* (1949) traitent des limites morales de l'action politique.

Œuvre difficile, *La Chute* (1956) dénonce, sur le mode ironique, tous les pièges de la bonne conscience comme toutes les formes d'oppression qui menacent l'homme.

L'une des figures les plus marquantes de l'après-guerre, Albert Camus est aussi l'auteur d'essais exprimant son amour de la nature méditerranéenne (*Noces* 1938, *L'Eté* 1954) ; ses remarquables articles de *Combat* ont été rassemblés sous le titre d'*Actuelles*.

« Il arrive que les décors s'écroulent. Lever, tramway, quatre heures de travail, repos, sommeil et lundi, mardi, mercredi, jeudi, vendredi et samedi sur le même rythme, cette route se suit aisément la plupart du temps. Un jour seulement le « pourquoi » s'élève et tout commence dans cette lassitude teintée d'écœurement. »

Albert CAMUS
Le Mythe de Sisyphe.

3. LA POÉSIE DEPUIS 1945

Si la poésie ne connaît pas les gros tirages, la création poétique n'a jamais cessé d'être foisonnante au 20e siècle. Après le surréalisme, il n'est plus guère possible de parler d'école poétique : les tendances sont multiples et chaque poète exprime pleinement son originalité. En réservant une mention particulière à Saint-John Perse, nous nous contenterons de situer les principaux auteurs par quelques caractéristiques majeures.

- **SAINT-JOHN PERSE** (1887-1975) a poursuivi une haute et solitaire ambition poétique qui le place à l'écart de tous les courants. Diplomate de carrière, Alexis Saint-Léger n'autorisa, de plus, la publication de ses œuvres en France qu'après la fin de son activité professionnelle et il n'effectua, après 1945, que de courts séjours en notre pays. Il est ainsi, paradoxalement, beaucoup plus connu à l'étranger – il est le poète français contemporain le plus traduit dans le monde – qu'en France même.

Saint-John PERSE.
(Prix Nobel de Littérature en 1960).

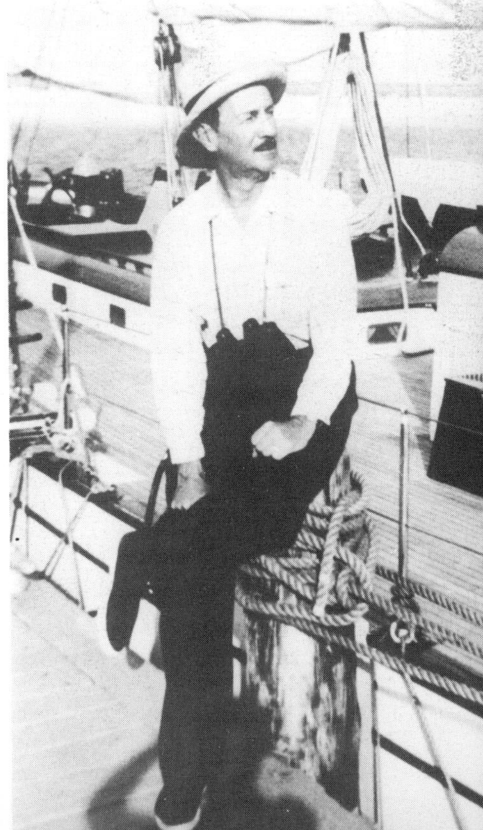

Utilisant un large verset*, qui fait songer au lyrisme de Claudel, Saint-John Perse évoque la nostalgie de son enfance à la Guadeloupe comme des visions épiques et des civilisations disparues. Cette œuvre difficile, aussi riche en mots rares et précieux qu'en images exotiques et colorées, est une exploration sans cesse reprise de la vie intérieure de son créateur.

Parmi les recueils de Saint-John Perse, citons *Eloges* (1911-1948), *Anabase* (1924-1948), *Exil* (1942-1946), *Vents* (1946), *Amers* (1950-53).

- **Dans le prolongement du surréalisme** se situe Henri MICHAUX (1899-1984) ; créateur d'un langage singulier, il est un explorateur de l'inconscient (*L'Espace du dedans* 1944-46), l'humour de ses débuts (*Un certain Plume* 1930) comme ses expériences de création poétique sous l'effet de drogues hallucinogènes (*Façons d'endormi, façons d'éveillé* 1969) semblent autant de moyens de conjurer l'angoisse née d'un monde éprouvé comme hostile. Joë BOUSQUET (1897-1950), paralysé par une blessure en 1918, exprime en de nombreux recueils une grande richesse intérieure (*Le Meneur de lune* 1946, *La Connaissance du soir* 1947). Venu du surréalisme, René CHAR (né en 1907) s'en est éloigné après la Résistance ; son message humaniste s'exprime en une grande densité d'images qui le rend d'un accès difficile (*Fureur et mystère* 1948).

Jean Gabin et Michèle Morgan dans *Quai des brumes* de Marcel Carné (1937).

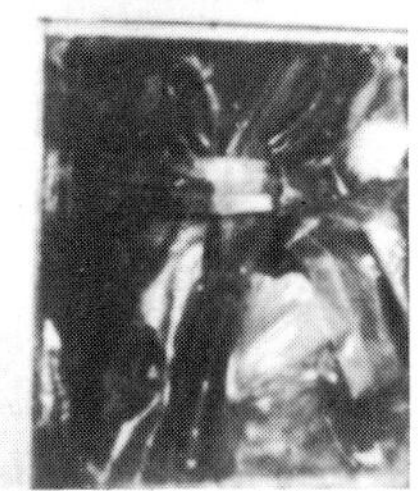

- **Le spiritualisme chrétien** inspire le lyrisme, nourri de thèmes bibliques,de Patrice de LA TOUR DU PIN (1911-1975), comme la poésie très rythmée de Pierre EMMANUEL (1916-1984),des recueils de résistance (*Combats avec tes défenseurs* 1942) aux dernières œuvres (*Jacob* 1970).

- **La poésie du quotidien** est le domaine de Jacques PRÉVERT (1903-1977) qui, d'abord connu comme dialoguiste de films (voir *Drôle de drame, Quai des brumes, Les Enfants du paradis*...), se consacra à la poésie après le succès de son recueil *Paroles* (1946). Anticlérical et antimilitariste, gentiment anarchisant, Prévert se sert des mots les plus simples et son humour utilise le calembour* comme les rapprochements les plus surréalistes. En révolte contre toutes les oppressions, Prévert sait poser sur la nature et les êtres un regard aussi tendre qu'amusé : de là, sans doute, la très grande popularité de ses œuvres (*Spectacle* 1951, *La Pluie et le beau temps* 1955).

Francis PONGE (1899-1988), maître du poème en prose (il invente le néologisme* *proème* !) s'attache à faire jaillir, par la poésie, le mystère de l'objet (*Le Parti pris des choses* 1942, *Pièces* 1962).

4. LES ÉVOLUTIONS DU ROMAN

L'extraordinaire fortune du roman se poursuit après 1945 sous de multiples visages : toutes les traditions – du roman réaliste au roman d'analyse – restent vivantes et nous avons déjà cité de nombreuses œuvres romanesques postérieures à la guerre. Nous nous attacherons simplement ici à quelques œuvres d'une particulière originalité avant de traiter de la remise en question du roman dans les années cinquante.

- **Julien Gracq** (né en 1910) est remarquablement parvenu à intégrer l'héritage du surréalisme à une forme romanesque assez traditionnelle. *Le Château d'Argol* (1938), *Un Beau Ténébreux* (1945), *Le Rivage des Syrtes* (1951), évoquent, en de somptueuses images, des lieux fantastiques où se nouent très lentement – le thème de l'attente est un thème central chez Gracq – des tragédies. Ces cadres étranges sont autant d'allégories* à décrypter dans une œuvre essentiellement consacrée à une méditation sur la destinée humaine.

- **Boris Vian** (1920-1959) surtout connu de son vivant par ses activités de trompettiste, ses romans à scandale signés Vernon Sullivan (*J'irai cracher sur vos tombes* 1946) et des chansons (cf. *Le Déserteur*), fut aussi un romancier dont les œuvres insolites connurent un grand succès après 1960. *L'Ecume des Jours* (1947) présente, sur le mode le plus fantaisiste, la destinée tragique de deux êtres purs, victimes d'un monde cruel qui n'est que la transposition du nôtre. Avec le même humour et les mêmes inventions de langage, Boris Vian continue de traiter de l'amour, de la mort et du destin dans *L'Automne à Pékin, L'Herbe rouge* et *L'Arrache-cœur.*

Boris Vian, J.-L. Barrault, M. Renaud, Gala des Artistes – Avril 1949.

- Le ***Nouveau roman*** est l'appellation retenue pour désigner les œuvres nées, après 1950, d'un refus des structures traditionnelles du roman. Alain Robbe-Grillet (né en 1922) s'en est fait le théoricien dans *Pour un nouveau roman* (1963), il y exprime le rejet :
  - du personnage et de la peinture des caractères fondée sur l'analyse psychologique ;
  - de l'intrigue et de la présentation hiérarchisée des faits qui permet de la construire ;
  - de l'engagement de l'écrivain et de la délivrance d'un message par l'œuvre romanesque.

– **Alain Robbe-Grillet** illustre lui-même le nouveau roman avec *Les Gommes* (1953) : dans cette parodie de roman policier, passé, présent et futur se confondent ; des objets sans intérêt aucun sont longuement et minutieusement décrits ; l'enquêteur semble finalement tuer la victime sur la mort de laquelle il enquêtait... mais l'enchaînement des faits est si complexe que le lecteur a le choix entre plusieurs significations ! Robbe-Grillet reprend ces éléments dans *Le Voyeur* (1955) et *La Jalousie* (1957) mais choisit, après 1961, de s'exprimer par le cinéma (il est le scénariste de *L'Année dernière à Marienbad* d'Alain Resnais).

« Le Nouveau roman : il n'y a là qu'une appellation commode englobant tous ceux qui cherchent de nouvelles formes romanesques, capables d'exprimer (ou de créer) de nouvelles relations entre l'homme et le monde, tous ceux qui sont décidés à inventer le roman, c'est-à-dire à inventer l'homme. »

Alain Robbe-Grillet
Pour un nouveau roman.

– **Michel Butor** (né en 1926) apporte dans ses œuvres la même minutie à la description de lieux clos ou d'objets dérisoires. Dans *La Modification* (1957), le personnage principal est désigné par la deuxième personne du pluriel, ce qui donne au lecteur le sentiment de vivre à sa place : mais, en dehors de cette innovation, *La Modification*, qui connut un large succès, reste un roman d'analyse psychologique.

> « Tout romancier qui ne se contente pas de « restituer le visible » mais cherche à rendre « visible », crée forcément une forme neuve. »
>
> Nathalie SARRAUTE
> *Tel Quel,* 1962.

– **Nathalie SARRAUTE** avec *Le Planétarium* (1959), Marguerite DURAS dont *Moderato Cantabile* (1958) traite le thème de l'incommunicabilité entre les êtres, Claude SIMON – récemment honoré par le prix Nobel de littérature (1986) – avec *La Route des Flandres* (1960) peuvent en dépit de la grande diversité de leurs œuvres être rattachés au Nouveau Roman par leur commun refus des techniques romanesques habituelles.

Très vivement critiqué par certains, le Nouveau Roman peut apparaître comme une impasse littéraire (ce que semble illustrer l'itinéraire de Robbe-Grillet ?) mais il reste qu'il a ouvert la voie à de fécondes interrogations sur un genre plus protéiforme* que jamais !

5. LE THÉÂTRE : TRADITION ET NOUVEAU THÉÂTRE

Réaffirmée dans les années 1930, la vitalité du théâtre se poursuit sans même être atténuée par les années de l'occupation et, malgré la concurrence du cinéma et ultérieurement de la télévision, la production théâtrale reste très importante jusqu'à nos jours.

Le rôle des metteurs en scène est considérable dans la rénovation de la vie théâtrale avec notamment Jean-Louis BARRAULT (fondation de la compagnie Madeleine Renaud – Jean-Louis Barrault en 1946) et Jean VILAR, fondateur du Théâtre National Populaire et du festival d'Avignon qui ont révélé de grandes œuvres à un très vaste public.

Nous avons vu que Sartre et Camus s'étaient exprimés au théâtre ; en dehors de ces pièces à thèse liées à l'existentialisme*, la tradition tragique reste féconde tandis que les années 1950 sont marquées par l'apparition du théâtre de l'absurde.

- **Le théâtre de tradition** est le mode d'expression de nouveaux dramaturges à la tonalité très personnelle :

– **Jean ANOUILH** (1910-1987) commence sa carrière théâtrale dès les années 1930 mais elle s'affirme surtout pendant et après la Seconde Guerre mondiale. Auteur au style très brillant (trop diront certains !), Jean Anouilh passe avec aisance des pièces « *roses* » aux pièces « *noires* » et mélange les tons ; l'ensemble de son œuvre traduit une révolte, parfois désespérée, contre tout ce qui menace en ce monde la pureté des êtres. Citons *Antigone* (1944) dont l'héroïne oppose ses exigences de pureté à la politique réaliste du pouvoir incarné par son oncle Créon et *Becket ou l'honneur de Dieu* (1959).

> « Ceux qui parlent trop souvent de l'humanité ont une curieuse tendance à décimer les hommes. »
>
> Jean ANOUILH
> *Pauvre Bitos.*

– **Henry de MONTHERLANT** (1896-1972) d'abord romancier, se tourne vers le théâtre après 1940. Dans une dramaturgie classique, ses pièces sont surtout « *un prétexte à l'exploration*

de l'homme ». A la recherche d'un idéal de grandeur et de renoncement qui permettrait d'échapper à la médiocrité contemporaine, Montherlant traite surtout des conflits du pouvoir ou nous présente des personnages en quête d'absolu. Ses principales œuvres sont sans doute *La Reine morte* (1942), *Le Maître de Santiago* (1948), *Port-Royal* (1954).

• **Le Nouveau Théâtre**, né sur les scènes de petits théâtres parisiens (La Huchette, Le Théâtre de Poche...), représente dans les années 1950 une remise en cause semblable à celle du Nouveau Roman ; s'inspirant des idées d'Antonin Artaud, les auteurs rejettent :

- **l'intrigue,** en excluant toute action continue et logique ;
- **la psychologie,** les personnages ne sont plus des « caractères » mais des êtres grotesques et vides ;
- **le langage,** tourné en dérision et impuissant à permettre aux hommes de communiquer entre eux.

Ainsi placé sous le signe de l'absurdité, ce Nouveau Théâtre est illustré par :

– **Eugène Ionesco** (né en 1912) dont *La Cantatrice chauve* (1949), « *anti-pièce* » comme l'indique son sous-titre, parodie le théâtre traditionnel et fait éclater les automatismes du langage. Exploration psychanalytique de l'inconscient et géniale dénonciation des pièges des mots (*La Leçon* 1951 ; *Les Chaises* 1952), son théâtre tourne le dos à tout réalisme et multiplie les enchaînements absurdes. Avec *Rhinocéros* (1959), Ionesco – opposé dans ses œuvres théoriques à tout engagement du dramaturge – évolue cependant vers une satire de toutes les formes de totalitarisme* susceptibles de menacer l'individu, tandis que *Le Roi se meurt* (1962) est une réflexion sur l'homme face à la mort.

« Le théâtre est pour moi la projection sur une scène du monde du dedans : c'est dans mes rêves, dans mes angoisses, dans mes désirs obscurs, dans mes contradictions intérieures que, pour ma part, je me réserve le droit de prendre cette matière théâtrale. »

Eugène IONESCO
Notes et contre-notes
(1962).

Jean-Louis Barrault et Dominique Santarelli dans *Rhinocéros* de Eugène IONESCO – 1978.

– **Samuel Beckett** (né en 1906) dont les pièces poussent jusqu'à sa limite extrême le théâtre de l'absurde. Des personnages solitaires, égarés, en proie à un total vide intérieur, tels sont les protagonistes clownesques d'*En attendant Godot* (1953). Si, chez Beckett l'action se réduit à une vaine attente, les personnages deviennent même immobiles : dans *Fin de partie* (1957), ils sont enfouis dans des poubelles et enterrés vivants dans *Oh ! Les beaux jours* (1963) !

– **Arthur Adamov** (1908-1970) qui illustre l'absurdité d'un monde angoissant (*Tous contre tous* 1953) avant d'évoluer vers un théâtre engagé ; Jean Genêt (1910-1986) aux pièces difficiles, provocantes et controversées (*Les Bonnes* 1947) tandis que François Billetdoux (né en 1927) et Jacques Audiberti (1899-1965) partent de la vision absurde du monde pour créer un théâtre où règne la fantaisie (Audiberti, *Le Mal court* 1947 ; Billetdoux, *Va donc chez Torpe* 1963).

PERSPECTIVES CONTEMPORAINES

Prétendre donner, en quelques lignes, une présentation des multiples productions littéraires de ces dernières décennies est, à l'évidence, impossible. Tel n'est donc pas ici notre propos : après avoir évoqué le contexte dans lequel s'insère aujourd'hui la littérature – mais peut-être vaudrait-il mieux parler des littératures ! – nous signalerons quelques caractéristiques récentes de l'évolution des genres et mentionnerons quelques œuvres plus marquantes.

1. LITTÉRATURES POUR UN MONDE EN CRISE

– **Crises et incertitudes :** si les années 1960 ont été économiquement heureuses, la société de consommation ne s'est cependant pas développée sans engendrer malaises et insatisfactions ce que traduit notamment la révolte étudiante de mai-juin 1968. Mais la décennie suivante voit réapparaître des préoccupations que la croissance économique ininterrompue d'après-guerre avait fait oublier : un nouveau paysage de crise s'installe tandis que le chômage s'étend en France comme dans l'ensemble des pays industrialisés.

La paix mondiale, fondée sur *l'équilibre de la terreur* qu'instaurent les arsenaux nucléaires des super-puissances, semble toujours fragile ; crises internationales et conflits localisés se succèdent (guerre du Vietnam, conflits du Moyen-Orient...). Dans un monde où des centaines de millions d'hommes connaissent encore la faim et où les démocraties sont minoritaires, les problèmes du sous-développement et les atteintes aux droits de l'homme interpellent nos consciences.

Le *salon du livre* en 1987.

- **media et édition :** si les moyens de communication de masse jouent désormais un rôle dominant, jamais autant de livres n'ont été imprimés et vendus en France (300 millions de livres vendus par an, 200 titres nouveaux en compétition pour les prix littéraires chaque année !). Les relations entre la télévision, la radio, le cinéma et la lecture sont d'ailleurs complexes : si un temps considérable est consacré à consommer passivement des émissions de pur divertissement et si un Français sur trois ne lit pratiquement jamais, magazines et émissions spécialisées (*Le Masque et la plume* à la radio, *Apostrophes* à la télévision) développent une large information littéraire.

La caractéristique majeure est l'hétérogénéité des publics qui pose le problème de la définition même de la littérature.

- **littérature et littératures :** une littérature de masse aux finalités commerciales abreuve un très large public d'œuvres

stéréotypées dont les *romans à l'eau de rose* de Delly, la collection Harlequin, les œuvres de Guy Des Cars ou les multiples séries policières ou de science-fiction sont autant d'exemples divers. Les classes moyennes assurent d'autre part le succès de romanciers au mode d'expression traditionnel (Henry Troyat, Bernard Clavel, François Nourrissier, simplement cités ici à titre d'exemples).

Les recherches des avant-gardes littéraires ne sont connues que de milieux très restreints et le talent des écrivains les plus originaux n'est souvent reconnu que longtemps après la parution de leurs premières œuvres.

2. THÉÂTRE, POÉSIE ET ROMAN

- **Le théâtre** ne présente pas, après la révolution du théâtre de l'absurde, d'évolution nettement identifiable. Des metteurs en scène de talent offrent des relectures du répertoire classique (Chéreau, Vitez, Planchon avec notamment *Tartuffe* en 1976) tandis que se développe la recherche de nouveaux espaces scéniques (Ariane Mnouchkine et le *Théâtre du Soleil*). Armand Gatti (né en 1924) affirme une conception éclatée de la mise en scène et fonde ses pièces sur une juxtaposition d'éléments spatiaux et temporels.

- **La poésie** reste très vivante même si son audience est limitée. Certains préconisent des ruptures radicales, non sans fantaisie parfois, ainsi Isidore Isou (né en 1925) et le ***lettrisme*** qui détruisent la syntaxe et le vocabulaire pour ne retenir comme élément essentiel du poème que la lettre ou Pierre Garnier et le spatialisme. Mais les thèmes habituels de la poésie s'expriment en des formes diverses avec la mystique* de la nature de Philippe Jaccotet (né en 1925, *Airs* 1971, *A travers un verger* 1974), le réalisme quotidien du poète breton Eugène Guillevic (né en 1907) ou les réflexions sur le langage de Michel Deguy (*Biefs* 1964).

Des chanteurs compositeurs comme Georges Brassens, Jacques Brel, Léo Ferré ou Guy Béart permettent, d'autre part, de réunir chanson et poésie et leurs textes sont sans doute la manifestation la plus connue des poètes d'aujourd'hui (voir la collection *Poésie et chanson* aux éditions Seghers).

Cf. Organibac II ➤ p. 291-296.

- **Le roman** cultivé par de très nombreux auteurs peut :

- prendre en compte les problèmes du temps présent : la condition des travailleurs à la chaîne et le racisme dans *Elise ou la vraie vie* de Claire Etcherelli (1967), les difficultés de la jeunesse des banlieues ouvrières avec *Les Petits Enfants du siècle* (1961) de Christiane Rochefort ;
- exprimer, en particulier, par la plume de nombreuses romancières les aspirations du féminisme : voir l'œuvre de Benoîte Groult, *Ainsi soit-elle*.

Le CLEZIO à « Apostrophes ».

- traduire, avec l'œuvre très personnelle de Jean-Marie Gustave Le Clézio, la confrontation de l'homme moderne et des contraintes de sa propre civilisation ainsi que la prise de conscience de sa solitude (*Le Procès Verbal* 1966, *Les Géants* 1973, *Désert* 1980) ou encore, évoquer l'angoisse d'une vie vécue dans le tumulte des choses et l'indifférence des autres (Georges Pérec 1936 – 1982 : *Les Choses* 1965).
- reprendre, avec Michel Tournier (né en 1924), des légendes et mythes anciens pour développer une réflexion philosophique originale sur le monde contemporain (*Vendredi ou les limbes du Pacifique* 1967, *Le Roi des Aulnes* 1970).

3. VITALITÉ DE LA CRITIQUE LITTÉRAIRE

Le développement des sciences humaines (psychanalyse, sociologie, linguistique) met au service de la critique littéraire de nouveaux moyens d'investigation qui expliquent le renouveau et la vitalité de celle-ci. Abandonnant l'éclairage traditionnel de l'œuvre par des éléments extérieurs (l'étude de la biographie), la critique se fait structurale : l'œuvre est saisie, en elle-même, comme un objet clos, un système de rapports et de correspondances dont il faut faire apparaître les structures fondamentales.

Ces nouveaux systèmes critiques sont nombreux et divers :

- **les travaux de Gilbert Durand** sur les structures de l'imaginaire (*Structures anthropologiques de l'imaginaire* 1969) venant après les recherches de Gaston Bachelard sur le rêve et l'imagination (*La Psychanalyse du feu* 1938, *L'Eau et les Rêves* 1942) :
- **la critique thématique de Jean-Pierre Richard** qui s'efforce, par l'analyse d'une œuvre particulière, de dégager les thèmes personnels de l'écrivain qui en sous-tendent la structure (*L'Univers imaginaire de Mallarmé* 1962 ; *Proust et le monde sensible* 1974).
- **la psychocritique de Charles Mauron** qui, s'inspirant de la psychanalyse freudienne, recherche, par les réseaux associatifs de l'œuvre, un contenu latent lié à la personnalité inconsciente de l'écrivain.
- **la sociologie génétique de Lucien Goldmann** qui s'efforce d'analyser, dans une perspective marxiste, les rapports entre les structures d'une œuvre et la vision du monde caractéristique du groupe social auquel appartenait son auteur (*Pour une sociologie du roman* 1964) ;
- **les travaux de Roland Barthes** (1915-1980) qui s'attache à décrire le fonctionnement des codes, des symboles, des mythes qui alimentent des œuvres littéraires comme les énoncés les plus triviaux ou les messages médiatiques (*Mythologies*).

Ai-je bien lu ce chapitre ?

☐ L'histoire

1) L'affaire Dreyfus se situe de :
   - a 1905 à 1914
   - b 1899 à 1906
   - c 1902 à 1905
   - d 1918 à 1929

2) La guerre d'Espagne commence en :
   - a 1939
   - b 1933
   - c 1936
   - d 1938

3) La conférence de Yalta a lieu en :
   - a 1919
   - b 1938
   - c 1954
   - d 1945

4) La guerre d'Algérie se situe :
   - a de 1954 à 1962
   - b de 1947 à 1954
   - c de 1958 à 1962
   - d de 1956 à 1959

5) Les années soixante se caractérisent par (plusieurs réponses possibles) :
   - a de grosses difficultés économiques
   - b une forte croissance
   - c l'affirmation de la société de consommation
   - d une expansion coloniale
   - e le malaise de la jeunesse
   - f une intense guerre froide

☐ Les mouvements littéraires ou spirituels

1) L'unanimisme est défini par :
   - a Arthur Adamov
   - b Guillaume Apollinaire
   - c Jules Romains
   - d Paul Eluard

2) L'auteur du Manifeste du surréalisme est :
   - a Eugène Ionesco
   - b André Breton
   - c Robert Desnos
   - d Louis Aragon

3) Le principal théoricien du « nouveau roman » est :
   - a Michel Butor
   - b Boris Vian
   - c Alain Robbe-Grillet
   - d Simone de Beauvoir

4) L'existentialisme est influencé par la philosophie de :
   - a Heidegger
   - b Bergson
   - c Freud
   - d Hegel

5) La création de cycles romanesques caractérise l'œuvre de (plusieurs réponses possibles) :
   - a Jules Romains
   - b Albert Camus
   - c Romain Rolland
   - d André Gide
   - e Charles Péguy
   - f Roger Martin-du-Gard

☐ Les auteurs et leurs œuvres

1) L'auteur de Jean Christophe est :
   - a Jules Romains
   - b Georges Duhamel
   - c Romain Rolland
   - d François Mauriac

2) Le créateur du personnage d'Ubu est :
   - a Tristan Bernard
   - b Samuel Beckett
   - c Jean Giraudoux
   - d Alfred Jarry

3) Thérèse Desqueyroux est une œuvre de :
   - a Georges Bernanos
   - b Jean Giono
   - c François Mauriac
   - d Louis Aragon

4) L'auteur de La Jeune Parque est :
   - a Paul Valéry
   - b André Breton
   - c Jules Supervielle
   - d Saint-John Perse

5) Parmi ces œuvres lesquelles ne sont pas de Jean-Paul Sartre ?
   - a Huis Clos
   - b Caligula
   - c Les Mouches
   - d L'Etre et le Néant
   - e Le Mythe de Sisyphe
   - f Les Mots

L'HISTOIRE
1) b 2) c 3) d 4) a
5) b, c, e

LES MOUVEMENTS LITTÉRAIRES OU SPIRITUELS
1) c 2) b 3) c 4) a
5) a, c, f

LES AUTEURS ET LEURS OEUVRES
1) c 2) d 3) c 4) a 5) b, e

Gérard PHILIPE dans *Le Cid* au TNP en 1951.

2e PARTIE LES GENRES LITTÉRAIRES

A propos de la notion de genre

S'il est une notion qui peut paraître désuète et dépassée, c'est bien celle de *« genre littéraire »*. Les écoles du siècle dernier, aussi bien que les gros bataillons de la critique moderne ont depuis longtemps donné l'assaut à la forteresse de l'idéal classique, et à la classification, qui se voulait rationnelle* et intemporelle, des grands et petits genres de la boutique littéraire.

Genre : idée générale d'un groupe d'êtres ou d'objets présentant des caractères communs.

Dic. ROBERT

Néanmoins, en dépit des incertitudes qui entourent désormais le concept même de ***« genre littéraire »,*** il apparaît nécessaire de s'y reconnaître et d'admettre, au moins provisoirement, quelques éléments d'analyse et de classification.

Pour ce faire, nous aurons recours aussi bien à l'histoire qu'à l'étymologie* et à la sémantique*. Nous utiliserons aussi, fort pragmatiquement, les critères suivants :

ORGANIBAC I
pages 49/50
pages 190/196

- **la forme** : un texte peut être en prose ou en vers (de différents mètres*) et, s'il est versifié, correspondre à des structures codifiées par le temps telles le sonnet*, la ballade*, le pantoum*...).
- **le ton** : un texte peut être de tonalité épique*, satirique, élégiaque*, discursif*..., il peut aussi mêler divers tons et registres... tel le drame romantique.
- **l'intention** : un texte traduit, explicitement ou non, les finalités poursuivies par l'auteur qui peut vouloir narrer, émouvoir, enseigner, plaire...

L'association de ces trois critères pouvait – tout au moins au 17e siècle – asseoir la définition d'un genre. Illustrons notre propos.

Exemple : La ***tragi-comédie***
Modèle : *Le Cid* de CORNEILLE 1936
Définition : *Pièce de théâtre dont les principaux personnages sont des princes, caractérisée par des accidents graves et funestes mais dont la fin est fort heureuse, encore qu'il n'y ait rien de comique qui y soit mêlé.*

D'après DESMARETS de SAINT-SORLIN

Les trois critères se combinent et s'associent ainsi :

- **Forme** : personnages nobles donc pièce en vers.
- **Ton** : sérieux (puisqu'il n'y a rien de comique) soit dramatique, soit pathétique*.
- **Intention** : émouvoir et distraire.

De nos jours, les frontières entre des genres, autrefois bien distincts (tels la comédie, la tragédie, la tragi-comédie) sont bien moins nettes, voire inexistantes. Il reste cependant qu'il est utile de connaître, dans une perspective historique, les classifications antérieures et de s'interroger sur celles du présent.

LES GENS QUI AIMENT NE DOUTENT DE RIEN OU DOUTENT DE TOUT. CE N'EST PAS VOTRE LOT...

DE L'HISTOIRE DU GENRE ROMANESQUE ?
1b 2a 3b 4d 5b

DE LA DÉFINITION DU GENRE ROMANESQUE ?
1d 2d 3b 4d 5b

DE QUELQUES GRANDS ROMANCIERS ?
1c 2d 3b 4c 5c

Que sais-je du roman ?

☐ De l'histoire du genre romanesque ?

1) le roman est apparu au :
   a au 16ᵉ
   b au Moyen Age
   c fin 17ᵉ
   d début 19ᵉ
2) à l'origine le roman était écrit en :
   a vers
   b prose
   c prose poétique
   d versets
3) le roman était considéré comme un genre mineur par le :
   a romantisme
   b classicisme
   c naturalisme
   d préciosité
4) le roman naturaliste est apparu :
   a fin 18ᵉ
   b début 19ᵉ
   c milieu 20ᵉ
   d fin 19ᵉ
5) le nouveau roman est apparu durant la :
   a 2ᵉ moitié du 19ᵉ
   b 2ᵉ moitié du 20ᵉ
   c fin du 17ᵉ
   d fin du 18ᵉ

☐ De la définition du genre romanesque ?

1) le roman se différencie de l'histoire par :
   a son souci de vérité
   b ses personnages
   c sa dimension
   d sa part d'imaginaire
2) le roman se différencie de la nouvelle par :
   a son style
   b sa vraisemblance
   c sa structure
   d sa longueur
3) un roman épistolaire est un roman :
   a en vers
   b par lettres
   c comique
   d historique
4) un roman picaresque est caractérisé par :
   a son style
   b ses intentions moralisatrices
   c son époque
   d son personnage principal
5) un roman didactique est un roman :
   a qui cherche à plaire
   b qui cherche à enseigner agréablement
   c qui raconte des histoires vraies
   d qui évoque l'antiquité

☐ De quelques grands romanciers ?

1) l'auteur de La Comédie humaine est :
   a E. Zola
   b V. Hugo
   c H. de Balzac
   d M. Proust
2) l'auteur de A la recherche du temps perdu est :
   a J. Vallès
   b Maupassant
   c R.M. du Gard
   d M. Proust
3) l'auteur des Rougon Macquart est :
   a G. Flaubert
   b E. Zola
   c M. Barrès
   d A. de Musset
4) l'auteur des Thibault est :
   a G. Duhamel
   b B. Vian
   c R. M. du Gard
   d Stendhal
5) l'auteur des Chemins de la liberté est :
   a C. Simon
   b R. Radiguet
   c J. P. Sartre
   d A. Camus

Eh, Monsieur, un roman est miroir qui se promène sur une grande route. Tantôt il reflète à nos yeux l'azur des cieux, tantôt la fange des bourbiers de la route…

STENDHAL
Le Rouge et le Noir Ch$_{19}$

LE ROMAN

La très – trop – célèbre citation d'Henri BEYLE que nous avons mise en exergue* explique sans doute la fortune exceptionnelle d'un genre qui se prête à toutes les intentions, se plie à toutes les métamorphoses. Ce genre caméléon a pu épouser les mutations de l'histoire et l'infinie diversité de la vie peut ainsi se mirer dans la diversité infinie du ROMAN.

GENÈSE D'UN GENRE

Un peu de sémantique* et beaucoup d'histoire sont d'abord nécessaires pour éclairer les multiples acceptions* du terme ***roman.***

1. SENS LINGUISTIQUE

Le ***roman*** désigne à l'origine la *langue vulgaire* – c'est-à-dire parlée par le peuple – langue dérivée du latin populaire par opposition au latin classique, langue savante utilisée par les clercs*. D'où le verbe *romancier* qui a signifié primitivement traduire un texte latin en français puis raconter en français. Nos modernes romanciers font-ils autre chose ?

2. SENS ESTHÉTIQUE

L'art ***roman*** a premièrement désigné l'art romain, considéré comme dégénéré, du début du Moyen Age. Depuis 1818, on applique le terme **« roman »** à l'architecture de la fin du 8ᵉ siècle jusqu'au début du gothique, architecture caractérisée par la voûte romane.

Eglise de la Madeleine, Vezelay.

3. SENS LITTÉRAIRE

Celui-ci a sensiblement évolué ; un « survol » historique du ***roman*** s'impose donc.

- **Du Moyen Age :** le roman apparaît comme une des formes de la littérature courtoise* (cf. aussi p. 180). Il naît au 12ᵉ siècle dans une société plus pacifique et plus raffinée où est sensible l'influence des femmes, désireuses de trouver à la fois dans cette forme nouvelle un idéal de vie et l'occasion d'un rêve. Nos premiers romans, tels *Les Lais* de Marie de FRANCE ou les *Tristan et Iseut* de BÉROUL et THOMAS naissent à la cour d'Aliénor d'Aquitaine, épouse du roi d'Angleterre Henri II Plantagenet.

– **Le roman se distingue de la chanson de geste par :**

- *la forme :* alors que la chanson de geste – faite pour être chantée – était composée de laisses « assonancées » de décasyllabes, le roman – fait pour être lu – est un récit en vers, des octosyllabes à rimes plates le plus souvent ;
- *la matière première :* alors que la chanson de geste exalte les hauts faits guerriers, le roman célèbre le goût de l'aventure, laisse une place au merveilleux (cf. Chrétien de Troyes) et exalte le rôle de l'amour.

– **Les romans se différencient selon leurs origines ;** on distingue ainsi :

• *les romans antiques,* récits d'inspiration antique où dominent, sans souci de la véracité historique, les aventures fabuleuses ou galantes ; citons, entre autres, le *Roman d'Alexandre* (12e siècle) remanié ultérieurement en dodécasyllabes (vers de 12 pieds d'où le nom alexandrin), le *Roman de Thèbes* (vers 1150) et le *Roman de Troie* (vers 1165) ;

• *les romans celtiques* puisant leur inspiration dans la matière de Bretagne et sa mythologie (chevaliers de la Table Ronde... Quête du Graal). A retenir quelques chefs-d'œuvre :

Tristan et Iseut, expression du mythe de l'amour fatal par BÉROUL (1160) et THOMAS (1170) ;

Le Chevalier à la charrette (Lancelot), Perceval de Chrétien de TROYES qui fournit matière à de nombreux continuateurs...

• *les romans orientaux* désormais oubliés mais fort répandus à l'époque.

– **Le roman évoluera ensuite dans diverses directions :**

• le roman suscite la parodie animalière avec en particulier le *Roman de Renart* (1175-1250) ;

• vers le 14e siècle apparaît le roman en prose plus adapté au goût du temps.

• **Durant la Renaissance :** le roman connaît une faveur certaine et se diversifie :

– il se prête à toutes les fantaisies de l'imagination dans l'œuvre de RABELAIS, *Pantagruel,* 1532 / *Gargantua,* 1534 / *Tiers Livre* / *Quart Livre...*) ;

– il s'enrichit de l'influence italienne avec *L'Heptaméron** de Marguerite de NAVARRE, œuvre inspirée par le *Décameron** de BOCCACE.

HISTOIRE D'UN GENRE

1. LE ROMAN AU 17e SIÈCLE

Si nous faisons commencer l'histoire véritable du roman au 17e siècle, c'est qu'à cette époque le genre se précise et prend sa signification actuelle. Les influences étrangères, espagnole et italienne notamment, contribuent à l'irrésistible essor de ce genre protéiforme. Les deux grands courants du siècle contribuent chacun à la création de formes nouvelles.

Entre 1600 et 1610 paraissent, par exemple, soixante romans.

• **Le courant baroque** favorise un essor sans précédent du roman, souvent considéré comme une épopée en prose. De cette abondante production on retiendra :

« Le roman est un poème en prose. »
BOILEAU
Lettre à C. PERRAULT

– le **roman sentimental** et **pastoral,** où des bergers conventionnels et raffinés se consacrent à l'amour. Le modèle en est *l'Astrée*, roman fleuve de 5 000 pages (1607-1627) d'Honoré d'URFE ;

– le **roman héroïque,** roman fleuve riche en aventures et en rebondissements, tel le *Grand Cyrus* (1653) de Mlle de SCUDÉRY où l'on trouve la fameuse Carte du Tendre ;

– le **roman parodique** qui prend le contrepied des clichés précieux et s'inspire des romans picaresques* espagnols, tel le *Roman comique* (1651-57) de Paul SCARRON ou le *Francion* (1623) de Charles SOREL.

L'Astrée : Celadon se jetant dans le fleuve.

• **Le courant classique** élabore en dépit des préventions de son théoricien BOILEAU qui le considère comme un art mineur :

Dans un roman frivole aisément tout s'excuse ;
C'est assez qu'en courant la fiction nous amuse...
Art Poétique III 119-20 :

– le roman **d'analyse psychologique** avec *La Princesse de Clèves* (1678) de Mme de LA FAYETTE, qui se caractérise par le souci de la vraisemblance, une simplicité du ton et du lexique, le recours à un arrière-plan historique réaliste ;

– le roman **didactique*** avec le *Télémaque* (1699) de FÉNELON que son auteur qualifiait de « narration fabuleuse en forme de poème héroïque comme ceux d'Homère et de Virgile ».

2. AU 18e SIÈCLE

Durant le siècle des lumières, le roman continue son ascension (ascension que l'on peut mettre en parallèle avec celle de la bourgeoisie) bien qu'il soit toujours aussi peu considéré par les doctes et par les gens de goût. C'est pourquoi, pour ne pas apparaître comme une fiction, on l'intitule souvent **Mémoires, Lettres, Histoire...** (On a ainsi dénombré, entre 1700 et 1750, plus de 250 romans ainsi libellés...)

C'est aussi pourquoi la technique romanesque s'assouplit et se diversifie (cf. les œuvres romanesques de Diderot). Le plus souvent, par ailleurs, le souci moralisateur est présent :

> *Les personnes de bon sens ne regarderont point un ouvrage de cette nature comme un ouvrage inutile. Outre le plaisir d'une lecture agréable, on y trouvera peu d'événements qui ne puissent servir à l'instruction des mœurs ; et c'est rendre, à mon avis, un service considérable au public que de l'instruire en l'amusant...*
>
> *L'ouvrage entier est un traité de morale, réduit agréablement en exercice.*
>
> *Avis de l'abbé Prévost, auteur des Mémoires d'un homme de qualité*

- le roman **épistolaire*** (par lettres) permettant la pluralité des perspectives et la diversité des intentions avec :
  - *Les Lettres persanes* (1721) de MONTESQUIEU,
  - *La Nouvelle Héloïse* (1761) de J.-J. ROUSSEAU,
  - *Les Liaisons dangereuses* (1782) de CHODERLOS DE LACLOS.
- Le roman **picaresque*,** d'inspiration espagnole, qui est déjà un roman de mœurs et un roman d'éducation tel le *Gil Blas de Santillane* (1705-35) de LE SAGE ou *le Paysan parvenu* (1734-35) de MARIVAUX ;

Picaro : aventurier de naissance obscure, sans scrupules, amené à fréquenter tour à tour toutes les couches de la société.

- le **roman** ou **conte philosophique,** en particulier, illustré par VOLTAIRE avec *Micromegas* (1752), *Zadig* (1747), *Candide* (1759), *L'Ingénu* (1767) ;
- le **roman sentimental** centré autour d'une intrigue amoureuse qui en est l'objet principal dont le modèle est *Manon Lescaut* (1731) de l'Abbé PRÉVOST.

3. AU 19e SIÈCLE

Le roman connaît son âge d'or et s'impose comme genre dominant. Son histoire vous est sans doute plus connue ainsi que quelques œuvres capitales de cette époque que vous avez eu l'occasion de lire ou d'étudier (telles celles de BALZAC, STENDHAL, FLAUBERT, HUGO, MAUPASSANT, ZOLA...). Notre propos sera plus discursif* en conséquence. Nous soulignerons :

Le Roman depuis la Révolution
par Michel RAIMOND
A. COLIN
coll. U

- **les raisons d'une hégémonie*** à savoir :
  - **le rôle de la presse :** l'élargissement du public est dû aussi à la presse qui devient quotidienne à dater de 1830 et aux critiques qui font et défont les gloires du moment (cf. *Les Illusions Perdues* (1837-39) de BALZAC, *Bel Ami* (1885) de MAUPASSANT). En outre le feuilleton contribue à la notoriété de nombreux écrivains ;
  - **le rôle du public** (élargi grâce au progrès de l'éducation) qui cherche dans le roman et l'évasion et l'image de sa destinée ;
  - **le rôle de quelques grands novateurs** comme BALZAC et sa création démiurgique*, qui entend *« faire concurrence à l'état civil »* et être le *« secrétaire... de la société française »*.

De l'*Avant-propos* de la *Comédie Humaine* nous vous proposons cet extrait significatif à méditer.

> *Le hasard est le plus grand romancier du monde : pour être fécond, il n'y a qu'à l'étudier. La Société française allait être l'historien, je ne devais être que le secrétaire. En dressant l'inventaire des vices et des vertus, en rassemblant les principaux faits des passions, en peignant les caractères, en choisissant les événements principaux de la Société, en composant des types par la réunion des traits de plusieurs caractères homogènes, peut-être pouvais-je arriver à écrire l'histoire oubliée par tant d'historiens, celle des mœurs. Avec beaucoup de patience et de courage, je réalisais, sur la France, au XIXe siècle, ce livre que nous regrettons tous, que Rome, Athènes, Tyr, Memphis, la Perse, l'Inde, ne nous ont malheureusement pas laissé sur leurs civilisations. (...).*

Illustration des *Mystères de Paris* d'Eugène Sue.

- **la polymorphie du genre romanesque** qui s'investit aussi bien dans :

– le **roman historique,** roman romantique par excellence tels :
- *Cinq-Mars* (1826) d'Alfred DE VIGNY
- *Notre-Dame de Paris* (1831) de Victor HUGO
- les *Chouans* (1829) de BALZAC,

– le **roman de mœurs** qui dépeint la société du temps, soit la plupart des œuvres romanesques de BALZAC, FLAUBERT ou ZOLA,

– le **roman d'analyse psychologique,** souvent à caractère autobiographique, tels :
- *Oberman* de SENANCOUR (1804)
- *René* de CHATEAUBRIAND (1802)
- *Dominique* de FROMENTIN (1862),

– le **roman fantastique** amorcé par BALZAC (*La Peau de chagrin,* 1831) poursuivi par MÉRIMÉE (*La Vénus d'Ille,* 1837) et par MAUPASSANT (*Le Horla,* 1887).

- **La théorie du roman** se cherche et s'affirme, selon les écoles et les tempéraments aussi bien dans :

– l'avant-propos de la *Comédie Humaine* de BALZAC (cf. supra),

– la préface de *Pierre et Jean* de MAUPASSANT (cf. ORGANIBAC II, p. 251-2),

– la correspondance fort instructive de FLAUBERT,

– le *Roman expérimental* de ZOLA (1880) dont nous vous proposons un extrait représentatif.

Eh bien ! en revenant au roman, nous voyons également que le romancier est fait d'un observateur et d'un expérimentateur. L'observateur chez lui donne les faits tels qu'il les a observés, pose le point de départ, établit le terrain solide sur lequel vont marcher les personnages et se développer les phénomènes. Puis, l'expérimentateur paraît et institue l'expérience, je veux dire fait mouvoir les personnages dans une histoire particulière, pour y montrer que la succession des faits y sera telle que l'exige le déterminisme des phénomènes mis à l'étude. C'est presque toujours ici une expérience « pour voir », comme l'appelle Claude Bernard. Le romancier part à la recherche d'une vérité. (...) En somme, toute l'opération consiste à prendre les faits dans la nature, puis à étudier le mécanisme des faits, en agissant sur eux par les modifications des circonstances et des milieux, sans jamais s'écarter des lois de la nature. Au bout, il y a la connaissance de l'homme, la connaissance scientifique, dans son action individuelle et sociale.

Sans doute, nous sommes loin ici des certitudes de la chimie et même de la physiologie. Nous ne connaissons point encore les réactifs qui décomposent les passions et qui permettent de les analyser. Souvent, dans cette étude, je rappellerai ainsi que le roman expérimental est plus jeune que la médecine expérimentale, laquelle pourtant est à peine née. Mais je n'entends pas contester les résultats acquis, je désire simplement exposer clairement une méthode. Si le romancier expérimental marche encore à tâtons dans la plus obscure et la plus complexe des sciences, cela n'empêche pas cette science d'exister. Il est indéniable que le roman naturaliste, tel que nous le comprenons à cette heure, est une expérience véritable que le romancier fait sur l'homme, en s'aidant de l'observation. (...)

Je résume notre rôle de moralistes expérimentateurs. Nous montrons le mécanisme du futile et du nuisible. Nous dégageons le déterminisme des phénomènes humains et sociaux pour qu'on puisse un jour dominer et diriger ces phénomènes. En un mot, nous travaillons avec tout le siècle à la grande œuvre qui est la conquête de la nature, la puissance de l'homme décuplée. Et voyez à côté de la nôtre, la besogne des écrivains idéalistes, qui s'appuient sur l'irrationnel et le surnaturel, et dont chaque élan est suivi d'une chute profonde dans le chaos métaphysique. C'est nous qui avons la force, c'est nous qui avons la morale.

le Roman expérimental *1880.*

4. AU 20e SIÈCLE

Il est loisible d'écrire le « *roman du roman* » tant l'aventure de ce genre est féconde... mais ce serait bien long pour notre court volume. Aussi nous nous limiterons aux constats suivants qu'il vous appartient d'approfondir et d'étoffer :

- **les voies de l'approfondissement** ont été suivies par plus d'un et les réussites sont à cet égard nombreuses :
  - dans le **roman fleuve** en particulier qui entend retracer et recréer toute une époque, citons *Les Thibault* (1922-1940) de Roger-Martin DU GARD, *Les Hommes de bonne volonté* (1932-1947) de Jules ROMAINS ;
  - dans le **roman d'aventure** avec SAINT-EXUPÉRY, MALRAUX,
  - dans le **roman d'analyse** avec RADIGUET, J. GREEN, F. MAURIAC et bien d'autres.
- **Les voies nouvelles** d'une véritable **métamorphose du genre** sont celles qui sont ouvertes par :
  - Marcel PROUST avec *A la recherche du temps perdu* (dont il faudrait connaître pour le moins quelques pages d'*Un amour de Swann* et du *Temps retrouvé*).
  - André GIDE avec les *Faux- Monnayeurs* (1928), roman d'un roman...
  - Et bien d'autres : Jean-Paul SARTRE, *La Nausée* (1938), *Les Chemins de la liberté (le Sursis)*, Albert CAMUS, *L'Etranger* (1942) pour aboutir aux tentatives attachantes ou déroutantes du Nouveau Roman (Michel BUTOR, Alain ROBBE-GRILLET, Nathalie SARRAUTE, Claude SIMON (Prix Nobel de Littérature 1985).

« Le nouveau roman ... englobant ... tous ceux qui sont décidés à inventer le roman, c'est-à-dire à inventer l'homme. »

Pour un nouveau roman
Alain ROBBE-GRILLET

Ce qui caractérise ces tentatives c'est qu'elles n'offrent plus « *une réalité totalement et immédiatement intelligible* » (R. M. Albéres) à la fois par une modification de l'architecture romanesque (voir plus loin l'essai de classification) et par une modification de la vision des choses et des êtres (utilisation du monologue intérieur par exemple).

ESSAI DE DÉFINITION

MAUPASSANT soulignait dans la Préface de *Pierre et Jean* sus citée que prétendre définir le ***roman,*** c'était faire preuve d'une perspicacité qui ressemble fort à de l'incompétence !

« Ce qui est menti dans le roman est l'ombre sans quoi vous ne verriez pas la lumière. »

ARAGON
Préface des *Cloches de Bâle*

1. LES DÉFINITIONS DU DICTIONNAIRE

Elles valent ce qu'elles valent mais méritent d'être citées :

- **Dictionnaire Robert :** "œuvre d'imagination en prose assez longue, qui présente et fait vivre dans un milieu des personnages donnés comme réels, nous fait connaître leur psychologie, leur destin, leurs aventures..."

- **Grand dictionnaire encyclopédique Larousse :** "œuvre d'imagination constituée par un récit en prose d'une certaine longueur, dont l'intérêt est dans la narration d'aventures, l'étude des mœurs ou de caractères, l'analyse de sentiments ou de passions, la représentation du réel ou de diverses données objectives ou subjectives."

➤ A vous de les comparer et d'en trouver d'autres !

2. LES DÉFINITIONS COMPARATIVES

Elles s'entendent par rapport à des genres voisins qui appartiennent à la même « galaxie ».

➤ *« L'histoire est un roman qui a été ; le roman est de l'histoire qui aurait pu être. »*
Journal
Les GONCOURT

- ***L'histoire*** se comprend suivant :
- **l'acception classique** ou **moderne** à savoir l'étude objective ou scientifique des faits du passé. Le roman n'a pas le même devoir d'objectivité et il peut glisser dans les interstices des événements réels des personnages imaginés ;
- **l'acception littéraire** de **court récit inséré dans un ensemble romanesque** plus vaste.

Ex. *L'Histoire du chevalier des Grieux* de Manon LESCAUT insérée dans le tome VII des *Mémoires d'un homme de qualité.*

cf. aussi VOLTAIRE
Candide, Histoire de Cunégonde, Histoire de la vieille

Cette distinction ne semble plus recevable de nos jours car un court récit est pour nous roman.

- **l'acception originelle** de récits de **faits mémorables et vrais ;** même si le roman historique est vrai à 95 %, l'estampille implique une dose, même infinitésimale d'invention...

Illustration des *Contes* de La Fontaine, le *Savetier.*

- **Le *conte*** appartient primitivement à la **littérature orale.**
- A l'origine **le conte désigne la relation de faits vrais,** puis, à partir du 10e siècle, il caractérise la relation de faits totalement imaginaires et irréalistes – tels les *Contes* de Charles PERRAULT – A dater du 18e siècle, il se charge d'intentions philosophiques et morales (tels les *Contes* de VOLTAIRE).
- **Le roman se différencie du conte par le souci de la vraisemblance,** même s'il n'est pas toujours très plausible. Le principe de réalité guide la plume du romancier même dans les romans fantastiques. La fantaisie guide celle du conteur.

- **La *nouvelle*** remonte, nous l'avons vu, à la fin du Moyen Age. C'est à l'origine **le récit d'une nouvelle fraîche** (cf. *les novas provençales*) puis le court récit complet et cohérent d'un événement où l'auteur s'attache à la vérité des sentiments.
- **Le roman ne se différencie guère de la nouvelle que par ses dimensions ;** la frontière est bien poreuse entre les deux genres. Le grand succès de Marguerite DURAS, *L'Amant,* (1984) est plus, à cet égard, une nouvelle qu'un roman.

3. LES DÉFINITIONS DESCRIPTIVES

Ensuyuēt les cēt nou-
hystoires/ou nouueaulx cōptes plaisans
par maniere de ioyeusete. Imprime nou-

Elles s'attachent à certains critères discriminants tels :

- **la prose :** c'est depuis longtemps un critère de base ;
- **le récit :** le roman raconte une histoire, celle d'un individu, d'un groupe social, d'un peuple. Cette nécessité d'une intrigue avec ses aventures, ses péripéties, ses caractères a survécu sans mal à la contestation du *Nouveau Roman* et reste une loi première du genre ;
- **la peinture du réel** en est une autre, même s'il arrange la réalité, celle du passé (roman historique), celle de son histoire (roman autobiographique), le romancier vise une certaine vraisemblance ;
- **la nécessaire fiction** est paradoxalement une autre nécessité. Le *« romansonge »* ne saurait être la seule réalité. Il déguise le réel pour dire la vérité ou psychologique, ou morale...
- **la forme est plastique** à l'infini et ne semble pas connaître de limites, hors celles indiquées ci-dessus.

ESSAI DE CLASSIFICATION

Esquisser un typologie du roman est tout aussi aventureux que d'essayer de le définir. Les étiquettes sont multiples – nous allons le voir – et *Le Rouge et Le Noir* peut être qualifié de *roman d'initiation,* de *roman d'analyse psychologique,* de *roman de mœurs* (n'est-il pas sous-titré *Chronique de 1830 ?).*

1. LA TECHNIQUE ROMANESQUE

A cet égard il faut considérer par exemple :

- **le narrateur :** qui raconte ? Ce serait soit :

Analyse déjà développée dans ORGANIBAC I. Le compte rendu de lecture

- le *narrateur personnage*
- le *narrateur témoin*
- le *narrateur omniscient** qui connaît tout, les moindres pensées de ses personnages, et les moindres incidents du récit, tel STENDHAL qui se permet même de juger leur comportement.
- le *narrateur caméra* qui se contente d'observer les comportements mais ne nous livre rien de l'intimité des âmes tel le narrateur de l'*Etranger*.

- **la composition :** comment raconte-t-on ? Les modalités sont infiniment variées. Mais certaines sont fort classiques telles :
- **le roman-journal** où le narrateur suit au jour le jour le fil des événements, technique utilisée par GIDE dans *La Symphonie Pastorale* (1919) et *Les Faux Monnayeurs* (1926) ;

– **le roman par lettres** (très en faveur au 18e) qui permet à chaque personnage l'expression de ses sentiments ;

– **le roman feuilleton** qui se subdivise en séquences de longueur équivalente se terminant par un effet d'attente ;

– **le roman polyphonique** inventé par BALZAC avec le *Père Goriot* (1834) où il systématise le retour de personnages apparus dans d'autres romans ; cette technique aboutit soit :

• au *roman fleuve* tels *Les Hommes de bonne volonté* (1932-47) de Jules ROMAINS (27 tomes).

• à la *saga* sorte d'épopée familiale sur plusieurs générations tel le cycle des *Rougon-Macquart* (1871-93) de ZOLA ;

« Le roman tend naturellement et doit tendre à sa propre élucidation. »
Le roman comme recherche
Michel BUTOR

– **le roman concerto,** centré autour d'un personnage clé dont la subjectivité guide les pas du romancier, tel le *Thérèse Desqueyroux* (1927) de François MAURIAC ;

– **le roman en abyme** qui est le *roman d'un roman* en train de se faire tels les *Faux-Monnayeurs* (1926) d'André GIDE (l'auteur y ajoutant un *Journal des faux-monnayeurs*).

• **la narration :** dans quel ordre raconte-t-on ? Outre les distinctions fondamentales opérées entre *séquences, péripéties, épisodes,* on pourra analyser le suivi de l'évolution narrative ; tantôt une évolution sera :

ORGANIBAC I p. 103-4

– **linéaire :** le roman commence par le commencement et suit le fil chronologique. C'est la narration classique que vous pouvez illustrer de maints exemples à votre gré...

– **en kaléidoscope :** le roman multiplie les retours en arrière et l'auteur nous permet de reconstituer peu à peu le fil des événements comme dans *Thérèse Desqueyroux* déjà cité ;

– **en boucle :** la narration commence par la fin de l'intrigue et le récit chronologique reprend ensuite pour en arriver en conclusion à son point de départ comme dans *Manon Lescaut* ;

– **en puzzle :** le romancier met bout à bout des séquences narratives sans rapport entre elles et la trame romanesque se tisse alors au fil de la lecture comme dans le *Sursis* (Tome II des *Chemins de la liberté*) de Jean-Paul SARTRE (1945).

Le roman à l'*eau de rose :* langueurs et passions.

2. LES INTENTIONS DOMINANTES

D'autres caractéristiques, admises par le public et par la critique, peuvent enfin servir à estampiller les romans, suivant :

• la matière première, le plus souvent le milieu, traitée ; on distinguera ainsi le roman *historique, social, policier,* de *science-fiction,* d'*espionnage...*

• l'intention apparente ou sous-jacente : ainsi les romans à *thèse* ou *engagés, didactiques, distractifs,* d'*éducation...*

• la tonalité dominante : le roman pourra être à l'*eau de rose,* un *roman noir,* un *roman populiste,* le *roman fantastique...*

ESQUISSE DE CONCLUSION

Notre panorama sur ce genre n'est nullement exhaustif*. Il vous appartient d'en faire un bon usage, c'est-à-dire un usage critique en fonction de vos lectures et de vos découvertes, et pourquoi pas de vos essais romanesques.

> *« Un roman est comme un archet, la caisse du violon qui rend les sons, c'est l'âme du lecteur. »*
>
> STENDHAL
>
> *Vie de Henry* BRULARD

Ai-je bien lu... cette étude ?

☐ Sur l'histoire du genre romanesque ?

1) Tristan et Iseut est un roman d'inspiration :	a antique b orientale	c celtique d italienne
2) le courant baroque est caractérisé par le roman :	a pastoral b didactique	c épistolaire d exotique
3) le roman romantique par excellence est le roman :	a historique b réaliste	c fantastique d sentimental
4) les voies nouvelles du roman au 20e siècle ont été ouvertes par :	a A. France b R. Radiguet	c F. Mauriac d A. Gide
5) le nouveau roman se caractérise par :	a sa fidélité à l'histoire b son souci de la tradition	c la remise en cause des structures d la propension au rêve

☐ Sur quelques grands romans ?

1) l'auteur du Roman comique est :	a Furetière b Boileau	c Sorel d Scarron
2) l'auteur du Télémaque est :	a Fénelon b Mme de Sévigné	c Bossuet d Mme de La Fayette
3) l'auteur de Manon Lescaut est :	a Montesquieu b Diderot	c l'abbé Prévost d Marivaux
4) l'auteur des Chouans est :	a V. Hugo b H. de Balzac	c G. Flaubert d J. Michelet
5) l'auteur des Faux-Monnayeurs est :	a E. de Goncourt b A. Gide	c St-Exupéry d J. Green

☐ Sur quelques grands romanciers ?

1) Mme de La Fayette est l'auteur de :	a Télémaque b La Princesse de Clèves	c Le Roman comique d Le Grand Cyrus
2) Diderot a écrit :	a Les Liaisons dangereuses b La Religieuse	c Candide d La Nouvelle Héloïse
3) Maupassant est l'auteur de :	a Les Travailleurs de la mer b Pierre et Jean	c Salammbô d La Bête humaine
4) Mauriac a écrit :	a Le Sursis b L'Ecume des jours	c Qui j'ose aimer d Thérèse Desqueyroux

SUR L'HISTOIRE DU GENRE ROMANESQUE ?
1/c 2/a 3/a 4/d 5/c

DE QUELQUES GRANDS ROMANS ?
1/d 2/a 3/c 4/b 5/b

SUR QUELQUES GRANDS ROMANCIERS ?
1/b 2/b 3/b 4/d

DEVINE, SI TU PEUX, ET CHOISIS, SI TU L'OSES. MAIS DONNE LA RÉPONSE ADÉQUATE...

DE L'HISTOIRE DU THÉÂTRE?
1/b 2/c 3/b 4/a

DE LA DÉFINITION DES FORMES THÉÂTRALES?
1/b 2/d 3/c 4/d 5/c

DE QUELQUES GRANDS AUTEURS DRAMATIQUES ?
1/b 2/b 3/c 4/a 5/c

Que sais-je... du théâtre ?

☐ **De l'histoire du théâtre ?**

1) L'origine du théâtre prend ses sources :
   a à Byzance
   b en Grèce
   c à Rome
   d en Egypte
2) La loi des trois unités caractérise :
   a le théâtre médiéval
   b le théâtre baroque
   c le théâtre classique
   d le théâtre romantique
3) Le drame bourgeois est apparu :
   a au Moyen Age
   b au 18e siècle
   c au 19e siècle
   d au 20e siècle
4) Le théoricien du drame romantique est :
   a V. Hugo
   b G. Flaubert
   c H. de Balzac
   d E. de Goncourt

☐ **De la définition des formes théâtrales ?**

1) La tragédie peut être caractérisée par la présence de :
   a la politique
   b la fatalité
   c la mythologie
   d le rêve
2) La tragi-comédie se caractérise par :
   a le comique
   b les trois unités
   c des personnages bas
   d un dénouement heureux
3) La commedia dell'arte est d'origine :
   a anglaise
   b espagnole
   c italienne
   d portugaise
4) Le drame romantique se caractérise par :
   a une issue heureuse
   b un nombre réduit d'actes
   c l'abandon du vers
   d le mélange des tons
5) Le mélodrame est à l'origine :
   a un drame humaniste
   b un drame antique
   c un drame accompagné de musique
   d un drame héroïque

☐ **De quelques grands auteurs dramatiques ?**

1) Qui est l'auteur antique d'Antigone ?
   a Térence
   b Sophocle
   c Aristophane
   d Plaute
2) Qui est l'auteur du Cid ?
   a Racine
   b Corneille
   c Molière
   d Scarron
3) Qui est l'auteur du Jeu de l'amour et du hasard ?
   a Rousseau
   b Beaumarchais
   c Marivaux
   d Crebillon
4) Qui est l'auteur de Lorenzaccio ?
   a A. de Musset
   b V. Hugo
   c G. de Nerval
   d A. de Vigny
5) Qui est l'auteur du Rhinocéros ?
   a Audiberti
   b Beckett
   c Ionesco
   d Adamov

Médée d'Euripide.

LE THÉÂTRE

> « C'est une extraordinaire chose que le théâtre. Des gens comme vous et moi s'assemblent le soir dans une salle pour voir feindre par d'autres des passions qu'eux n'ont pas le droit d'avoir. »
>
> André GIDE
> ***Nouveaux Prétextes***

L'art dramatique est toujours un art vivant et irremplaçable même s'il ne dispose plus du monopole du spectacle et de l'aura* dont il a bénéficié durant des siècles. Car le théâtre est l'héritier d'une tradition vingt-cinq fois séculaire, tradition qu'il est bon de connaître pour comprendre les problématiques qui peuvent vous être proposées à l'examen, pour mieux saisir l'évolution des formes dramatiques que nous allons essayer de définir.

GENÈSE D'UN GENRE

Le théâtre occidental est issu, pour une bonne part, du théâtre antique et plus particulièrement du théâtre grec qui a fourni et des structures, et des formes, et des mythes toujours productifs : que l'on songe à ce propos au théâtre d'auteurs du XXe siècle tels GIRAUDOUX (*La Guerre de Troie n'aura pas lieu*), SARTRE (*Les Mouches*), ANOUILH (*Antigone*).

Sur ce théâtre grec nous vous proposons quelques approches nécessairement succinctes, mais à notre sens, fondamentales.

1. L'ORIGINE RELIGIEUSE

Pour plus de précision consultez *Histoire littéraire de la Grèce* de R. FLACELIÈRE. FAYARD

Le théâtre grec – il en fut de même pour le théâtre médiéval – est né de la liturgie en particulier des fêtes données en l'honneur de Dionysos, les Dionysies (vers 550 av. J.-C.). Un poème lyrique, le *dithyrambe*, chanté et dansé en l'honneur du dieu du vin par le chœur autour de l'autel appelé *thymélé*, a donné naissance au théâtre lorsque le chef du chœur, le *coryphée* s'est mis à dialoguer avec ses compagnons.

2. LA PORTÉE POLITIQUE

A partir de 534 av. J.-C. les Dionysies urbaines devinrent de véritables fêtes nationales et les représentations théâtrales le moyen de faire participer tout un peuple à la célébration d'un passé légendaire tissé de mythes et de dieux. La cité organisait les festivités, les citoyens les plus riches assumant les frais car le spectacle était gratuit. Le théâtre était alors vraiment l'expression d'une culture populaire et l'une des preuves tangibles du miracle grec.

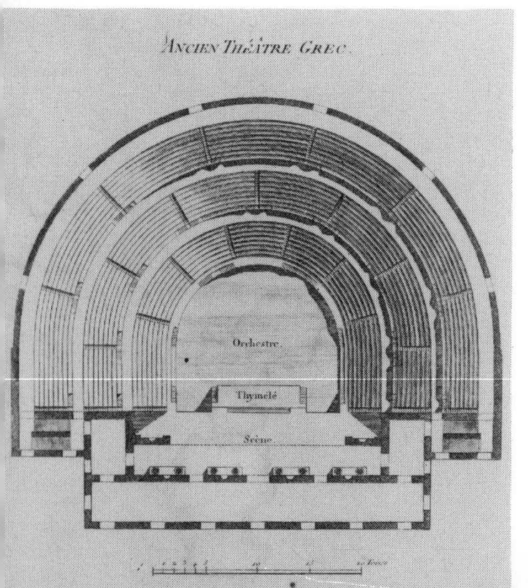

3. L'ORGANISATION MATÉRIELLE

De magnifiques théâtres, creusés en hémicycle sur les collines, furent édifiés. Ils pouvaient contenir dix à vingt mille spectateurs.

- Chaque théâtre comprenait (cf. plan) :

- *l'orchestre* circulaire de vingt mètres de diamètre au centre de l'édifice ;
- la *théâtron*, lieu d'où l'on regarde et destiné à accueillir les spectateurs ;
- la *skênê*, local ou plancher servant de coulisses et de magasin d'accessoires devant lequel les acteurs jouaient.

- Par ailleurs les comédiens utilisaient des *masques* qui, dit-on, amplifiaient leur voix, et des *cothurnes*, chaussures à semelles très épaisses qui leur donnaient une allure plus hiératique*.

4. L'ORGANISATION DES SPECTACLES

Celle-ci obéissait à un rituel bien codifié :

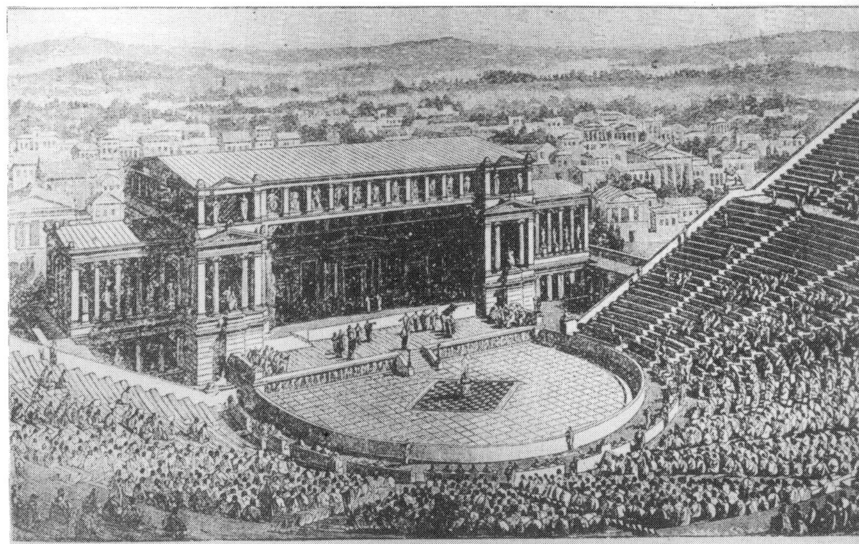

FIG. 68. — Théâtre de Dionysos à Athènes (reconstitué par M. G. Rehlender).

- les représentations avaient uniquement lieu durant les trois grandes fêtes données en l'honneur de Dionysos et donnaient lieu à des concours organisés par les *archontes* ;
- chaque concours mettait en compétition trois concurrents, chaque auteur présentant sur le thème imposé une *tétralogie* comprenant trois tragédies se rapportant à la même légende (cf. Œdipe) et un *drame satyrique* franchement comique. Le prix fut remporté treize fois par Eschyle, vingt fois par Sophocle, cinq fois par Euripide.

HISTOIRE D'UN GENRE

1. LE THÉÂTRE GREC

Il a engendré tragédie et comédie.

Tragédie, étymologiquement de « tragos », chant du bouc.

- **la tragédie grecque.**

– **Sa structure :** chaque pièce comportait :

- un *prologue* où était rappelée la légende,
- un *parodos,* entrée solennelle du chœur conduit par le *coryphée**,
- des *épisodes* (ou scènes) entrecoupés par les chants du chœur (qui tenaient lieu d'entractes), le tout divisé en cinq parties correspondant à peu près à cinq actes,
- *l'exodos,* pendant du *parodos,* sortie du chœur.

Chaque tragédie était écrite en vers, chantés ou déclamés avec accompagnement musical.

EURIPIDE.

– **Ses grands thèmes** ne sont pas liés spécifiquement (sauf les *Bacchantes* d'EURIPIDE) au culte de Dionysos. Ils reprennent pour la plupart soit :

- *les grandes légendes* : La Guerre de Troie, les conflits des Atrides, les malheurs d'Œdipe...
- *les grands mythes* : le retour du vengeur, la malédiction pesant sur une lignée (*Phèdre...*).

– **Les grands auteurs tragiques** méritent d'être cités car nos auteurs français, du XVIe siècle à nos jours, y ont trouvé matière et inspiration :

- ESCHYLE (525-456 av. J.-C.) : le vrai créateur de la tragédie (*Les Perses* / *L'Orestie* / *Prométhée enchaîné...*). Il montre le face à face de l'homme, tenté par la démesure, et de la fatalité implacable.
- SOPHOCLE (495-405 av. J.-C.) : un auteur comblé (115 pièces / 7 tragédies nous restent empruntées au cycle de Troie : *Ajax* / *Electre* / *Philoctète* et à celui de Thèbes : *Antigone* / *Œdipe Roi* / *Œdipe à Colone*). Il accorde, quant à lui, la première place à la volonté humaine.
- EURIPIDE (480-406 av. J.-C.) : il réduit le rôle du chœur, élargit le cycle des sujets tragiques (23 tétralogies). Nous restent *Alceste* / *Médée* / *Andromaque* / *Les Troyennes*. Chez lui les dieux tiennent un rôle plus secondaire. Le mécanisme tragique repose davantage sur les passions humaines.

- **la comédie grecque** est née, elle aussi, du culte dionysiaque. Elle tire son nom du *comos*, procession burlesque en l'honneur du dieu de l'ivresse.

– **Sa structure** comporte trois parties :

- *l'agon*, sorte de joute oratoire,
- *la parabase*,
- *les scènes* entrecoupées des chants satiriques du chœur.

– **Ses thèmes** sont, pour la plupart, empruntés à l'actualité politique, sociale ou littéraire (ainsi Aristophane s'en prend à Socrate dans *Les Nuées...*).

– **Les grands auteurs comiques** sont :

- ARISTOPHANE (456-385 av. J.-C.), auteur de comédies enlevées telles *Les Nuées* (423), *Les Oiseaux* (414), *Les Grenouilles* (405).
- MENANDRE (343-292 av. J.-C.), auteur du *Misanthrope*, oriente le théâtre vers la comédie d'intrigue et de caractère et fait quasiment disparaître le chœur.

2. LE THÉÂTRE LATIN

Il prend ses sources dans les *Saturae* étrusques (mélange de danse et de mime) et surtout dans le théâtre grec qu'il plagie largement, pratiquant la technique de la *contaminatio* qui consiste à fondre deux pièces grecques pour en faire une latine.

Jeux Romains (4/19 sept.).
Jeux Plébéiens (4/17 nov.).
Jeux Apollinaires (6/13 juillet).

- **l'organisation matérielle** est modifiée, la pièce est le plus souvent jouée sur des tréteaux, presque toujours temporaires, sans décor et sans rideau ; les acteurs, tous esclaves et tous hommes, portent des perruques et non des masques.
- **l'organisation des spectacles** est prévue durant des périodes précises. Comédie et tragédie adoptent à peu près la même structure (un prologue, plusieurs épisodes, un épilogue). Le rôle du chœur va s'amenuisant.
- **la comédie latine** est illustrée par :

– PLAUTE (254-184 av. J.-C.) qui a beaucoup inspiré Molière (*L'Aulularia / L'Avare / L'Amphitryon...*). Son intrigue type : un jeune homme de bonne famille tombe amoureux d'une jeune fille inconnue, esclave, qu'il réussit à conquérir grâce à un esclave intrigant et sans scrupule...

– TERENCE (190/185 ? – 159 av. J.-C.) propose des comédies plus fines (cf. l'*Andrienne*) fondée sur une observation critique des mœurs.

- **la tragédie latine** ne présente pas d'innovations très marquantes. Elle reprend les mythes grecs (La *Phèdre* de SÉNÈQUE) sans beaucoup d'originalité.

3. LE THÉÂTRE MÉDIÉVAL

Il est abondant et varié. Ce qu'il faut retenir à son propos :

- **le théâtre sacré** naît de la liturgie et des besoins de la pastorale, expression d'une foi parfois naïve mais sincère : il apparaît sous la forme de :

– ***jeux* semi-liturgiques,** écrits en français et représentés sur le parvis des cathédrales, à des fins édifiantes, tels *Le Jeu d'Adam*, anonyme, et *Le Jeu de saint Nicolas* de J. BODEL;

– ***Miracles,*** genre fécond, surtout au XIVe siècle ; d'inspiration plus familière et plus réaliste, tel *Le Miracle de Théophile* du poète RUTEBEUF;

– ***Mystères*** qui eurent un succès considérable ; puisant leur matière dans la Bible, exigeant plusieurs centaines d'acteurs, des décors compliqués, plusieurs jours de représentation, tel *Le Mystère de la Passion* (vers 1450) d'ARNOUL GREBAN (35 000 vers), ils retraçaient l'Histoire sainte, de la création à la résurrection.

- **le théâtre profane ;** puisant dans la tradition scolaire d'imitation du théâtre antique, il est d'inspiration franchement comique. Des compagnies d'étudiants et de clercs – tels les *Clercs de la Basoche* et les *Enfants sans souci* – avaient l'apanage des représentations. Il comportait des :

– ***jeux***, mêlant humour et réalisme pastoral, tel le *Jeu de la Feuillée,* le *Jeu de Robin et Marion* (1285) d'ADAM DE LA HALLE ;

Représentation d'un Mystère au Moyen Age.

- *sotties*, composées de scènes bouffonnes et satiriques, interprétées par des "sots" ou fous ;
- *moralités*, fables dramatiques et didactiques ;
- *farces*, genre connu et bien illustré par la *Farce de Maistre Pathelin* (1464).

4. LE THÉÂTRE DE LA RENAISSANCE

Il se caractérise par :

- **Le déclin du théâtre médiéval** après l'interdiction des *Mystères* (en 1548) par le Parlement de Paris.
- **La naissance d'un théâtre humaniste** d'inspiration antique qui ne nous a pas laissé de grandes œuvres, mis à part *Les Juives* (1583) de ROBERT GARNIER. Les théoriciens SCALIGER (*Art Poétique*, 1561), VAUQUELIN DE LA FRESNAYE (*Art Poétique,* 1605) jettent les bases du théâtre classique (imitation des Anciens, théorie des trois unités...).
- **La survivance du théâtre comique** avec en particulier la comédie *Les Esprits* de PIERRE LARIVEY, inspirée de Plaute et Térence et qui inspirera Molière (l'Avare).

5. LE THÉÂTRE AU XVIIe SIÈCLE

➤ *« Chez nos dévots aïeux le théâtre abhorré*
Fut longtemps dans la France un plaisir ignoré. »
L'Art poétique, chant III.
Nicolas BOILEAU

Le théâtre de ce siècle ne saurait se réduire au théâtre classique même si ce dernier brille toujours d'un vif éclat. Il naît de la conjonction de quelques grands talents et des conditions matérielles, morales et esthétiques qui en permirent l'essor, conditions qu'il importe de rappeler et de connaître :

- **les conditions matérielles :**
- **les troupes de comédiens** professionnels sont constituées soit :
- **des troupes ambulantes** comme celle du théâtre de foire ou celle de Molière de 1643 à 1659. Le grand Scarron évoque les tribulations d'une troupe semblable dans son *Roman Comique* ;

➤ Ajoutons-y la Comédie Italienne et l'Opéra (1669)

- **des troupes sédentaires**, celle du théâtre de Bourgogne, du Marais, de Molière qui fusionnent en 1680 pour donner la Comédie Française ;
- **les représentations** ont lieu trois fois par semaine (les mardi / vendredi / dimanche), toujours l'après-midi :
- **la salle est longue et étroite** ; elle comprend le *parterre* aux places debout et bon marché, les *galeries* et les *loges* pour le public aisé ;
- **la scène comprend un décor unique**. Les acteurs jouent des pièces romaines en chapeau à plumes sans souci de la vraisemblance de l'habit.

- **les conditions morales :**
- la comédie est toujours considérée par l'Église comme dangereuse et condamnable sur le plan moral et les comédiens sont, de facto, excommuniés ;
- le goût du public tempère ce jugement ; la protection des grands ou du Roi (cf. Molière) est le gage de la réussite (ou, pour le moins, sa condition première).

« *Tous les grands divertissements sont dangereux pour la vie chrétienne mais... il n'y en a pas qui soit plus à craindre que la comédie.* »
B. Pascal

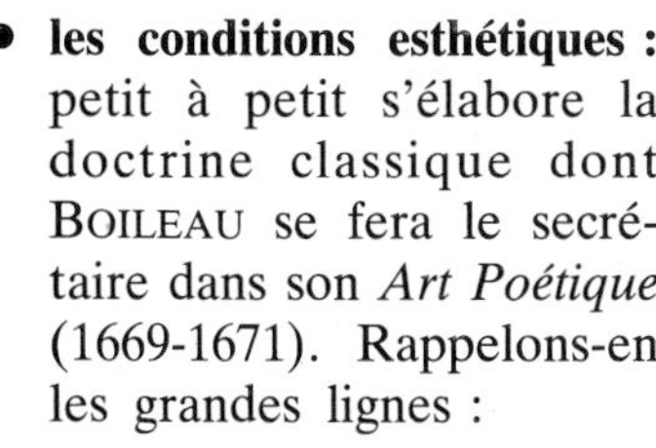

- **les conditions esthétiques :** petit à petit s'élabore la doctrine classique dont Boileau se fera le secrétaire dans son *Art Poétique* (1669-1671). Rappelons-en les grandes lignes :
- **le respect de la *vraisemblance*** car le théâtre, art d'imitation, ne peut donner tout le vrai ;

Jamais au spectateur n'offrez rien d'incroyable
Le vrai peut quelquefois n'être pas vraisemblable

Art Poétique

- **le respect de la séparation des genres** car l'auteur dramatique ne saurait mêler comique et tragique ;
- **le respect des *bienséances*** car il ne faut point choquer, par la représentation directe des meurtres, des duels, voire des suicides (exception faite des empoisonnements) le goût délicat du public ;
- **l'imitation des anciens** qui offre des modèles indépassables dont il faut s'inspirer (ce qui ne veut pas dire plagier) ;
- **la loi des *trois unités*** bien connue de tout un chacun ;

Qu'en un lieu, qu'en un jour, un seul fait accompli
Tienne jusqu'à la fin le théâtre rempli

Art Poétique (Chant III)

Les farceurs français et italiens en 1670 avec Molière au Théâtre Français.

« *Il n'y a que le vraisemblable qui touche dans la tragédie.* »
Préface de *Bérénice*

« *Mon imitation n'est point un esclavage.* »
La Fontaine

Cf. Corneille
Discours des Trois Unités 1660.

- **Unité d'action** : « *l'unité d'action consiste, dans la comédie, en l'unité d'intrigue ou d'obstacle aux desseins des principaux acteurs, et en l'unité de péril dans la tragédie, soit que son héros y succombe, soit qu'il en sorte* ».
Corneille, *Discours sur les trois unités* (1660)

- **Unité de temps :** « *la représentation dure deux heures, et ressemblerait parfaitement, si l'action qu'elle représente n'en demandait pas davantage pour sa réalité* ».
Corneille, Idem

« *La principale règle est de plaire et de toucher. Toutes les autres ne sont faites que pour parvenir à cette première.* »
Racine
Préface de *Bérénice*.

- **Unité de lieu :** *« je tiens qu'il faut rechercher cette unité exacte autant qu'il est possible ».*

CORNEILLE, Idem

– **les finalités :** la célèbre formule « *Instruire et plaire* » les résume, instruire car l'auteur dramatique se doit de proposer une morale édifiante à son public, plaire car il se doit de l'instruire en l'amusant.

- **le théâtre baroque :** il a précédé et en quelque manière influencé le théâtre classique ; exploitant le goût du merveilleux et de l'aventure que l'on trouve aussi exprimé dans les romans de l'époque, il a dominé la première moitié du siècle avec des genres telles...

– **la pastorale,** imitée des Italiens et des Espagnols, qui présente dans un décor bucolique* des bergers de fantaisie ;
– **la** ***tragi-comédie*** (cf. p. 167) dont le chef-d'œuvre inégalé reste *Le Cid* (1636) de Pierre CORNEILLE ;
– **la comédie d'intrigue** tel *Le Menteur* (1643) du même auteur.

- **le théâtre classique :** il est mieux connu de vous ; le renvoi aux tragédies de Corneille et de Racine, aux comédies de Molière, à vos petits classiques, à vos manuels devrait suffire !

LUDO CLASSIQUE		
CORNEILLE	MOLIÈRE	RACINE
1	1	1
2	2	2
3	3	3
4	4	4
5	5	5

Trouvez pour chacun de ces trois grands dramaturges au moins cinq titres de pièces... Vérifiez ensuite les attributions en utilisant un petit classique.

6. LE THÉÂTRE AU SIÈCLE DES LUMIÈRES

Il reste le divertissement social par excellence. On y va pour voir et pour y être vu. A retenir :

- **le poids des modèles classiques** pour

– **la comédie** : l'inspiration moliéresque domine chez REGNARD avec *Le Légataire Universel* (1708), comédie d'intrigue et chez LE SAGE avec *Turcaret* (1709), virulente satire des financiers et des parvenus et brillante comédie de mœurs ;
– **la tragédie** : l'inspiration racinienne domine chez VOLTAIRE auteur de vingt tragédies dont *Zaïre* (1732).

- **des évolutions sensibles** concernent la comédie qui évolue vers :

- **la comédie moralisante** ou même la comédie larmoyante avec Destouches et Nivelle de la Chaussée ;
- **la comédie d'analyse psychologique** avec Marivaux (1668-1763), *Le Jeu de l'Amour et du Hasard* (1730) ;
- **la comédie satirique** en particulier avec Beaumarchais, *Le Barbier de Séville* (1775), *Le Mariage de Figaro* (1784) ;

– **le drame bourgeois** apparaissant avec Diderot qui en offre la théorie dans les *Entretiens sur le fils naturel* (1757) et le *Discours sur la poésie dramatique* (1756), avec Sedaine qui en fournit l'illustration avec le *Philosophe sans le savoir* (1765).

« L'art dramatique n'est estimable qu'autant qu'il a pour but d'instruire en divertissant. »
Destouches
Le Glorieux 1732

7. LE THÉÂTRE AU XIXe SIÈCLE

La vogue du théâtre ne cesse de grandir. Les grands acteurs, adulés, riches et célèbres (tels Talma, Rachel, Sarah Bernard...) sont déjà des *stars*. Beaucoup d'écrivains, tel Hugo, doivent une grande partie de leur succès au théâtre.

- **le théâtre romantique :**

– **ses origines :** il est préparé par le drame bourgeois du XVIIIe siècle, l'apparition du mélodrame (cf. 59) et surtout de la tragédie historique au début du XIXe siècle qui fournit « une démonstration de la variété et de l'absurdité des règles » ;

– **ses théoriciens :** Stendhal avec son *Racine et Shakespeare* (1823) et Hugo avec sa *Préface de Cromwell* (1827) jettent les bases du drame romantique (cf. définition p. 84) ;

– **ses auteurs** sont à connaître :
Victor Hugo, *Hernani* (1830), *Ruy Blas* (1838)
Alfred de Vigny, *Chatterton* (1833)
Alfred de Musset, *Lorenzaccio* (1834) sans doute le meilleur des drames romantiques, *Comédies et Proverbes, On ne badine pas avec l'amour* (1834), *Les Caprices de Marianne* (1833) ;

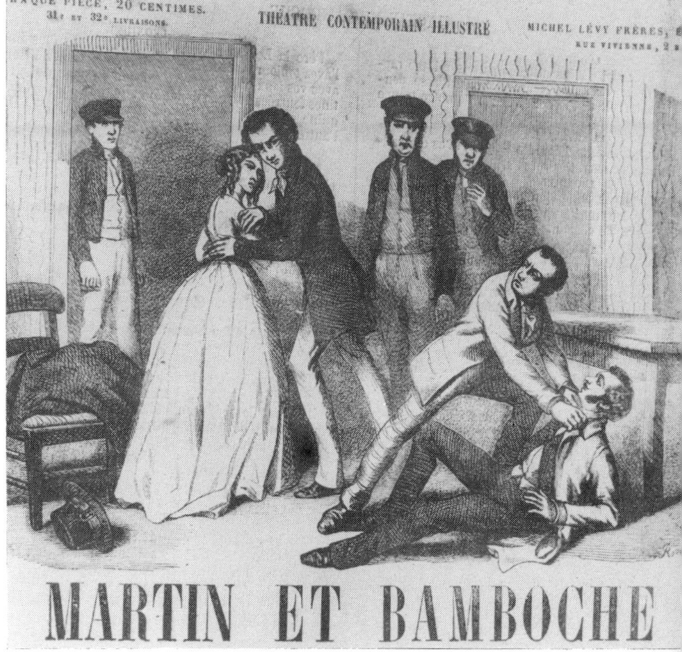

Martin et Bamboche ou les amis d'enfance, illustration du roman d'Eugène Sue.

– son **essor** et son **déclin** furent rapides : de la bataille d'*Hernani* (1830) à l'échec des *Burgraves* (1843) de Hugo.

- **les autres théâtres :** après le déclin du drame romantique, aucun genre dramatique ne s'impose vraiment ; il n'y a pas à proprement parler de théâtre « réaliste » et de théâtre « symboliste » mais tout au plus des tendances.

– **la comédie de boulevard** ou comédie gaie, souvent bouffonne, s'impose ; elle tire son nom des théâtres des boulevards qui attiraient les bourgeois ; ses thèmes sont presque toujours l'amour (avec le classique trio : le mari / la femme / l'amant) et l'argent ; ses personnages sont presque toujours des gens élégants qui n'auraient rien à faire de toute la

journée que de parler d'amour. Les auteurs les plus représentatifs sont FEYDEAU (1862-1921) et COURTELINE (1859-1929) dont la verve acerbe égratigne tous les ridicules du temps : *Messieurs les Ronds de Cuirs* (1893) ; *Boubouroche* (1892).

- **la comédie de mœurs** ou comédie à thèse, genre quelque peu hybride, illustrée par ALEXANDRE DUMAS fils, *La Dame aux camélias* (1852) ; par VICTORIEN SARDOU, *Madame Sans-Gêne* (1833).
- **le théâtre naturaliste :** en dépit des efforts de ZOLA, *Le Naturalisme au théâtre* (1881), le mouvement ne donne pas d'œuvres remarquables sinon celles d'HENRY BECQUE (1837-1899), *Les Corbeaux* (1862) et de JULES RENARD (1861-1910), *Le Pain de ménage* (1898).
- **le théâtre symboliste :** marqués par le théâtre de RICHARD WAGNER et d'IBSEN, les symbolistes eurent l'ambition d'un théâtre total qui devait être un « prétexte au rêve ». Le premier théâtre de P. CLAUDEL l'illustre (*Tête d'Or*, 1890).
- **le théâtre néo-romantique** incarné par EDMOND ROSTAND, connu grâce à *Cyrano de Bergerac* (1897) et l'*Aiglon* (1900).

Signalons enfin que les dernières années du siècle voient la naissance de la farce moderne avec le théâtre impitoyablement burlesque d'ALFRED JARRY (*Ubu Roi*).

Antonin Artaud jouant le rôle de Marat dans le film « *Napoléon* » d'Abel Gance.

8. LE THÉÂTRE AU XXe SIÈCLE

Il serait ambitieux de vouloir évoquer tout le théâtre contemporain en une page ; limitons-nous donc à signaler les tendances dominantes :

- **le théâtre avant 1914-18** est pour l'essentiel celui de la fin du XIXe siècle où domine la comédie de boulevard dont les conventions très stéréotypées correspondent tout à fait aux attentes du public de la Belle Epoque qui recherche avant tout la distraction ;
- **le théâtre de l'entre-deux-guerres** est bien plus riche ; retenons-en :

- la montée des metteurs en scène qui impriment leur marque au spectacle, en particulier Jacques Copeau et le cartel des quatre (Georges Pitoëff / Charles Dullin / Gaston Baty / Louis Jouvet) ;
- le succès du théâtre de boulevard (SACHA GUITRY / MARCEL ACHARD) et de la comédie satirique mordante (JULES ROMAINS, *Knock*, 1923 ; MARCEL PAGNOL, *Topaze*, 1928) ;
- la montée d'un nouveau théâtre à dimension aussi bien politique, *La Guerre de Troie n'aura pas lieu* (1936), qu'onirique*, *Ondine* (1939) avec JEAN GIRAUDOUX dont la vocation théâtrale est née de la rencontre avec Louis Jouvet.

- **le théâtre après 1939-45** est un théâtre novateur :
- le rôle des metteurs en scène reste fondamental. Signalons entre autres Jean Vilar et le TNP, Jean-Louis Barrault ;
- le théâtre des « clercs », c'est-à-dire des philosophes, brille durant les années 1940/50 avec CAMUS, *Le Malentendu* (1944), *Caligula* (1945) ; SARTRE, *Les Mouches* (1943), *Huis-Clos* (1948), *Les Mains Sales* (1951) ;
- le nouveau théâtre s'impose ensuite, marqué par une remise en cause des formes dramaturgiques traditionnelles (dont le théoricien fut, pour partie, ANTONIN ARTAUD dans *Le Théâtre et son double)*.

Vous devriez connaître les noms de :
EUGÈNE IONESCO, *Rhinocéros* (1960) ; SAMUEL BECKETT, *En attendant Godot* (1953) ; ARTHUR ADAMOV, *Ping-Pong* (1955) ; BORIS VIAN, *Les Bâtisseurs d'Empire* (1959).
L'e théâtre continue. Allez le voir.

ESSAI DE DÉFINITION

Autant la définition du roman pose problème, autant celle du ***théâtre*** paraît aisée... de prime abord.

- **Étymologie :** du grec théâtron désignant l'enceinte réservée aux spectateurs dans les théâtres antiques (originellement lieu d'où l'on regarde...).

- **Acceptions :** le terme désigne :
- **l'édifice** construit en vue de représentations dramatiques de tout genre.

  Le théâtre de la Ville, le théâtre de l'Opéra.

  Par extension, et de façon imagée, le théâtre est le lieu où il se passe quelque chose.

  Candide... arriva enfin hors du théâtre de la guerre
  (Chapitre III)
- **l'entreprise** de spectacles dramatiques.

  Le Théâtre Français (ou Comédie Française).
- **l'art visant** à représenter devant un public, selon des conventions variables mais acceptées tacitement, une suite d'événements (action) par des personnages vivant et parlant (acteurs) – Dic. Robert.

  Nous concevons le théâtre comme une véritable opération de magie...
  ANTONIN ARTAUD
- **l'ensemble des œuvres dramatiques** d'un auteur ou d'une période.

  Cf. le théâtre élizabéthain (T et C XVIe/XVIIe E 100/105).

ESSAI DE CLASSIFICATION

Le théâtre étant un art de conventions, plus ou moins rigides, un ordonnancement est plus facile à concevoir. Cependant le Romantisme, puis le XXe siècle ont atténué le caractère par trop figé des frontières, autrefois étanches, qui séparaient entre elles les diverses espèces théâtrales. La classification qui va suivre est donc plus un legs de l'histoire qu'une typologie moderne.

1. LA TRAGÉDIE

D'elle est né le théâtre !

- **dans l'antiquité** c'est une œuvre lyrique et dramatique en vers, représentant à l'aide d'acteurs masqués et de chœurs, quelque illustre infortune empruntée au mythe ou à l'histoire et propre à exciter la *terreur* et la *pitié* et à réaliser ainsi la ***catharsis*** ou purgation des passions, chère à Aristote :

> *« La véritable tragédie est l'école de la vertu. »*
> *Dissertation sur la tragédie ancienne et moderne,* VOLTAIRE

La tragédie est l'imitation d'une action grave et complète, et qui a sa (juste) grandeur. (Cette imitation se fait) par un discours, (un style) composé pour le plaisir, de telle sorte que chacune des parties (qui le composent subsiste et) agisse séparément et distinctement.

(Elle ne se fait) point par un récit, mais par une représentation vive qui, excitant la pitié et la terreur, purge (et tempère) ces sortes de passions. (C'est-à-dire qu'en émouvant ces passions, elle leur ôte ce qu'elles ont d'excessif et de vicieux, et les ramène à un état modéré et conforme à la raison).

Poétique, VI

> *« Ce n'est point nécessité qu'il y ait du sang et des morts dans une tragédie ; il suffit que l'action en soit grande, que les acteurs en soient héroïques, que les passions y soient excitées, et que tout s'y ressente de cette tristesse majestueuse qui fait tout le plaisir de la tragédie. »*
> RACINE
> Préface de *Bérénice.*

- **à l'époque classique ;** la tragédie se caractérise par :
- **d'illustres personnages,** princes, rois, dieux ;

La plainte des Seigneurs fut dite tragédie,
L'action du commun fut dite comédie.

P. DE RONSARD

- **des événements exceptionnels,** mais vraisemblables : la tragédie dénoue sous nos yeux une crise dont l'issue est presque toujours sanglante car la fatalité des dieux ou des passions conduit les personnages à leur perte ;
- **le respect** (cf. théâtre du XVIIe siècle p. 160)
  des trois unités,
  des bienséances,
  de l'unité de ton : le style noble et l'alexandrin s'imposent ;
- **une finalité moralisatrice** plus ou moins nette : il s'agit de travailler à l'édification du public :

Les passions n'y sont présentées aux yeux que pour montrer tout le désordre dont elles sont cause ; le vice y est peint partout avec des couleurs qui en font connaître et haïr la difformité. C'est là proprement le but que tout homme qui travaille pour le public doit se proposer.

RACINE, Préface de *Phèdre* (1677)

- **de nos jours,** la tragédie n'est plus un genre très porteur, mise à part la période de l'entre-deux-guerres, lourde de menaces, qui a vu une certaine renaissance se manifester avec les pièces de GIRAUDOUX, ANOUILH, SARTRE... On notera les tendances suivantes :

- la plupart des **personnages** restent des « héros » même s'ils n'en ont plus guère l'étoffe (cf. MONTHERLANT, *La Reine Morte* 1942 ou IONESCO, *Le Roi se meurt* 1962) ;
- **la variété des tons** est presque de règle ; la médiocrité quotidienne est un contrepoint essentiel à l'univers tragique chez GIRAUDOUX et ANOUILH ;
- la **fatalité n'est plus la règle** ; l'absurde semble être la loi profonde des tragédies modernes : on ne sait ni pourquoi ni pour qui on meurt (cf. *La Reine morte* (1942) de MONTHERLANT).

Le Roi se meurt
d'Eugène Ionesco.

2. LA TRAGI-COMÉDIE

La ***tragi-comédie*** est un genre fort peu comique et tout à fait daté historiquement (entre 1552 et 1670) qui se caractérise par :

- **un sujet romanesque** et non emprunté à l'antiquité tel celui du *Cid*.
- **une action riche en péripéties** et en intrigues secondaires (telle la passion de l'infante pour Rodrigue dans la pièce suscitée).
- **un dénouement heureux**, tout au moins pour les personnages principaux, tels Rodrigue et Chimène dont la séparation n'est peut-être pas définitive...

3. LA COMÉDIE

Elle est d'une grande diversité !

- **dans l'antiquité** (cf. notre historique), c'est une pièce de théâtre aux intentions critiques manifestes.
- **la comédie ancienne** (Aristophane) fait la satire des mœurs et des personnages du temps (480 av. J.-C.) ;
- **la comédie moyenne** supprime le chœur (IVe siècle av. J.-C.) ;
- **la comédie nouvelle** (IVe au IIe siècle av. J.-C.) crée des types.

- **dans la littérature française** le terme comédie est bien riche de sens. Voyons quels ils sont :
- **ses acceptions principales :**
- au XVIIe siècle le terme désigne toute pièce de théâtre ;
- à partir du XVIIe siècle la comédie caractérise une pièce de théâtre ayant pour but de divertir en représentant les travers, le ridicule des caractères et des mœurs d'une société.
- **autres acceptions :**
- lieu où se joue une pièce de théâtre, *La Comédie Française*.
- la représentation de la pièce. A vous d'illustrer.

– **ses caractéristiques principales :**

- le sujet est emprunté à la vie ordinaire et non à l'histoire ou au mythe (sauf le *Dom Juan* de MOLIÈRE) ;
- les personnages sont souvent très typés, voire stéréotypés : valet débrouillard ; jeune ingénue...
- le style est volontiers familier et utilise fréquemment la prose ;
- l'intrigue est mue par le jeu des caractères ou par les lois du hasard (qui dénoue bien les choses...).

➤ A vous d'illustrer encore d'exemples moliéresques.

- **les formes du *comique* :** à bien distinguer et à utiliser à bon escient lors d'un exposé, d'une dissertation.

– **le comique de geste(s) :** *soufflet, grimace, chute...*

– **le comique de mots :** confusions de termes *(calembour)*, associations cocasses *(coq-à-l'âne)*, répétitions mécaniques...

➤ *« Du mécanique plaqué sur du vivant »*

Le Rire. BERGSON

– **le comique de situation :** *quiproquos...*

– **le comique de caractère :** psychologie caricaturale ou contradictions internes des personnages.

- **les registres du comique :** à connaître aussi, bien que les distinctions soient plus délicates entre les degrés du comique et leur hiérarchie.

– le comique **bouffon** ou **burlesque** que l'on trouve dans la farce, la pantomime ;

– le comique de **caractères**, plus fin et plus subtil, qui fait plus sourire que rire.

- **les *types de la comédie*** sont un legs de l'histoire. Certains ont disparu, d'autres sont toujours vivaces.

➤ Ajoutons-y la comédie ballet au XVIIe siècle ; et, au XXe siècle, la naissance de la comédie musicale américaine.

– **la *farce*** présente des personnages très typés dans des situations traditionnelles en utilisant un comique grossier (*Le Médecin malgré lui*). Une des formes en est la *commedia dell'arte* d'origine italienne et ses personnages connus (Scaramouche, Pierrot, Arlequin, Colombine...).

– **la comédie d'intrigue** repose sur un *imbroglio** à rebondissements multiples et à intrigues embrouillées tel *Le Mariage de Figaro* (1784) de BEAUMARCHAIS ;

Le Bourgeois gentilhomme à la Comédie Française en 1986.

– **la comédie héroïque** au XVIIe siècle présente des personnages nobles engagés dans des aventures romanesques telles celles de *Dom Garcie de Navarre* de MOLIÈRE (1661) ;

– **la comédie de caractères** est centrée autour d'un personnage dont la psychologie est mise en valeur tels *L'Avare* (1668), *Le Misanthrope* (1666) ;

– **la comédie de mœurs** se moque des us et coutumes de telle catégorie ou classe de la population à une époque donnée : *Les Précieuses Ridicules* (1659), *Turcaret* (1709) de LE SAGE ;

– **la comédie pastorale** présente des intrigues amoureuses de bergers de convention ;

- **la comédie sérieuse** au XVIIIe siècle est plus proche du drame par son goût du pathétique* tel *Le Père de Famille* (1765) de DIDEROT ;
- **le *vaudeville*** est une comédie légère, à dater du XIXe siècle, fertile en rebondissements : *L'Ours et le Pacha* d'EUGÈNE SCRIBE (1820).

4. LE DRAME

Ce terme recouvre des notions bien différentes dont il importe de distinguer les acceptions et les types.

- **les acceptions**
- **l'étymologie :** du bas latin *drama* venu du grec *drame* signifiant action ;
- **les significations littéraires :**
- jusqu'au XVIIIe siècle, genre littéraire comprenant tous les ouvrages composés pour le théâtre ;
- à dater du XVIIIe siècle, pièce de théâtre généralement tragique et (ou) pathétique*, s'accompagnant d'éléments familiers réalistes ou comiques.

Autres acceptions :
Evénement à caractère catastrophique,
le drame de la misère.
Problème considéré comme grave,
le drame de la famille contemporaine...

Le drame diffère de la tragédie par l'absence de fatalité, une action plus mouvementée, un dénouement parfois heureux :

- à dater du XIXe siècle, après le déclin du romantisme toute pièce de théâtre qui n'est ni une véritable comédie, ni une véritable tragédie.

Ex. *Les Mouches*, drame de J.-P. SARTRE.

- **les types**
- le **drame satyrique** (cf. théâtre grec p. 157) ;
- le **drame liturgique** (cf. théâtre médiéval p. 159) ;
- le ***drame bourgeois*** (ou comédie sérieuse), ainsi défini par Diderot :

DE LA COMÉDIE SÉRIEUSE

Voici donc le système dramatique dans toute son étendue. La comédie gaie, qui a pour objet le ridicule et le vice, la comédie sérieuse, qui a pour objet la vertu et les devoirs de l'homme. La tragédie, qui aurait pour objet nos malheurs domestiques ; la tragédie, qui a pour objet les catastrophes publiques et les malheurs des grands. [...]

Le parterre de la comédie est le seul endroit où les larmes de l'homme vertueux et du méchant soient confondues. Là, le méchant s'irrite contre des injustices qu'il aurait commises ; compatit à des maux qu'il aurait occasionnés, et s'indigne contre un homme de son propre caractère. Mais l'impression est reçue : elle demeure en nous, malgré nous ; et le méchant sort de sa loge, moins disposé à faire le mal, que s'il eût été gourmandé par un orateur sévère et dur. [...]

Il se caractérise par :

- **un sujet sérieux** (et non comique) : un conflit familial, tel le problème de la bâtardise ;

« Ce ne sont plus à proprement parler, les caractères qu'il faut mettre sur la scène mais les conditions. »

DIDEROT

- **la peinture des conditions sociales** (et non plus celle de caractères ou des passions) et le plus souvent des personnage bourgeois ;
- le respect des unités ;
- un style proche de la vérité, donc en prose ;
- un but moralisateur.

– **le *drame romantique*** fut défini par STENDHAL (*Racine e Shakespeare* (1823)) et surtout par V. HUGO (Préface de *Cromwell* (1826), Préface de *Marie Tudor* (1833)).

Préface de Marie Tudor

Il l'a déjà dit ailleurs, le drame comme il le sent, le drame comme il voudrait le voir créer par un homme de génie, le drame selon le dix-neuvième siècle, ce n'est pas un seul côté des choses systématiquement et perpétuellement mis en lumière, c'est tout regardé à la fois sous toutes les faces. S'il y avait un homme aujourd'hui qui pût réaliser le drame comme nous le comprenons, ce drame, ce serait le cœur humain, la tête humaine, la passion humaine, la volonté humaine ; ce serait le passé ressuscité au profit du présent ; ce serait l'histoire que nos pères ont faite, confrontée avec l'histoire que nous faisons ; ce serait le mélange sur la scène de tout ce qui est mêlé dans la vie ; ce serait une émeute là et une causerie d'amour ici, et dans la causerie d'amour une leçon pour le peuple, et dans l'émeute un cri pour le cœur ; ce serait le rire ; ce serait les larmes ; ce serait le bien, le mal, le haut, le bas, la fatalité, la providence, le génie, le hasard, la société, le monde, la nature, la vie ; et au-dessous de tout cela on sentirait planer quelque chose de grand !

« Les unités de la tragédie classique mutilent hommes et choses et font grimacer l'histoire. »

V. HUGO

Ses principaux traits sont :

- **abandon des unités de lieu et de temps.**

Quoi de plus invraisemblable et de plus absurde que ce vestibule, ce péristyle, cette antichambre lieu banal où nos tragédies ont la complaisance de venir se dérouler, où arrivent on ne sait comment, les conspirateurs pour déclamer contre le tyran, le tyran pour déclamer contre les conspirateurs.

L'unité de temps n'est pas plus solide que l'unité de lieu. L'action encadrée de force dans les vingt-quatre heures, est aussi ridicule qu'encadrée dans le vestibule.

V. HUGO, Préface de *Cromwell*, 1827

J.-L. BARRAULT, oct. 1946.

- **le mélange des genres**, en particulier chez Hugo, du grotesque et du sublime.

Le drame qui fond sous un même souffle le grotesque et le sublime, le terrible et le bouffon, la tragédie et la comédie..

V. HUGO, Idem

- **la recherche de la vérité intégrale**, entre autre par la recherche de la couleur locale.

La couleur locale est la base de toute vérité ; sans elle, rien l'avenir ne réussira.

BENJAMIN CONSTANT

– ***le mélodrame*** (étymologiquement drame mêlé de musique) désigne un genre en faveur à la fin du XVIIIe siècle et au début du XIXe siècle, caractérisé par des sujets invraisemblables ou extraordinaires, le goût du pathétique, des personnages stéréotypés (le méchant séducteur, la jeune ingénue, la demoiselle de petite vertu au cœur généreux...) un style familier, parfois trivial...

Certains de ces éléments auront une influence sur le drame romantique.

- **mimodrame** : drame mimé en pantomime (cf. *La pantomime des gueux* in *Le Neveu de Rameau* de DIDEROT) ;
- **psychodrame :** jeu dramatique, fondé par MORENO, où les participants s'investissent dans des improvisations mimant des scènes vécues, et ce, à des fins thérapeutiques. Le psychodrame n'est pas, précisons-le, un genre théâtral.

EN GUISE DE CONCLUSION

« Le théâtre est comme la messe, pour en bien sentir les effets il faut y revenir souvent. »
Eléments de philosophie.
ALAIN

Ce rapide panorama qui vise avant tout à vous fournir quelques points de repère appelle, de toute évidence, quelques lectures complémentaires et méditations supplémentaires. Pour ce faire, puisez dans le Guide de lecture d'ORGANIBAC Français II (p. 390-1) et parcourez le chapitre Du Théâtre (p. 240-67) du même volume.

Ai-je bien lu... cette étude ?

☐ **Sur l'histoire du théâtre ?**

1) Le théâtre est, à l'origine, lié au culte de : a Aphrodite b Dionysos c Apollon d Hermès
2) Le théâtre médiéval est illustré par : a les mystères b les farces c les tragédies d le jeu
3) La théorie de la catharsis, c'est : a le mélange des tons b la purgation des passions c la règle des trois unités d la division en cinq actes
4) La comédie de boulevard est apparue au : a 17ᵉ siècle b 18ᵉ siècle c 19ᵉ siècle d 20ᵉ siècle
5) L'auteur du Théâtre et son Double est : a J.-P. Sartre b A. Artaud c J. Giraudoux d E. Ionesco

☐ **Sur quelques grands auteurs dramatiques**

1) Aristophane est l'auteur de : a Les Oiseaux b Le Misanthrope c Amphitryon d Alexandre
2) Corneille est l'auteur de : a Les Plaideurs b La Farce de maître Pathelin c Le Menteur d Georges Dandin
3) Edmond Rostand est l'auteur de : a Ondine b Cyrano de Bergerac c Tête d'Or d Madame Sans-Gêne
4) Jean-Paul Sartre est l'auteur de : a La Folle de Chaillot b Les Mouches c Knock d Caligula
5) Diderot est l'auteur de : a Le Père de Famille b Le Philosophe sans le savoir c Turcaret d Arlequin poli par l'amour

☐ **Sur quelques grandes pièces ?**

1) L'auteur de Phèdre est : a Molière b Racine c Corneille d Boileau
2) L'auteur du Barbier de Séville est : a Marivaux b J.-B. Rousseau c Beaumarchais d Diderot
3) L'auteur des Caprices de Marianne est : a Stendhal b V. Hugo c Mérimée d A. de Musset
4) L'auteur de La Dame aux Camélias est : a Courteline b V. Sardou c A. Dumas Fils d H. Becque
5) L'auteur de En attendant Godot est : a S. Beckett b A. Adamov c A. Artaud d J. Romains

SUR L'HISTOIRE DU THÉÂTRE?
1/b 2/a+d 3/b 4/c 5/b
SUR QUELQUES GRANDS AUTEURS DRAMATIQUES ?
1/a 2/c 3/b 4/b 5/a
SUR QUELQUES GRANDES PIÈCES ?
1/b 2/c 3/d 4/c 5/a

ON N'EST PAS SÉRIEUX, QUAND ON A DIX-SEPT ANS. CELA N'EMPÊCHE PAS DE SAVOIR...

DE L'HISTOIRE DE LA POÉSIE ?
1)c 2)b 3)d 4)c 5)d

DE LA DÉFINITION DES GENRES ET DES FORMES POÉTIQUES ?
1)b 2)d 3)c 4)b 5)a

DE QUELQUES GRANDS POÈTES ET GRANDES ŒUVRES ?
1)c 2)c 3)b 4)d 5)a

Que sais-je... de la poésie ?

☐ De l'histoire de la poésie ?

1) La poésie est à l'origine liée :	a à l'architecture b à la sculpture	c à la musique d à la danse
2) Le sonnet est d'origine :	a grecque b italienne	c espagnole d romaine
3) La Pléiade est le mouvement poétique du :	a Moyen Age b Baroque	c Romantisme d 16e siècle
4) Le Parnasse est un mouvement poétique datant de :	a la fin du 18e b la fin du 17e	c le milieu du 19e d la 1re moitié du 20e
5) Le chef de file du surréalisme est :	a R. Desnos b Apollinaire	c Boris Vian d A. Breton

☐ De la définition des genres poétiques et des formes ?

1) La poésie bucolique chante :	a la divinité b la nature	c la gloire d l'amour
2) Le dodécasyllabe est un vers de :	a 10 syllabes b 8 syllabes	c impair d 12 syllabes
3) L'épigramme est un poème :	a amoureux b didactique	c satirique d médiéval
4) Un sonnet est composé de :	a 4 quatrains b 2 quatrains/2 tercets	c 3 tercets d 10 vers
5) La poésie didactique cherche à :	a enseigner b émouvoir	c chanter les hauts faits d critiquer

☐ De quelques grands poètes et grandes œuvres ?

1) La Légende des siècles est de :	a P. de Ronsard b A. d'Aubigné	c V. Hugo d J.-M. de Heredia
2) Lamartine a écrit :	a Les Regrets b Les Chimères	c Les Méditations d Les Nuits
3) L'auteur des Amours de Marie est :	a Dorat b Ronsard	c Du Bellay d Marot
4) Vigny a écrit :	a Les Odes et Ballades b Les Fleurs du Mal	c Les Recueillements d Les Destinées
5) L'auteur d'Alcools est :	a Apollinaire c Aragon	c Desnos d Eluard

« La poésie est tout ce qu'il y a d'intime dans tout. »

V. HUGO

LA POÉSIE

Premier de tous les genres, dans tous les pays, et par l'origine, et par la place longtemps occupée dans la hiérarchie des lettres,* la Poésie *est le signe sensible du pouvoir créateur de l'homme et du pouvoir créateur des mots. Sur ces pouvoirs, nous nous sommes patiemment interrogés dans le chapitre 3 de la 2ᵉ partie d'Organibac (p. 268-297), chapitre qu'il faut lire, à l'occasion, sans parti pris, si vous voulez tirer parti des quelques notions qui vont suivre.

ESQUISSE D'UNE DÉFINITION

D'après Madame de Staël, il est « *difficile de dire ce qui n'est pas de la **poésie*** » car l'essence de cet art ne saurait s'enfermer dans une définition exhaustive. Tentons, néanmoins, cette impossible approche.

1. ÉTYMOLOGIE

Elle est très significative ; ***poésie*** vient du grec *« poiêsis »* qui veut dire création ; le poète ou aède* est un démiurge* ; le poème est semblable à l'oracle, c'est une dictée de dieu.

2. LES ACCEPTIONS

Elles sont multiples mais peuvent se ramener à trois significations principales.

➤ *« La poésie, ce sont des mots qui se brûlent. »*
Léon Paul FARGUE

- ***Poésie*, art du langage** généralement associé à la versification, permettant d'évoquer et de suggérer par le choix des termes, l'harmonie de la prosodie*, le retour régulier de la rime, une infinité d'états et de sensations que la prose ne pourrait qu'approcher.
- ***Poésie*, produit de la création poétique**
  - à l'origine un poème de peu d'étendue,
  - ensuite l'ensemble de l'œuvre poétique d'un auteur avec ses caractéristiques propres : la poésie de Victor Hugo, de Paul Éluard...

➤ *« Celui qui n'est pas poète n'est pas un homme. »*
E. RENAN

- ***Poésie*, caractéristique d'un être ou d'un objet qui émeut particulièrement** un lecteur, un spectateur : les films poétiques de...

3. LA DISTINCTION PROSE/POÉSIE

Des acceptions* qui précèdent découle le fait que le critère versification ne peut toujours être suffisant pour définir la poésie.

- Certains textes versifiés peuvent être (cf. poésie didactique*) fort peu poétiques à nos yeux (tel *Le Mondain* (1736) de Voltaire...).
- Certains textes en prose (tels *Les Rêveries* (1782) de J.-J. Rousseau) peuvent nous paraître plus poétiques, du fait de l'utilisation par l'auteur de toutes les ressources du langage, que de longues suites rébarbatives d'alexandrins.

- Certains auteurs, tel Aloysius Bertrand (*Gaspard de la Nuit* – 1842) et Charles Baudelaire (*Petits Poèmes en prose* – 1857-1867) ont voulu dépasser cette opposition et ont créé le **poème en prose.**

ESSAI DE CLASSIFICATION

Un art aussi impalpable que la poésie peut difficilement être enfermé dans les bornes étroites d'une typologie rigoureuse. Toute tentative de classification relève d'un arbitraire... historique ou empirique*.

1. LES CRITÈRES DE CLASSIFICATION

Ils ont été définis depuis le Moyen Age et restent :

- **la forme :** on peut distinguer en effet :
- **les genres à forme fixe** légués par l'histoire qui peuvent être des curiosités d'esthète fort peu connues du public lycéen (et même des autres) tels les *lais**, *rondeaux**, *chants royaux**, *vilanelle**, ou qui ont été fort vivaces tels la *ballade** et le *sonnet** ;
- **les genres autres** caractérisés par **le ton**

Cf. *Procédés Annexes d'Expression* ➤ Bonnard, *4e partie Poétique,* Magnard

- **le ton** peut, lui aussi, définir une espèce poétique, il vous faut connaître ainsi la poésie *épique**, *dramatique*, *lyrique*, *élégiaque**, *bucolique**, *pastorale*, *satirique*, *burlesque**... ;
- **l'intention** est le dernier critère ; si la poésie veut, par exemple, instruire agréablement, elle devient ***didactique****... ; si elle chante les hauts faits guerriers, elle est ***épique****...

2. LA CLASSIFICATION CLASSIQUE

Consacrée par le temps et par l'usage elle nous permet de distinguer :

- **la poésie *lyrique****, **celle qui exprime les émois du cœur** (fuite du temps, amour de la nature, amour d'autrui) et qui, à l'origine, était chantée ou déclamée avec un accompagnement musical (cf. lyre → Lyre d'Orphée).

Parmi les poèmes lyriques, fort nombreux, on retiendra :

- **l'*ode*** (du grec *ôdê*, chant) qui est l'**expression naturelle du lyrisme.**
- chez les Grecs c'est un poème lyrique divisé en strophes semblables par le nombre et la mesure des vers. Ronsard tentera de les adapter à la poésie française ;

Apothéose d'Homère, bas-relief antique.

L'*Ode héroïque* célèbre des faits héroïques.
L'*Ode anacréontique* exprime des sentiments familiers.

- à partir du 17e c'est un poème exprimant de façon personnelle des grands sentiments ; citons, entre autres :

les *Odes et Ballades* (1828) de V. Hugo ;
les *Cinq Grandes Odes* (1904-1908) de P. Claudel ;

- **l'*hymne*** est **un poème à la gloire d'un dieu, d'un héros, d'une idée, à caractère sacré :** à connaître des extraits des *Hymnes* (1555) de Ronsard ;
- **l'*élégie*** est un poème **à caractère triste et mélancolique** (étymologiquement « *elegeia* », action de dire hélas) sans forme prédéterminée qui est illustré abondamment par la poésie romantique.

Les Méditations (1820) de Lamartine (L'*Isolement, Le Lac, L'Automne...).*

- **la *chanson*** est **le poème lyrique par excellence** puisque fait pour être chanté, divisé en *stances* égales appelées *couplets* et un *leitmotiv*, le *refrain.* Au Moyen Age la chanson est d'un genre élevé, composée et chantée par les trouvères et troubadours (cf. p. 180) ;
- **la *ballade*** (du provençal « *ballada* » chanson à danser) est un poème à forme fixe :

- au Moyen Age il est composé de trois couplets et demi construits sur les mêmes rimes ; les couplets de huit vers, (octosyllabes) ou de dix vers, (décasyllabes) sont construits sur les schémas a b c b b c b c ou a b a b b c c d c d. Les trois couplets se terminent par le même vers qui sert de refrain. Un demi-couplet appelé *envoi* commençant par le mot *Prince* servait de conclusion : *La Ballade des Pendus* de F. Villon ;
- au 19e siècle la ballade est un poème épico-lyrique à strophes égales, à caractère tragique ou fantastique : *Les Ballades* de V. Hugo *(Les Djinns...).*

➤ *« Un sonnet sans défaut vaut seul un long poème. »*
Boileau
Art Poétique II.

- **Le *sonnet*** (de l'italien *sonnetto,* petite chanson) a été introduit par Marot. Il comprend deux *quatrains* et deux *tercets*, constitués de *décasyllabes* ou d'*alexandrins.* On distingue :

- le sonnet **marotique** (abba abba ccd eed),
- le sonnet **régulier** (abba abba ccd ede),
- les sonnets **irréguliers :** autres dispositions : à étudier par exemple dans *Les Fleurs du Mal* (1861) de Baudelaire.

- **La poésie *épique*** (du grec *épikos*, de *épos* poème) est, nous l'avons vu, une poésie qui exalte un grand sentiment collectif, qui met en valeur les actions d'un héros (ou de héros) symbolique(s), qui a recours au merveilleux et au manichéisme*. Le mètre* utilisé est le plus souvent l'alexandrin. A connaître (sous forme d'extraits).

La Chanson de Roland (11e siècle)
La Franciade (1572) de Ronsard
La Légende des siècles (1859-77) de V. Hugo.

- **la poésie dramatique** est celle du théâtre (cf. typologie p. 169) ;
- **la poésie *satirique*** (du latin *saturae,* mélange) est celle qui attaque, avec humour ou causticité*, les vices et les mœurs de son temps.

Parmi les poèmes satiriques on retiendra :

- **la *satire*** proprement dite, poème en alexandrins répondant à la finalité sus-indiquée, d'une facture ample, telles :

Les *Satires* de Mathurin RÉGNIER (1608).
Les *Satires* de BOILEAU (1666-1668).

- **l'épigramme** (à l'origine, chez les Grecs, tout poème court gravé sur une pierre), petit poème bref et caustique se terminant par une pointe tels les :

Epigrammes de MAROT
Epigrammes de VOLTAIRE

« L'épigramme... n'est souvent qu'un bon mot de deux rimes orné. »
BOILEAU

- **l'*iambe*** (à l'origine vers satirique de six pieds), pièce satirique d'un ton souvent emporté comme les *Iambes* (1794) d'André CHÉNIER.

« L'autre jour au fond d'un vallon
Un serpent piqua Jean Fréron
Que croyez vous qu'il arriva
Ce fut le serpent qui creva ».
VOLTAIRE

- **la poésie *pastorale*** est **celle qui évoque la vie champêtre,** les travaux des champs, la vie des bergers (parfois de façon très conventionnelle). On peut noter quelques poèmes pastoraux légués par l'histoire.
- **l'*églogue*** (étymologiquement pièce choisie) est un poème faisant dialoguer des bergers dans un cadre bucolique ;

Le genre pastoral s'incarne aussi dans le roman (cf. L'Astrée 17e) et dans la comédie.

- **l'*idylle*** (en grec petit tableau) est un petit poème évoquant des scènes amoureuses telle la *Jeune Tarentine* (1787) d'André CHÉNIER ;
- **la pastourelle,** chanson médiévale, faisant dialoguer un chevalier et une bergère.
- **la poésie didactique** enfin est **celle qui se donne pour but d'enseigner agréablement.** *L'Art poétique* (1674) de BOILEAU est un poème didactique*. Parmi les variantes, distinguons :
- **l'*épitre :*** lettre en vers sur un sujet soit moral ou philosophique, soit familier et badin telle *l'Epitre au Roi pour avoir été dérobé* (1532) de Clément MAROT.
- **le *discours :*** long poème en alexandrins, à rimes plates, traitant un sujet sérieux d'ordre philosophique, moral, politique comme *les Discours des Misères de ce temps* (1562) de RONSARD, *le Discours en vers sur l'homme* (1738) de VOLTAIRE.
- **la *fable :*** poème en vers libres, constitué d'une narration et d'une morale, les plus connues étant, bien entendu, *les Fables* (1668-1694) de J. de LA FONTAINE ;
- **autres formes poétiques :** certains poèmes sont difficilement classables dans telle ou telle catégorie précédente ; à vous de chercher la signification et la valeur, si nécessaire, de poèmes tels le **calligramme*** le **madrigal*,** l'**épithalame*...**

Hommage à LA FONTAINE.

ÉBAUCHE D'UN HISTORIQUE

Pour l'essentiel nos parcours chronologiques, du 16e au 20e siècle, vous présentent les principaux courants ou écoles poétiques. Nous vous y renvoyons donc. On soulignera ici, très sommairement, quelques sources fondamentales de la poésie française sans se lancer dans des historiques qui seraient trop longs pour notre volume.

1. LES SOURCES GRECQUES

Elles sont évidemment essentielles.

- l'apport des philosophes fut fondamental.

– Platon (427 (?) – 347). Pour l'auteur de *La République* **l'état poétique est une possession divine.**

« Le poète est chose ailée et sacrée, et il ne peut créer avant de sentir l'inspiration, d'être hors de lui et de perdre l'usage de la raison. »

De la filiation platonicienne est issue la tradition d'une poésie à caractère magique, réservée à une élite (cf. Pléiade 16e, *Défense et Illustration de la Langue Française,* 1549).

– Aristote (384-322 av. J.-C.) dans sa *Poétique* définit la poésie comme **un art d'imitation** qui vise par ses ornements propres le vrai dans toute sa généralité.

- les poètes grecs ont par ailleurs créé :

– la poésie **épique** avec Homère *L'Iliade/L'Odyssée* (p. 158),
– la poésie **didactique** avec Hésiode,
– la poésie **lyrique** avec Sapho et Pindare (Odes),
– la poésie **satirique** avec Callimaque,
– la poésie **bucolique** avec Théocrite.

Les Bucoliques de Virgile.

2. LES SOURCES LATINES

Si l'inspiration latine ne brille pas par son originalité, les œuvres, nombreuses et riches, ont profondément marqué la littérature française.

Signalons pour :

- la poésie **épique,** l'*Enéide* de Virgile, Les *Métamorphoses* d'Ovide,
- la poésie **lyrique,** en particulier :

– l'élégie avec Tibulle, Properce, Ovide (*Les Amours,* 15 av. J.-C.),

- l'ode épicurienne chez HORACE *(Carpe diem... Cueille le jour)*,
- la poésie **pastorale** avec les *Bucoliques* , les *Géorgiques* de VIRGILE,
- la poésie **satirique** avec LUCILIUS et surtout MARTIAL (43-104) et JUVÉNAL (60-130).

3. LES SOURCES ITALIENNES

Elles sont tout aussi importantes. C'est à l'image de l'Italie que s'est façonnée la littérature du 16e siècle. Signalons l'influence en particulier de :

- DANTE Alighieri (1265-1321), philosophe, moraliste et poète est l'expression de la première renaissance.
  Il nous a laissé :
  - La *Vita Nuova* (1283-1293), expression de son amour mystique pour Béatrice ;
  - La *Divine Comédie* (1307-1321), trilogie constituée de l'*Enfer,* du *Paradis,* du *Purgatoire,* sorte d'épopée mystique où le poète, guidé par Virgile, visite l'au-delà.
- PÉTRARQUE (1304-1374), poète et humaniste est connu pour son amour pour Laure de Noves, rencontrée en Avignon, amour sublimé après la mort de la belle dans les *Canzoniere* (1470), recueil de sonnets qui servira de modèle aux multiples recueils pétrarquisants du 16e siècle français (*Les Amours de Cassandre* (1552) de Ronsard...).
- BOCCACE (1313-1375), connu surtout pour le *Décaméron* (1348-1353), est aussi poète estimable et souvent imité (*L'Heptaméron* (cf. p. 16) de Marguerite de Navarre, sœur de François Ier).

DANTE et Béatrice.

4. LA POÉSIE MÉDIÉVALE

A consulter Littératures de l'Europe médiévale (Magnard).

Il importe de signaler avant tout **la richesse et la diversité de la poésie française du Moyen Age** qui a atteint, presque dès son origine, un degré de perfection tout à fait remarquable même si celui-ci est désormais difficilement appréciable par un (jeune) lecteur contemporain peu au fait des subtilités de l'ancien français.

Il nous paraît cependant nécessaire que le futur « **bachelier** » (à noter qu'au Moyen Age le « *bachelier* » était un jeune chevalier non marié) ait quelque idée de la poésie des origines.

A retenir, pour se limiter à l'essentiel :

- **La genèse des formes poétiques** : les poètes médiévaux ont tout créé, ou recréé, en particulier :

– **La poésie épique** qui est des plus connues : tout potache a, sinon étudié, pour le moins entendu parler de notre premier grand texte littéraire *la Chanson de Roland* (fin 11e siècle). Ajoutons, pour votre gouverne, que cette poésie épique, appelée aussi *chanson de geste* (geste signifiant action, exploit) :

- répondait aux **attentes d'un public** avide d'entendre déclamer par des jongleurs les exploits plus ou moins mythiques d'un héros dans lequel il pouvait se reconnaître ;
- correspondait à des **règles strictes** : les vers, des octosyllabes, parfois des alexandrins, le plus souvent des décasyllabes (coupés 4+6) étaient groupés en laisses* assonancées* ou rarement rimées, chaque laisse correspondant à l'origine à un épisode complet.

C'est ainsi que *la Chanson de Roland* dans sa version ancienne, dite d'Oxford, comporte 4002 décasyllabes répartis en 291 laisses assonancées :

- a été unifiée en **trois cycles** bien que les auteurs et les inspirations aient été fort différents.

Le cycle de Charlemagne *(Berthe aux grand pieds... Le Pèlerinage de Charlemagne... La Chanson de Roland...).*

Le cycle de Doon de Mayence *(Gormon et Isambart... Raoul de Cambrai... Renaud de Montauban...).*

Le cycle de Garin de Monglane, celui de Guillaume au court nez (*Chanson de Guillaume... Le couronnement de Louis... Le Charroi de Nîmes, La prise d'Orange*) ;

- a été ensuite « contaminée » et **traduite en prose** par le roman courtois lorsque les idéaux qu'elle véhiculait se sont estompés et sont devenus matière à roman.

– **La poésie lyrique,** expression pour l'essentiel du sentiment amoureux, est née au 12e siècle, dans un milieu aristocratique cultivé et raffiné, de poètes musiciens appelés *Troubadours** en langue d'Oc (troubadour vient de *trobar,* terme roman issu du latin *tropare* signifiant composer des *tropes* c'est-à-dire des airs de musique) et *Trouvères* en langue d'Oïl (trouvères à la même origine ; l'évolution phonétique différente a donné *trouver* d'où : trouvère).

Elle se caractérise par :

- l'expression de la « *fin amor* », **amour absolu et total du poète pour une dame,** déjà mariée, à laquelle il voue un culte – pas toujours sans espoir – et d'**un art de vivre**, *la courtoisie*, fait de raffinement et de mondanités ;
- une **poétique très savante et très recherchée, en langue d'Oc** *les Leys* (lois) *d'amors* (1356) proposent :
  le *trobar leu,* composition simple ;
  le *trobar clus,* composition hermétique ;
  le *trobar ric,* composition riche.

Les genres sont multiples :

Le *canzo*, chanson d'amour sur une même structure stylique terminé par un *envoi* au destinataire désigné par un surnom ;

la *chanson de croisade* et la *chanson pieuse* ;

les *débats* et *jeu-parti,* discussions multiples sur des points d'amour.

- **Une poétique plus simple et moins compliquée en langue d'Oïl** notamment comprenant :

des *chansons de toile* qui narrent de petits drames amoureux ;

l'*aube*, chanson avec couplets et refrain à plusieurs voix qui chante la douleur des amants que le jour va séparer ;

la *pastourelle* qui narre la rencontre amoureuse entre un seigneur, séducteur sans beaucoup de scrupules et une jeune bergère ingénue.

- Une **influence durable sur l'art poétique épris de perfection formelle** (cf. Malherbe au 17e siècle, les Parnassiens au 19e siècle) et sur la conception de l'amour, vénération de l'être aimé (cf. le pétrarquisme au 16e siècle. Le culte de la femme chez les surréalistes et Aragon en particulier).

– **La poésie narrative** car, au début, même le roman était écrit en vers ! Nous vous renvoyons pour complément à notre section Le Roman (p. 145) ;

- **Le roman antique**, le plus connu étant le *Roman d'Alexandre* (12e siècle) qui a donné son nom au dodécasyllabe, vers de douze pieds, ou alexandrin.
- **Le roman courtois** avec l'exemple célèbre de *Tristan et Iseut* (12e) ou le *Cycle du Graal* ;
- **le roman parodique** et populaire avec les Fabliaux dont le plus connu est le *Roman de Renart.*

– **La poésie dramatique** ou poésie du théâtre traitée, elle aussi, dans la section correspondante (p. 166) car le théâtre médiéval, religieux ou profane, avait, lui aussi, recours à la forme versifiée.

- **Une évolution des formes poétiques :** une période de cinq siècles, où la production poétique fut abondante, peut difficilement être évoquée en quelques lignes. A défaut de plus amples développements, nous vous invitons à retenir quelques repères concernant les trois phases du Moyen Age :

– **la poésie de l'âge roman :** elle se caractérise, nous l'avons vu par :

- la naissance de la **poésie épique** dont le plus beau fleuron est incontestablement *La Chanson de Roland* dont il faudrait pour le moins connaître quelques extraits ;
- la naissance de la **poésie lyrique** avec les premiers troubadours parmi lesquels on retiendra les noms de GUILLAUME IX d'Aquitaine (1031-1127), Jauffré RUDEL, Bernard de VENTADOUR et les premiers trouvères (dont CHRÉTIEN DE TROYES, grand romancier par ailleurs ou Colin MUSET).

Soulignons, avec J.-C. Payen, que la poésie de l'âge roman est une poésie déjà très élaborée, qui atteint parfois une certaine perfection formelle. Elle a ouvert tous les chemins, non seulement à la poésie ultérieure de la France, mais aussi à celle de l'Europe entière...

La Ballade des Pendus

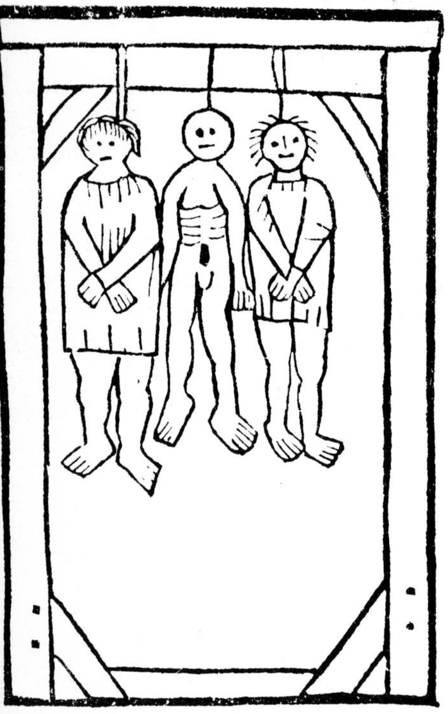

Epitaphe dudit Villon

Freres humains qui apres no⁹ viues
Nayez les cueurs contre no⁹ endurcis
Car se pitie de no⁹ pouurez auez
Dieu en aura plustost de vous mercis
Vous nous voies cy ataches cinq six
Quãt de la char q̃ trop auõs nourrie
Ellest pieca deuouree et pourrie
Et no⁹ les os deuenõs cẽdres & pouldre
De nostre mal personne ne sen rie
Mais pries dieu que tous nous vueil
le absouldre g iii.

– **La poésie de l'âge gothique** (12e siècle) période d'épanouissement du Moyen Age, avec la floraison architecturale de nos cathédrales et la floraison, non moins grande, de notre poésie marquée par :

- le relatif **déclin de l'épopée,**
- la **diversification du lyrisme** en un lyrisme courtois, et un lyrisme bourgeois avec RUTEBEUF, le premier grand poète lyrique de notre littérature (Le *Mariage Rutebeuf*, La *Complainte Rutebeuf*, La *Pauvreté Rutebeuf*) ;
- le **miracle de la poésie didactique***, avec *Le Roman de la Rose,* art d'aimer poétique et allégorique* de Guillaume DE LORRIS et de Jean de MEUNG.

– **La poésie des âges sombres** (14e-15e siècles), périodes troubles et sanglantes de la guerre de Cent ans et de la peste noire, néanmoins caractérisées par :

- **le renouvellement des genres,** Guillaume de MACHAUT imposant les poèmes à forme fixe tels la ballade*, le rondeau*, le virelai*, le chant royal* ;
- **quelques grands créateurs**, appelés souvent rhétoriqueurs, d'après le premier d'entre eux, Eustache Deschamps :
- Eustache DESCHAMPS (1346-1406) est l'auteur d'un Art poétique ou l'*Art de dictier* (1392) ;
- Christine de PISAN (1364-1430), femme de tête et femme de cœur ;
- Charles D'ORLÉANS (1394-1465), retenu prisonnier vingt-cinq ans en Angleterre et qui sut, avec émotion, exprimer la nostalgie de la patrie perdue ;
- François VILLON (1431-?), grand poète et mauvais garçon (voleur et même meurtrier d'un prêtre) qui nous a laissé des poèmes qu'on ne peut pas ne pas connaître tels *Le Testament, La Ballade des Dames du temps jadis* et la non moins célèbre *Ballade des Pendus.*

ESQUISSE DE CONCLUSION

La poésie française, après une première floraison aussi prometteuse, ne pouvait connaître qu'un destin faste, que l'on songe à la Renaissance (Ronsard, Du Bellay) ou à l'âge d'or romantique (Victor Hugo, Lamartine, Musset)..., que l'on évoque l'âge classique (La Fontaine) ou la fulgurance surréaliste (Aragon, Breton, Eluard), c'est la même impression de richesse et de diversité qui s'impose. Nos divers panoramas vous donnent une idée essentielle qu'il vous appartient d'approfondir pour votre intérêt... ou votre plus grand plaisir.

Ai-je bien lu... cette étude ?

☐ **Les classifications des genres**

1) L'étymologie du terme poésie est :	a gauloise b latine	c grecque d ibérique
2) L'ode est un poème :	a dramatique b épique	c lyrique d bucolique
3) L'églogue est un poème :	a élégiaque b pastoral	c didactique d lyrique
4) L'iambe est un poème :	a lyrique b satirique	c didactique d autre
5) Le sonnet régulier correspond aux rimes :	a abbc abbc ccd cdc b abab cbcb ccd ccd	c abba cddc cfc ffc d abba abba ccd ede

☐ **L'histoire de la poésie**

1) Qui a dit que la poésie est un art d'imitation ?	a Homère b Aristote	c Ovide d Platon
2) L'auteur de la Divine Comédie est :	a Dante b Boccace	c Pétrarque d Virgile
3) La chanson de geste est une poésie :	a lyrique b épique	c parodique d satirique
4) Tristan et Yseut est un roman :	a antique b courtois	c épique d allégorique
5) Le chef-d'œuvre de la poésie didactique médiévale est :	a Le roman de Renart b Tristan et Iseut	c La Chanson de Roland d Le Roman de la Rose

☐ **Des œuvres et des auteurs cités**

1) L'auteur de la Ballade des pendus est :	a V. Hugo b Charles d'Orléans	c Ronsard d F. Villon
2) L'auteur de l'Art Poétique (1674) est :	a Du Bellay b Boileau	c La Fontaine d Chateaubriand
3) Boccace a écrit :	a La Franciade b La Vita Nuova	c L'Heptameron d Le Décameron
4) Ovide a écrit :	a L'Odyssée b L'Enéide	c Les Métamorphoses d Les Géorgiques
5) L'auteur de Gaspard de la Nuit est :	a A. Bertrand b J.-J. Rousseau	c Voltaire d Baudelaire

LES CLASSIFICATIONS DES GENRES
1)c 2)c 3)b 4)b 5)d

L'HISTOIRE DE LA POÉSIE
1)b 2)a 3)b 4)b 5)d

DES OEUVRES ET DES AUTEURS CITÉS
1)d 2)b 3)d 4)c 5)a

TABLEAU

	RÈGNES RÉGIMES	GRANDS ÉVÉNE-MENTS	DATES-CLÉS	COURANTS	AUTEURS
1500	LOUIS XII 1515	Guerres d'Italie 1516	1515 : Marignan		RABELAIS 1553
	FRANÇOIS Ier 1547	1520 Guerres contre Charles-Quint 1559	1525 : Défaite de Pavie	L'HUMANISME	MAROT 1544
			1534 : Affaire des Placards		1522 DU BELLAY 1560
1550	HENRI II 1559		1556 : Abdication de Charles Quint	LA PLÉIADE	1524 RONSARD 1585
	FRANÇOIS II 1560		1559 : Traité de Cateau- Cambrésis		1533 MONTAIGNE 1592
	CHARLES IX 1574	1562 Guerres de Religion 1593	1572 : Massacre de la St-Barthélémy		1555 MALHERBE 1628
	HENRI III 1589				
1600	HENRI IV 1610		1598 : Edit de Nantes	LE BAROQUE	1596 DESCARTES 1650
	Régence de Marie de Médicis		1610 : Assassinat de Henri IV		1606 CORNEILLE 1684
	LOUIS XIII 1643	Guerre de Trente Ans	1627 : Siège de La Rochelle	LA PRÉCIOSITÉ	1623 PASCAL 1662
					1622 MOLIÈRE 1673
					1621 LA FONTAINE 1695
					1639 RACINE 1699
1650	Régence d'Anne d'Autriche 1661	La Fronde	1648 : Traités de Westphalie	LE CLASSICISME	1657 FONTENELLE 1757
	LOUIS XIV 1715	La Monarchie Absolue	1659 : Paix des Pyrénées		1688 MARIVAUX
			1685 : Révocation de l'Edit de Nantes	LA PHILOSOPHIE DES LUMIÈRES	1689 MONTESQUIEU 1755
1700		Guerre de Succession d'Espagne			1694 VOLTAIRE
	Régence du Duc d'Orléans 1723				1713 DIDEROT
	LOUIS XV				1712 ROUSSEAU
1750					1732 BEAUMARCHAIS

SYNOPTIQUE

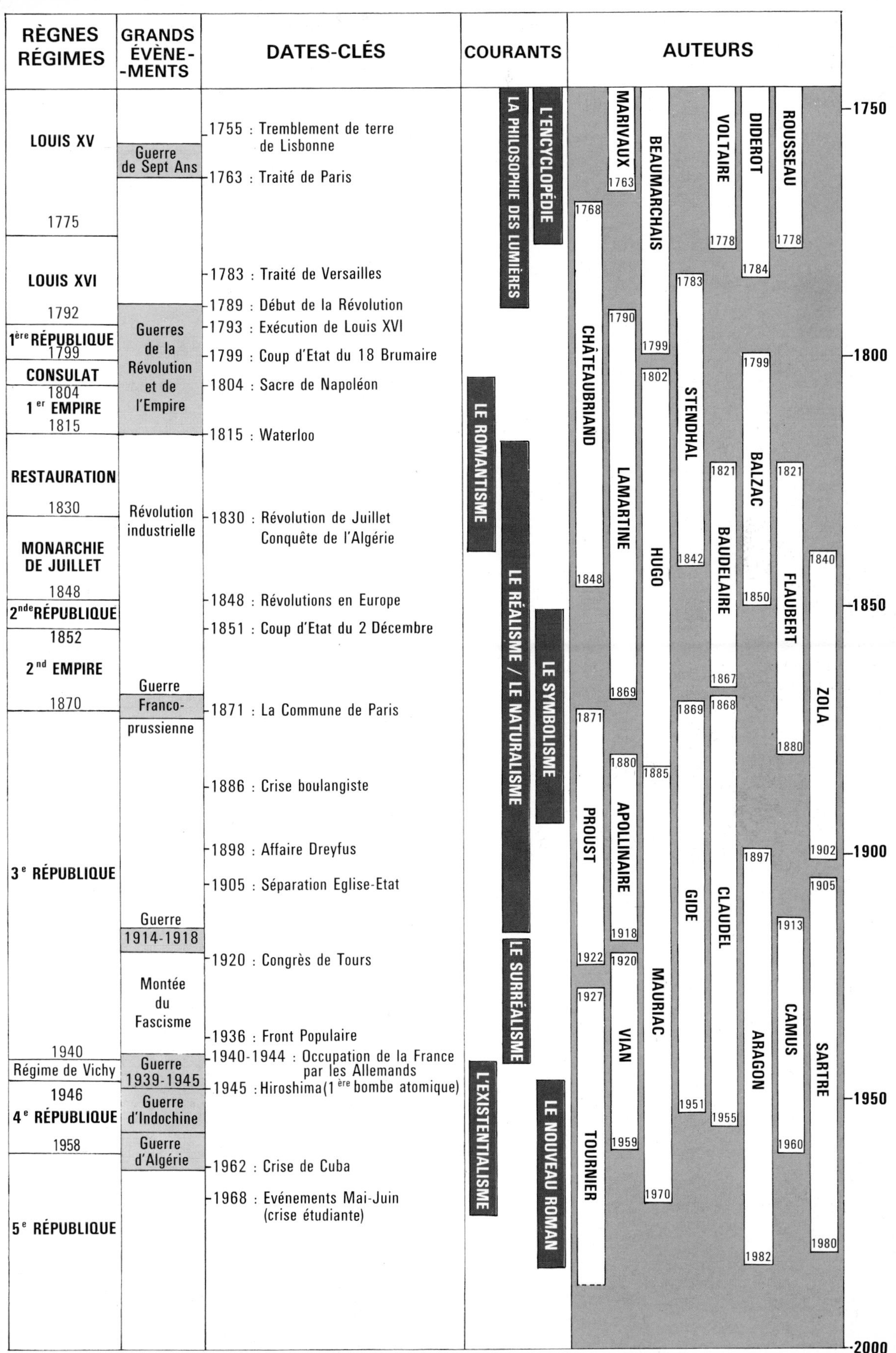
RÈGNES RÉGIMES
GRANDS ÉVÈNE-MENTS
DATES-CLÉS
COURANTS
AUTEURS
LOUIS XV
1775
LOUIS XVI
1792
1ère RÉPUBLIQUE
1799
CONSULAT
1804
1er EMPIRE
1815
RESTAURATION
1830
MONARCHIE DE JUILLET
1848
2nde RÉPUBLIQUE
1852
2nd EMPIRE
1870
3e RÉPUBLIQUE
1940
Régime de Vichy
1946
4e RÉPUBLIQUE
1958
5e RÉPUBLIQUE
Guerre de Sept Ans
Guerres de la Révolution et de l'Empire
Révolution industrielle
Guerre Franco-prussienne
Guerre 1914-1918
Montée du Fascisme
Guerre 1939-1945
Guerre d'Indochine
Guerre d'Algérie
1755 : Tremblement de terre de Lisbonne
1763 : Traité de Paris
1783 : Traité de Versailles
1789 : Début de la Révolution
1793 : Exécution de Louis XVI
1799 : Coup d'Etat du 18 Brumaire
1804 : Sacre de Napoléon
1815 : Waterloo
1830 : Révolution de Juillet Conquête de l'Algérie
1848 : Révolutions en Europe
1851 : Coup d'Etat du 2 Décembre
1871 : La Commune de Paris
1886 : Crise boulangiste
1898 : Affaire Dreyfus
1905 : Séparation Eglise-Etat
1920 : Congrès de Tours
1936 : Front Populaire
1940-1944 : Occupation de la France par les Allemands
1945 : Hiroshima (1ère bombe atomique)
1962 : Crise de Cuba
1968 : Evénements Mai-Juin (crise étudiante)
LA PHILOSOPHIE DES LUMIÈRES
L'ENCYCLOPÉDIE
LE ROMANTISME
LE RÉALISME / LE NATURALISME
LE SYMBOLISME
LE SURRÉALISME
L'EXISTENTIALISME
LE NOUVEAU ROMAN
MARIVAUX 1763
BEAUMARCHAIS 1799
VOLTAIRE 1778
DIDEROT 1784
ROUSSEAU 1778
1768 CHÂTEAUBRIAND 1848
1790 LAMARTINE 1869
1802 HUGO 1885
1783 STENDHAL 1842
1799 BALZAC 1850
1821 BAUDELAIRE 1867
1821 FLAUBERT 1880
1840 ZOLA 1902
1871 PROUST 1922
1880 APOLLINAIRE 1918
1869 GIDE 1951
1868 CLAUDEL 1955
1897 ARAGON 1982
1913 CAMUS 1960
1905 SARTRE 1980
1927 TOURNIER
1920 VIAN 1959
MAURIAC 1970
1750
1800
1850
1900
1950
2000

GUIDE BIBLIOGRAPHIQUE

Pour compléter vos approches nécessairement succinctes, voici quelques titres utiles et utilisables en fonction de vos besoins.

- *** **Ouvrage accessible, d'usage courant.**
- ** **Ouvrage plus difficile, pour approfondissement.**
- * **Ouvrage de fond, à consulter en bibliothèque ou CDI.**

L'HISTOIRE LITTERAIRE

☐ Sous forme de dictionnaire

* DICTIONNAIRE des LITTÉRATURES DE LANGUE FRANÇAISE
par Beaumarchais, Couty, Rey
BORDAS 3 Tomes 1984

** DICTIONNAIRE des AUTEURS 4 Tomes
** DICTIONNAIRE des ŒUVRES 7 Tomes
LAFFONT Collection Bouquins 1980

☐ Sous forme d'histoire de la littérature

* HISTOIRE LITTÉRAIRE DE LA FRANCE
dirigée par P. Abraham et R. Desné
Editions Sociales 12 Tomes 1975

* LITTÉRATURE FRANÇAISE
dirigée par C. Pichois
ARTHAUD 1985 9 Tomes

* HISTOIRE des LITTÉRATURES
dirigée par R. Queneau
GALLIMARD Collection Pléiade 3 Tomes

*** HISTOIRE DE LA LITTÉRATURE FRANÇAISE
dirigée par P. Brunel
BORDAS 2 Tomes

☐ Autres ouvrages

- Nombreux titres de la collection Que sais-je ? PUF
- La série Introduction à la vie littéraire — BORDAS

LES GENRES

Nous nous permettons de vous renvoyer
*** aux bibliographies d'ORGANIBAC II
pour le roman p. 239
pour le théatre p. 267
pour la poésie p. 299
* à la célèbre collection U A. Colin

En outre, pour la poésie aux anthologies suivantes :

* Histoire de la Poésie Française
par Robert Sabatier — A. MICHEL

* Anthologie Thématique
par Max-Pol Fouchet — SEGHERS

** Livre d'or de la poésie française contemporaine
MARABOUT U 2 Tomes

LES MANUELS

Comme leur nom l'indique, ils doivent être maniés... souvent

☐ Les classiques

- Lagarde et Michard, Moyen Age, 16e, 17e, 18e, 19e, 20e — BORDAS
- Chassang, Senninger, 16e, 17e, 18e, 19e, 20e — HACHETTE
- Mitterand, 16e, 17e, 18e, 19e, 20e — NATHAN

☐ Les branchés

- Biet-Brighelli-Rispail, Textes et contextes — MAGNARD
  16e/17e, 17e/18e, 19e, 20e + Index
- Durcos-Tartayre, Perspectives et confrontations
  Moyen Age, 16e/17e/18e/19e — HACHETTE
- Rincé-Lecherbonnier, Littérature, textes et documents — NATHAN

LES USUELS

Pour compléter, quelques ouvrages d'usage courant.

☐ Les indispensables

*** ORGANIBAC I Méthodes
*** ORGANIBAC II Thèmes d'étude

Tout ce que vous avez toujours voulu savoir pour bien préparer l'épreuve anticipée de français... sans jamais oser le demander.

☐ Les judicieux

** Dictionnaire des types et caractères littéraires
** Dictionnaire des symboles et thèmes littéraires
par C. Aziza, C. Olivier, R. Strick — NATHAN

*** Au rendez-vous des idées
par J. Jacres — MAGNARD

* Petite fabrique de littérature
par A. Duchesne et Ch. Leguay — MAGNARD

*** Guide mythologique de la Grèce et de Rome
par G. Hacquard — HACHETTE

INDEX DES NOTIONS

INDEX DES AUTEURS CITÉS

(Les chiffres en gras correspondent aux références principales.)

E

F

G

H

I

J

K

L

M

N

O

P

Q

R

S

T

U

V

Y

Z

DÉCOUVREZ les autres volumes de la FAMILLE ORGANIBAC Lettres

Pour **ACQUÉRIR** les **MÉTHODES** et les **SAVOIR-FAIRE** :

– la prise de notes, l'exposé, le compte rendu de lecture...
– les techniques de l'épreuve anticipée (écrit et oral)...

➡ **ORGANIBAC FRANÇAIS I**

Pour **TROUVER** des **IDÉES**,
Pour **EXPLOITER** des **THÈMES** :

– la culture, le progrès, la violence, la jeunesse, le travail, l'éducation...
– le Roman, le Théâtre, la Poésie, les grandes problématiques littéraires...

➡ **ORGANIBAC FRANÇAIS II**

DÉCOUVREZ aussi ORGANIBAC PHILOSOPHIE :

Une mine de connaissances, un guide pour penser.

RÉFÉRENCES ICONOGRAPHIQUES

BERNAND	p. 24, 114, 135, 140, 155, 166, 168.
BULLOZ	p. 12, 15 (2), 16, 17, 18, 23, 26, 28, 29, 30, 34, 37, 39, 46, 48, 49, 51, 60, 62, 67, 71, 73, 75, 79, 81, 84, 86, 87, 92, 101, 105, 106, 119, 146, 161, 173, 177.
BIBLIOTHEQUE NATIONALE	p. 25.
J.-L. CHARMET	p. 14, 41, 45, 68, 83, 96, 151.
EDIME DIA	p. 8, 65, 117.
KEYSTONE	p. 129, 130.
RAPHO	p. 126.
ROGER VIOLLET	p. 13, 19, 40, 42, 43, 53, 56, 58, 70, 76, 88, 90, 95, 98, 102, 111, 112, 113, 115, 116, 120, 124, 125, 131, 132, 133, 143, 144, 148, 150, 156, 157, 158, 159 (2), 163, 164, 170, 178, 179, 181, 182.
SNARK-INTERNATIONAL	p. 11.
SYGMA	p. 109.
TALLANDIER	p. 55, 122, 175.

Impression I.M.E. - 25110 Baume-les-Dames - Dépôt légal : Septembre 1994 - N° éditeur : 94/160